GCSE french for OCR

Students' Book

Danièle Bourdais
Sue Finnie
Marian Jones
Sarah Provan
Elizabeth Fotheringham
Kate Scappaticci

OCR
RECOGNISING ACHIEVEMENT

OXFORD
UNIVERSITY PRESS

Official Publisher Partnership

OXFORD
UNIVERSITY PRESS

Great Clarendon Street, Oxford OX2 6DP

Oxford University Press is a department of the University of Oxford.

It furthers the University's objective of excellence in research, scholarship, and education by publishing worldwide in

Oxford   New York

Auckland   Cape Town   Dar es Salaam   Hong Kong   Karachi
Kuala Lumpur   Madrid   Melbourne   Mexico City   Nairobi
New Delhi   Shanghai   Taipei   Toronto

With offices in

Argentina   Austria   Brazil   Chile   Czech Republic   France
Greece   Guatemala   Hungary   Italy   Japan   South Korea
Poland   Portugal   Singapore   Switzerland   Thailand
Turkey   Ukraine   Vietnam

Oxford is a registered trade mark of Oxford University Press in the UK and in certain other countries

© Oxford University Press 2009

British Library Cataloguing in Publication Data

Data available

ISBN 978 019 915498 2

10 9 8 7 6 5 4

Printed in Great Britain by Bell and Bain, Glasgow

Paper used in the production of this book is a natural, recyclable product made from wood grown in sustainable forests. The manufacturing process conforms to the environmental regulations of the country of origin.

Acknowledgements
The publishers would like to thank the following for permission to reproduce photographs:

8a Monkey Business Images/Shutterstock.com, 8b Felix Mizioznikov/Shutterstock.com, 8c Galina Barskaya/Shutterstock.com, 8d Dean Mitchell/Shutterstock.com, 8e Yuri Arcurs/Shutterstock.com, 8f Monkey Business Images/Shutterstock.com, 12a Robert Fried/Alamy, 12b Creasource/Ctorbis, 12c Bigstock, 12d Mika/zefa/Corbis, 12e OUP, 12f Bigtstock, 14a Rick Gomez/Corbis, 14b PhotoAlto/Photolibrary Group, 14c Heide Benser/zefa/Corbis, 14d Photofusion Picture Library/Alamy, 16a Daisuke Kobayashi/Anyone/amanaimages/Corbis, 18a Gregg Segal/Corbis, 20a Zatac/TipsImages, 20b Stephen Oliver/Alamy, 20c Bigstock, 20d John Birdsall Photography, 21a Hans Neleman/zefa/Corbis, 21b Clare Marie Barboza/Corbis, 21c Christa Stadtler/Photofusion, 25a Hemis/Alamy, 28a Tom Joslyn/Alamy, 28b Ian Dagnall/Alamy, 28c Les Ladbury/Alamy, 28d Roger Mechan, 28e Camille Moirenc/Hemis/Corbis, 28f Holmes Garden Photos/Alamy, 28g Tom Joslyn/Alamy, 28h Roger Stowell/Alamy, 28i Bigstock, 28j ImagesEurope/Alamy, 28k ImagesEurope/Alamy, 28l Patrice Latron/PatriceLatron/Corbis, 29a Mike Briner/Alamy, 32a Robin Weaver/Alamy, 32b STOCKFOLIO/Alamy, 34a Bigstock, 34b Chris Hellier/Corbis, 34c Photononstop/TipsImages, 34d Bo Zaunders/Corbis, 34e, 34f Chris Hellier, 36a Clive Tully/Alamy, 37a Rob Cole Photography/Alamy, 37b Bigstock, 39a Galyna Andrushko/Shutterstock; 41a Corbis Sygma, 41c Travelshots.com/Alamy, 46a BLOOMimage, 46b Bigstock, 46c Andi Duff/Alamy, 46d OUP, 46e Gerard Vandystadt, 46f Bigstock, 48a Alan Fraser/Alamy, 50a Fabio Cardoso/Corbis, 50b Picture Partners/Alamy, 50c Helene Rogers/Alamy, 50d imagebroker/Alamy, 50e Michael A. Keller/zefa/Corbis, 50f LWA-Stephen Welstead/Corbis, 50g CUSP RM/Photolibrary Group, 52a Bigstock, 53a Tom Viggars/Alamy, 55a Matthew Ashton/AMA/Corbis, 57a Bettmann/Corbis, 57b, 57c Jean Fort, 62a OUP, 62b OUP, 60b Elizabeth Whiting & Associates/Alamy, 62c David J. Green Studio/Alamy, 62d Jerry Young/Dorling Kindersley, 62e Nigel Cattlin/Alamy, 63a Altrendo Travel/Getty, 64a Peter Widmann/Alamy, 65a ICP/Alamy, 66a Photononstop, 66b Neil Juggins/Alamy, 66c AFP/Getty Images, 66d AFP/Getty Images, 66e Peter Cavanagh/Alamy, 67a Sébastien Baussais/Alamy, 67b PCL/Alamy, 67c Simon Pentelow/Alamy, 67d Bigstock, 67e photononstop/www.photolibrary.com, 67f www.photolibrary.com, 68a Travelshots.com/Alamy, 73a Paul Turner/Shutterstock.com, 73b Monkey Business Images/Shutterstock.com, 73c Jenny Horne/Shutterstock.com, 73d Robyn Mackenzie/Shutterstock.com, 73b Tom Stewart/Corbis, 75a Jeremy Nicholl/Alamy, 76a Pack-Shot/Shutterstock.com, 76b Edward Bock/Corbis, 76c Christian Liewig/Corbis, 76d Directphoto.org/Alamy, 77a EPF/Alamy, 80a Peter Barrett/Corbis, 81a Zave Smith/Corbis, 81b Mango Productions/Corbis, 82a AFP/Getty Images, 82b AFP/Getty Images, 82c MASAAKI TANAKA/amanaimages/Corbis, 82d Anders Ryman/Alamy, 82f Frédéric Soltan/Corbis, 82e and 85b Jupiter Images/Agence Images/Alamy, 84a Tracy Kahn/Corbis, 84b Paul Barton/Corbis, 84c Jane Post/Hardwick Studios, 85a Rob Lewine/zefa/Corbis, 88a imagebroker/Alamy, 89a Cephas Picture Library/Alamy, 89b Images Etc Ltd/Alamy, 91a hfng/Shutterstock.com, 92b Bigstock, 92c Dex Images/Corbis, 94a David Lefranc/Kipa/Corbis, 94b Bigstock, 94c Tracy Kahn/Corbis, 94d Stephen Oliver/Alamy, 98a OUP, 98b Peter Cade/Getty Images, 98c Tim Platt/Getty Images, 98e Wideangle Photography/Alamy, 99d Julia Grossi/zefa/Corbis, 100a Roy Morsch/Corbis, 101a Junker/Shutterstock, 105a Alex Segre/Alamy, 105b OUP, 108a Bill Brooks/Alamy, 108b Sergio Pitamitz/Getty, 108c Sandra Baker/Alamy, 108d Strauss/Curtis/Corbis, 112a Werner Dieterich/Alamy, 114a Hans Neleman/Getty, 116a Gary Cook/Alamy, 116a Bigstock, 116b AGEFotostock/www.photolibrary.com, 121a Christian Wheatley/Shutterstock.com, 121b OUP, 124a Photolibrary Group, 124b Deco/Alamy, 124c Mark Horn/Getty Images, 124d www.foei.org, 126a Stephen Horsted/Alamy, 126b Ian Shaw/Alamy, 126c Photolibrary Group, 126d Artisans du Monde, 126e Index Stock/www.photolibrary.com, 128a Hemis/Alamy, 128b STOCKFOLIO/Alamy, 128c Bob Gibbons/Alamy, 130a Hemis/Alamy, 130b Peter Treanor/Alamy, 132a Images of Africa Photobank/Alamy, 132b Zheng Zheng/Xinhua Press/Corbis, 132c The Photolibrary Wales/Alamy, 134a Richard List/Corbis, 140a STOCK4B/Getty, 142a Bigstock, 142b Dan Forer/Beateworks/Corbis, 142c Dan Forer/Beateworks/Corbis, 142d Christina Kennedy/Getty, 144a Yellow Dog Productions/Getty, 145a Suzanne Porter/Alamy, 146a Picture Partners/Alamy, 146b John Birdsall/PA Photos, 146c David Young-Wolff/Alamy, 146d Janine Wiedel Photolibrary/Alamy, 148a Picture Partners/Alamy, 148b David Woodfall/Alamy, 148c Roger Moss/picturefrance.com, 148d Travelshots.com/Alamy, 156a John Birdsall Photography, 156b Bigstock, 158a Jeff Greenberg/Alamy, 158b Paul Paris/Alamy, 158c WoodyStock/Alamy, 158d Bigstock, 161a Robert Fried/Alamy, 161b Robert Fried/Alamy, 162a John Norman/Alamy, 162b Bigstock, 169a Bigstock, 169b scenicireland.com/Christopher Hill Photographic/Alamy, 169c Bigstock, 169d AFP/Getty Images, 169e Glyn Thomas/Alamy, 172a Frans Lanting/Corbis, 173a Photononstop/TipsImages, 173b Walter Geiersperger/Corbis, 173c ArcoImages/TipsImages, 174a Getty Images, 174b Dan Atkin/Alamy, 174c Photononstop/TipsImages, 174d PeerPoint/Alamy, 175a Paul J Sutton/PCN/Corbis, 175b Diego Azubel/epa/Corbis, 176a imago/KAP/Christiane Kappes, 176b Getty Images, 177a OUP, 177b OUP, 177c Monkey Business Images/Shutterstock.com, 176a Alessandra Benedetti/Corbis, 176b Nada Surf/Autumn de Wilde, 176c OUP, 179a Roy Morsch/zefa/Corbis, 179b Angela Hampton Picture Library/Alamy, 179c Michelle Pedone/zefa/Corbis, 179d Rick Gomez/Corbis, 179e Creasource/Corbis, 179f Reuters/Corbis, 179g, 179h Bigstock, 180a Antonio Mo/Getty Images, 182a Stephane Reix/For Picture/Corbis, 183a Jason Stitt/Shutterstock.com, 183b Suzanne Tucker/Shutterstock.com, 184a Bigstock, 185a Vice-chancellorship of Martinique, 186a OUP, 187a Yuri Arcurs/Shutterstock.com, 188a Yuri Arcurs/Shutterstock.com, 189a David Wells/Alamy, 190a Steve Allen Travel Photography/Alamy, 190b Real Gap, Africa

Illustrations by: Stefan Chabluk, Peter Donnelly, Bill Greenhead, Tim Kahane and Lee Nicholls.

Cover image: Don Hammond/design pics/Corbis

The authors and publishers would like to thank the following people for their help and advice:

Sarah MacDonald; Caroline Osicki; Kathryn Tate; Robert Anderson; Geneviève Talon; Marie-Thérèse Bougard; Air-Edel Associates Ltd; Nick Brown (Lincoln Christ's Hospital School); Chris Buckland (The Thomas Hardye School); Mike Evans (Frome Community College); Kate Scappaticci; Sylviane Martinon

Every effort has been made to contact copyright holders of material reproduced in this book. If notified, the publishers will be pleased to rectify any errors or omissions at the earliest opportunity.

GCSE french for OCR

Danièle Bourdais
Sue Finnie
Marian Jones
Sarah Provan
Elizabeth Fotheringham
Kate Scappaticci

Welcome to *GCSE French for OCR*!

The following symbols will help you to get the most out of this book:

 listen to the audio CD with this activity

work with a partner

work in a group

B↔A swap roles with your partner

 an explanation of an important aspect of grammar

 a skill or strategy that will help you maximise your marks

 key expressions for a particular topic

À vous! a round-up activity that helps you to put the skills and grammar you have learnt into practice. Additional support for these activities is provided on the OxBox CD-ROM.

Grammaire active Grammar explanations and practice

Stratégies Summary and practice of the skills and strategies covered in the unit

Scénario Extended tasks which will help you to prepare for your speaking and writing controlled assessments. Additional support for these activities is provided in the *Exam Skills Workbooks*.

Vocabulaire Unit vocabulary list

Lecture Additional reading material to accompany each unit

Contents

4

Zone d'entraînement

What will you be studying?

You will be studying topics from five areas:

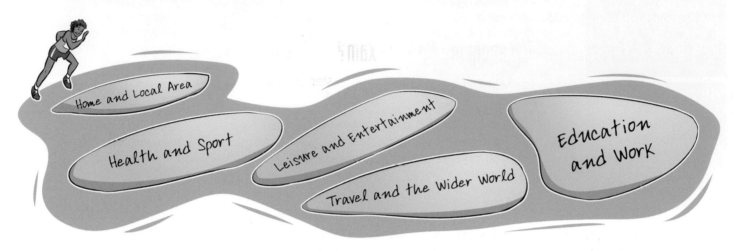

Home and Local Area

Health and Sport

Leisure and Entertainment

Travel and the Wider World

Education and Work

Are you ambitious and creative? You can suggest your own ideas!

This book covers the whole range: topics relating to yourself and your own interests, and topics from the French-speaking world. This isn't so you can be tested on your knowledge of France or other countries: it's because if you are learning French, you will want to use it to find out and talk about something interesting, relevant, useful and imaginative. The French you learn will equip you to communicate in different ways, from dealing with practical situations, to expressing yourself creatively. Oh yes, and of course... it is designed to help you to succeed in your OCR GCSE exam too!

For or against a theme park near you?
Plan a get fit weekend

***

Review your favourite film
Organise a theme party
[insert your own choice here]

***

Imagine your dream journey
Euro-apprentice: hired or fired?

What is in the exam?

For the OCR GCSE exam, you will be tested on the four skills shown in the pie chart. Controlled Assessments account for 60% of the marks (those for Speaking and Writing), so for 60% of your GCSE, what you will be assessed on is up to you! **You** will be saying it or writing it. Make sure you have plenty to say, stick to what you know, and you will be in control!

Listening and Reading are assessed in exams. The examiners are not trying to trick you or confuse you:
– all instructions will be in English
– questions are designed to find out how much you understand.

Speaking and Writing are tested by Controlled Assessment. That's designed to let you show off what you can do.

Overall GCSE grade: 100%

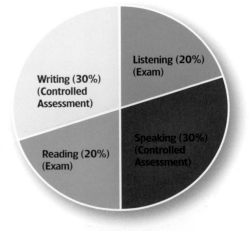

Listening (20%) (Exam)

Writing (30%) (Controlled Assessment)

Speaking (30%) (Controlled Assessment)

Reading (20%) (Exam)

What is Controlled Assessment?

Controlled Assessment is like an exam, except it's even better because individual schools or individual students (that means you!) can be involved in the choice of topic. This is to encourage you to speak and write on topics that you are really interested in. At the end of the course you submit your best two Speaking tasks and your best two Writing tasks.

How does *GCSE French for OCR* equip me for the exam?

 It develops your listening, speaking, reading and writing skills, step by step, building your confidence in tackling material in French.

 It focuses on strategies for success in the exam so you can do your best on the day. There are skills boxes in each unit to help you find the best way to learn for you, and a skills page which encourages you to focus on applying and evaluating these strategies yourself. You can keep applying the same strategies in all units because they **really** work!

 It tells you exactly what you need to do in order to approach the Speaking and Writing assessments with confidence. At the end of each unit, there is a Speaking and a Writing *Scénario* task. These are creative tasks, similar in style to the GCSE Controlled Assessment tasks. All the French and all the skills you have learned so far will come into play, so you can use the task as a chance to show off and express yourself.

 It provides you with language tools (some call it grammar!) for your French toolkit so that you feel that you are properly equipped to deal with the assessment tasks. There are grammar boxes throughout each unit introducing the tools you need, a grammar page at the end of the unit, and a summary *Grammar Bank* at the end of the book. Language is recycled and reused so the tools in your toolbox won't go rusty!

What else will help me succeed?

 the *Exam Practice* section at the back of this book, which provides a complete set of sample exam papers for you to sharpen up on.

 the *Exam Skills Workbook* (available in Foundation and Higher tier editions), which brings together lots of useful advice and strategies, and gives you activities to evaluate and practise them with.

 the *Resources and Planning OxBox CD-ROM*, which provides overviews of French grammar and pronunciation, plus flash cards to help you to master the OCR prescribed vocabulary list. Use the *Record & Playback* activities to record practice speaking Controlled Assessment tasks and perfect your pronunciation and delivery.

How to learn new words and use them

There are many strategies for learning French vocabulary. The most important thing is to try them, evaluate them, and stick to what works for you. Spending time learning words thoroughly is a simple thing that will make a big difference to your grade. It is something no one else can do for you!

Top Five Strategies for Learning Vocabulary

Crack the spelling/ pronunciation link

Learn the French spelling rules

Pronounce any French word correctly

Spell any French word correctly

Notice links between related words

Spend more time on learning the meaning of words

Fun techniques

Word association pictures

Flash cards/Memory games

Stories

Text your friends in French

Focus on important words

Core vocabulary

Vocabulary that transfers to all topics

"Tricky" words

Words that make you stand out from the crowd

Word families

Use your own system

Organise your vocabulary your way: alphabetically, by topic, or in some other way that is meaningful to you

Keep using the vocabulary you learned in previous units

Test yourself frequently to see if you can remember everything

Have your own Top Five Strategies

Eat, drink, read, write, speak, listen

When you are swimming, count your lengths in French

When you are jogging, listen to your words on your MP3 player

On the bus, have a look at your French verb list

Set the menus on your phone and games console to French

Label everything around your house in French

What works for you?

I read words over and over again and then repeat them in my head or out loud.

I record myself speaking and then listen to the recording.

I write each new word out ten times and then I write a sentence using it.

I write new words on a small card with the English translation on the back and use them to test myself.

I ask a friend or relative to test me.

I spell new French words out for myself, silently or out loud.

Which of these ideas would work best for you? Try some and see!

Getting to grips with your French grammar toolkit

Grammar is the set of tools that lets you build French for yourself and express what you want to say. Once you have a collection of grammar tools, they can be used for all topics.

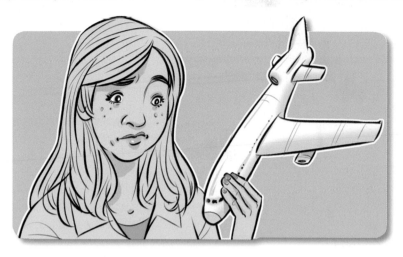

Have you seen those modelling magazines that give you one part of a kit each month, so at the end of the year you have all the parts of a plane? The problem is you have to wait a year before your plane can fly!

This book is not like that. From the very first unit, you begin to assemble a working model that flies. Then you can add to it, customise it and build your own constructions with more independence and more creativity each unit.

Basic Starter Kit:
descriptions
opinions
reasons
verb + infinitive
linking words
present
past
future

Add-ons:
imperfect
comparative/superlative
adverbs and intensifiers
pronouns
conditional
direct speech
subjunctive

Where will you find your grammar tools in GCSE French for OCR?

Grammaire active pages towards the end of each unit of the *Students' Book*, with more in-depth explanation and practice activities.

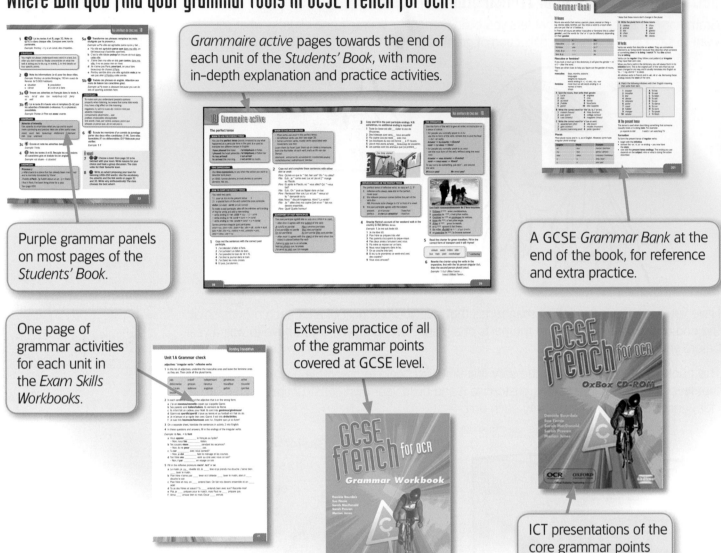

Purple grammar panels on most pages of the *Students' Book*.

A GCSE *Grammar Bank* at the end of the book, for reference and extra practice.

One page of grammar activities for each unit in the *Exam Skills Workbooks*.

Extensive practice of all of the grammar points covered at GCSE level.

ICT presentations of the core grammar points you need for GCSE

What do you do with your grammar toolkit?

The three most important things to do with your grammar toolkit are:

1. Look after the tools: add new ones, but always keep using your old ones.
2. Use the right tool for the job: match the expressions you know to the parts of the task you are doing.
3. Practise taking things apart and putting them back together again. That's how you find out how things work and how to make them yourself.

The grammar activities in this book will give you plenty of practice to make sure you follow these three rules. Some activities are about making sure you put things together correctly, others are about discovering and analysing how things work. Then you always get the chance to use what you have learnt to express yourself creatively and show off what you know.

With GCSE French for OCR, you'll have the tools to be a champion!

Bonne chance!

1A Ma vie

Sais-tu comment...

- [ ] te présenter sur le web?
- [ ] parler de toi et des autres?
- [ ] décrire une journée typique?
- [ ] survivre aux tâches ménagères?
- [ ] discuter de ta vie de famille?

Scénario

- **Invente une nouvelle vie de famille sur *Second Life*.**
- **Décris ta maison pour faire un échange.**

Invente une nouvelle vie sur *Second Life*.

Stratégies

À l'écrit

In French, how do you ...
- use connectives to write longer sentences?
- explain and justify your opinions?
- check your work for mistakes?

À l'oral

When speaking, how do you ...
- rehearse what you are going to say
- improve your pronunciation?
- use 'fillers' to avoid awkward silences?

Grammaire active

As part of your French language 'toolkit', can you ...
- use adjectives and possessive adjectives?
- use negatives?
- use the present tense?
- use reflexive verbs?
- use irregular verbs?

1A Comment te présenter sur le web

G Adjectifs; le négatif **V** Se présenter **S** Préparations pour parler; poser des questions

Cyberpage – votre réseau social... amitié, amour, rencontres

Mon profil

Coordonnées:

Adresse e-mail: arnaudparta@yahoo.fr

Téléphone: 0642682290

Adresse: 32, rue Saint-Roch, 03100 Montluçon

Anniversaire: 19 octobre 1992

Je suis en train d'organiser mes photos.

Amis
Messages
Vidéos
Rechercher

Je m'appelle Arnaud Partamian. Je suis né à Clermont-Ferrand et j'habite à Montluçon, en Auvergne, avec ma mère et ma sœur cadette. Mes parents sont séparés mais je vois mon père régulièrement et mes parents s'entendent assez bien. Mon père s'est remarié avec une femme anglaise qui est sympa. Ils ont un fils, mon demi-frère, qui s'appelle Raphaël. Il est mignon. Je n'ai pas de copine en ce moment mais j'espère trouver quelqu'un – je préfère être en couple!

J'ai fini trois heures de devoirs!!!

Karima
Voir son profil

Je viens de gagner un match de foot.

Guillaume
Voir son profil

Moi, j'écoute mes nouveaux CD.

Aminata
Voir son profil

1a Jeu de rôle: A joue le rôle d'un des quatre jeunes et B lui pose des questions: nom, âge, famille etc. Regardez l'encadré ci-dessous si vous avez besoin d'idées. Inventez les réponses si nécessaire! (B↔A)

Exemple: **A** Comment t'appelles-tu?
B Je m'appelle Arnaud Partamian.

1 Comment t'appelles-tu?
2 De quelle nationalité es-tu?
3 Où habites-tu?
4 Quel âge as-tu?
5 C'est quand, ta date de naissance?
6 Combien de personnes y-a-t-il dans ta famille?
7 Comment est ta famille?

1b Regarde l'extrait. Recopie et remplis la fiche pour Arnaud.

Exemple: **1** Partamian

1	Nom de famille	
2	Prénom	
3	Âge	
4	Nationalité	
5	Date de naissance	
6	Lieu de naissance	
7	Adresse	
8	Téléphone	
9	E-mail	
10	Famille	

STRATÉGIES

If you set yourself a goal, such as 'asking and answering all the basic questions on this page' then you need to work out your strategy for achieving it. Discuss this as a group.

2a Écoute Karima et lis la fiche, page 12. Quels renseignements de la fiche Karima ne mentionne-t-elle pas?

Exemple: **6** ...

2b Note les renseignements mentionnés.

Exemple: Nom de famille – Hassan

2c Réécoute et recopie la version correcte de chaque phrase.

Exemple: **a** est

a   Karima (est/n'est pas) tunisienne.
b   Elle (fête/ne fête pas) son anniversaire en été.
c   Ses parents (ont/n'ont pas) deux enfants.
d   Elle (habite/n'habite pas) à la campagne.
e   Elle (a/n'a pas) beaucoup d'amis.

3 Relie les réponses (a – g) d'Aminata aux questions (1 – 7), page 12.

Exemple: **1b**

a   J'habite à Dakar, la capitale du Sénégal.
b   Je m'appelle Aminata.
c   On est cinq dans ma famille – mes parents, mes deux frères et moi.
d   Ma date de naissance, c'est le 5 novembre 1991.
e   J'ai 17 ans.
f   Je suis sénégalaise.
g   Mes parents s'appellent Salif et Fatima. J'ai deux frères. Mon frère aîné a 25 ans, il s'appelle Malick. Mon petit frère Demba a 12 ans. On ne s'entend pas bien.

4 Écoute Aminata pour vérifier.

5 Écoute Guillaume. Combien de renseignements peux-tu noter?

Exemple: Nom de famille – Roudot

6 Présente-toi comme si tu étais Guillaume. Utilise tes notes.

7 Complète la grille en trouvant les mots a – j.

Exemple: **a** Angleterre

Pays	Nationalité (masc.)	Nationalité (fem.)
a	anglais	anglaise
Écosse	b	écossaise
Irlande	irlandais	c
Pays de Galles	d	galloise
France	e	f
g	italien	italienne
Espagne	espagnol	h
Allemagne	allemand	i
Tunisie	tunisien	j

8 Écoute (1–8). Les adjectifs, sont-ils masculins ou féminins?

Exemple: **1** masculin

À vous!

9a Imagine you are a celebrity. Prepare notes to answer the questions (1-10) in Activity 1. You can make things up!

9b Write a profile for your celebrity for Cyberpage, without saying who they are. You can make up the details. Exchange your profile with a partner. Can you work out who they are?

10 Now interview each other, asking and answering the questions you prepared for 9a.

1A Comment parler de toi et des autres

(G) Adjectifs   (V) Personnalité   (P) Adjectifs masculins et féminins   (S) Stratégies pour apprendre; le français pa

Quiz horoscope

Tu peux deviner ton signe astrologique?

A Tu es charismatique et tu adores être le centre d'intérêt. Tu aimes t'amuser mais tu as tendance à* être un peu <u>têtu(e)</u>.

B Tu es <u>indépendant(e)</u> et romantique. Ta famille et tes amis sont très importants pour toi. Tu travailles bien en groupe.

C Tu as très bonne mémoire. Tu as besoin de* sécurité dans la vie. Tu es assez romantique.

D Tu es loyal(e) et passionné(e). Tu es têtu(e) aussi. Tu adores les petits luxes de la vie. Tu as l'air* sympa.

E Tu as beaucoup de copains/copines et de centres d'intérêt. Tu aimes parler et discuter. Tu es assez actif/active.

F Tu es enthousiaste et aventureux/aventureuse. Tu adores apprendre des choses nouvelles mais tu n'es pas très organisé(e).

G Tu es très <u>organisé(e)</u> et responsable. Tu peux être* un peu <u>timide</u>. Tu es intelligent(e) et déterminé(e).

H Tu es créatif/créative et romantique. Tu es très <u>actif/active</u> et tu aimes le sport et l'art dramatique.

I Normalement tu fais beaucoup de choses en même temps et tu peux être un peu anxieux/anxieuse. Tu es <u>gentil/gentille</u> et tu as un très bon sens de l'humour.

J Tu es très <u>drôle</u>. Mais tu es aussi sensible et déterminé(e). Tu peux être un peu <u>égoïste</u>.

K Tu es plein(e) d'énergie et très <u>généreux/généreuse</u>. Tu adores voyager et tu es aventureux/aventureuse mais aussi responsable.

L Tu es indépendant(e) et fidèle. Tu es <u>travailleur/travailleuse</u> et tu aimes étudier. Tu peux être un peu excentrique!

> * tu as tendance à – *you tend to ...*
> tu as besoin de – *you need to ...*
> tu peux être – *you can be ...*
> tu as l'air – *you seem ...*

1a À deux. Décrivez les personnes **A–D** à droite avec les phrases de la case.

Tu es comment?

Je suis	très/assez/ un peu/trop	petit(e)/grand(e).
Je ne suis pas		beau/belle.
Il/Elle est		maigre/mince/gros(se).
Il/Elle n'est pas		branché(e).
Je suis Il/Elle est		de taille moyenne.
J'ai Il/Elle a		les cheveux blonds/bruns/noirs/roux châtain. les cheveux longs/mi-longs/courts. les cheveux raides/bouclés/frisés.
		les yeux bleus/verts/marron.
Je porte Il/Elle porte		des lunettes.

A Céline (12 mars 1970)

B Eric (31 juillet 1979)

C Julien (3 septembre 1991)

D Océane (10 février 1993)

1b Écoute pour vérifier.

2 Écris une bulle pour décrire quatre autres personnes qui veulent participer à l'émission de télé-réalité *Shipwrecked*.

Exemple: Je suis assez grande et j'ai les cheveux blonds et ...

STRATÉGIES

There are different ways to learn new words. The best method for you depends on what type of learner you are.

If you remember by seeing ... make a wall poster

If you learn better by hearing ... record them and play them back to yourself

If you prefer to learn by doing ... cut up small cards with the words and their meanings and play matching games.

GRAMMAIRE

When you use an adjective, make sure it agrees with the noun it is describing, e.g. feminine, plural. Most adjectives follow this regular pattern:

	masculine	feminine
Singular	Il est grand.	Elle est grand**e**.
Plural	Ils sont grand**s**.	Elles sont grand**es**.

However, some have a different pattern: *sensible/ sensible, travailleur/travailleuse, gentil/gentille, actif/ active*. Also, some adjectives never change: *sympa, cool*.

3a Regarde le quiz horoscope à la page 14. Relie les mots soulignés avec l'équivalent anglais.

Exemple: **a** gentil(le) − *kind*

a *kind*
b *independent*
c *organised*
d *funny*
e *selfish*
f *active*
g *stubborn*
h *hard-working*
i *shy*
j *generous*

3b Quelles sont les formes féminines des adjectifs de la liste?

4 Écoute Samuel et Sarah. Note les différences entre les adjectifs masculins et féminins.

5a À deux. **A** dit le nom d'une célébrité. **B** dit un adjectif pour la décrire. Attention − utilisez la bonne forme de l'adjectif! (B↔A)

Exemple: Keira Knightley − mince; Alan Carr − drôle

5b Dites des phrases plus longues pour exprimer votre opinion.

Exemple: **A** À mon avis, Keira Knightley est trop mince.
B Je crois qu'Alan Carr est extrêmement drôle.

STRATÉGIES

Improve your spoken French by making sure that when you use adjectives you leave silent endings and only pronounce final syllables when necessary, e.g. *un garçon indépendant/une fille indépendante*. Also make your pronunciation clear so that the listener can differentiate between, e.g. *actif/active*.

6 Trouve d'autres adjectifs dans les horoscopes pour décrire quelqu'un et traduis-les en français.

Exemple: charismatic − charismatique

7 Traduis les phrases en français.

a *My parents are very active and hard-working too.*
b *My sister is independent and very organised.*
c *My brothers are a bit selfish.*
d *My stepmother is quite stubborn but very funny.*
e *My grandparents are very generous and kind.*

8 Lis et écoute les horoscopes, page 14. À ton avis, quel descriptif te correspond le mieux?

À VOUS!

9 You are looking for contestants for the reality TV programme 'Shipwrecked'. Choose a new member of the tribe from the people **A-D** in Activity 1a on page 14. Refer to their horoscopes to find out about their personalities. Why have you chosen them? You can make details up if necessary. Write 75-100 words.

Exemple: Océane doit être le nouveau membre de la tribu. Elle est très active. Elle adore faire du sport ...

10 You would like to take part in a reality TV show. You need to pass an audition and write a few lines about yourself (include physical appearance, personality, strong and weak points) and explain why you are the ideal candidate. Work in groups, each person does an audition, choose the best candidate.

1A Comment décrire une journée typique

G Adjectifs possessifs; verbes pronominaux **S** Créer des phrases **V** La routine quotidienne

Une journée dans la vie d'une famille monoparentale*

Laurent Lanchon vit seul avec son fils Aurélien, 7 ans, et sa fille Clémence, 4 ans. Leur mère, Carole, est morte il y a deux ans.

Pour Laurent, père des jeunes enfants, il faut être très organisé afin d'arranger la vie de famille. Voici sa journée typique:

la veille: il choisit les vêtements que les enfants vont porter le lendemain et vérifie le contenu des cartables.

6 heures 30: il se lève avant les enfants, donc il est plus calme pour se préparer, il se douche et s'habille, consulte son agenda, écrit un menu, fait une liste d'achats, prépare le petit déjeuner.

7 heures: les enfants se lèvent; Aurélien se prépare; Laurent s'occupe de Clémence. Les enfants se lavent, ils se brossent les dents, ils s'habillent.

7 heures 20: ils prennent le petit déjeuner ensemble; la télé est interdite!

7 heures 45: ils partent pour l'école.

8 heures: ils arrivent à l'école.

8 heures 30: Laurent arrive à son bureau où il travaille pendant les heures d'école.

13 heures: il déjeune, souvent avec ses collègues, avant de faire des courses en ville.

16 heures 30: il va chercher les enfants.

17 heures: ils rentrent à la maison.

17 heures 30: il surveille les devoirs en préparant le dîner.

18 heures 30: la famille dîne, les enfants jouent ensemble; Laurent fait la vaisselle; un quart d'heure de relaxation.

19 heures 15: les enfants s'amusent dans le bain; Laurent leur parle de leur journée.

19 heures 30: les enfants se couchent. Laurent se repose un peu, puis il fait encore deux ou trois heures de travail sur l'ordinateur. Et il recommence le lendemain!

> * single-parent

1a Lis le texte et mets les images (a–n) dans le bon ordre.

Exemple: **g** ...

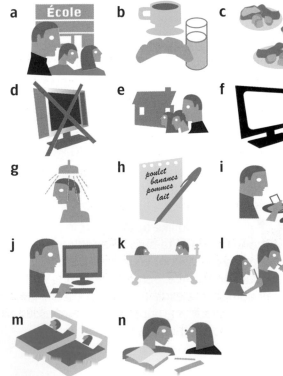

1b Trouve les phrases correspondantes dans le texte.

Exemple: **a** une liste d'achats

a *a shopping list*
b *he collects*
c *the children enjoy themselves*
d *the day before*
e *the next day*
f *he works during the school day*
g *he rests*
h *he deals with*

2 Écoute Laurent qui décrit une journée dans sa vie. Réponds aux questions en anglais.

Exemple: **a** *He likes to have time to get organised.*

a *Why does Laurent get up before the children?*
b *Why does Laurent like to eat breakfast with the children even if they are in a hurry?*
c *Why do the family travel to school by car?*
d *Does Laurent like his job?*
e *What does he say is the problem with it?*
f *What is Laurent doing while he organises things for the next day?*
g *What might he and the children do just before they go to bed?*
h *What does he do as soon as they are in bed?*
i *How does he spend most of his evening?*
j *What else does he do sometimes?*

GRAMMAIRE

Reflexive verbs

Reflexive verbs (*se lever, s'habiller*, etc.) have an extra pronoun between the subject and the verb:
je **me** *lève tu* **te** *lèves il/elle* **se** *lève*

3 Trouve les dix verbes pronominaux dans le texte, page 16. Écris-les à l'infinitif et traduis-les en anglais.

Exemple: se lever − *to get up*

STRATÉGIES

Using extended sentences makes what you say more interesting. Try to use connectives and adjectives and express your opinion.

Useful connectives: *parce que, car, alors, par contre, mais*

Useful expressions of opinion: *Je pense que ...Je trouve que ...Je crois que ...*

4 Écris la description d'une journée typique pour une personne que tu admires.

Exemple: un membre d'un groupe très populaire écrit:

Normalement je me lève à midi, et puis je bois un énorme verre de jus d'orange. Après, je me douche et ensuite ...

Une journée inoubliable!

Bonjour à tous ceux qui lisent mon blog! Je viens de passer une journée super géniale avec deux copines. On était invitées au studio de l'émission Pop Star pour passer une audition! Je me suis levée à cinq heures du matin et on nous a envoyé un taxi pour nous conduire au studio! Je n'ai même pas déjeuné, parce que j'étais trop excitée! En arrivant, nous avons dû chanter devant les trois présentateurs. Ils étaient très sympa et ils ont dit que nous avions du talent et que nous devions revenir dans trois semaines! Pour fêter notre premier succès, nous sommes allées déjeuner dans un petit bistro du coin et puis nous sommes rentrées à la maison de très bonne humeur. Quelle journée épuisante! **Katya**

5 Lis le blog de Katya. Retrouve les expressions françaises:

Exemple: **a** Je viens de passer une journée super géniale

a *I've just had a great day*
b *we were invited to ...*
c *they sent a taxi*
d *to celebrate*
e *in a really good mood*
f *what an exhausting day*

6 Réponds aux questions en anglais.

a *Where did Katya go that day and why?*
b *What mood was she in in the morning?*
c *Describe what she and her friends did when they arrived.*
d *What reaction did they get?*
e *How did they celebrate?*
f *What made the day so tiring?*

GRAMMAIRE

Possessive adjectives

Possessive adjectives indicate who something belongs to: *ma mère,* **ton** *stylo,* **ses** *vêtements*.

See page 203 for more information.

7 Trouve tous les adjectifs possessifs dans le texte, page 16.

Exemple: sa journée

8 Complète les phrases avec un adjectif possessif.

Exemple: **a** leurs

a Les filles font ... devoirs pendant une heure le soir.
b Après avoir quitté la maison, il prend ... voiture pour aller au travail.
c ... père pense que je dois me lever plus tôt.
d Où est .... brosse à dents? Je ne la trouve pas.
e Tu as ... cartable?
f Nous nous entendons bien dans ... famille.

À VOUS!

9 Work in pairs. A plays the role of the person chosen in Activity 4 and B is a journalist interviewing them about their daily life for a magazine. Add to the list of questions to ask below, and then play out the interview. (B↔A).

• Tu te lèves à quelle heure?
• Tu fais quoi le matin avant de quitter la maison?
• Tu manges quoi pour le petit déjeuner?

10 Choose a person who leads an alternative lifestyle, such as a spy or a nightworker, and write 100 words about a day in their life.

Exemple: Normalement, je me lève vers 8 heures du soir et je prends mon petit déjeuner à la nuit tombante...

(G) Devoir (V) Les tâches ménagères (S) Les bouche-trous*

* filler words

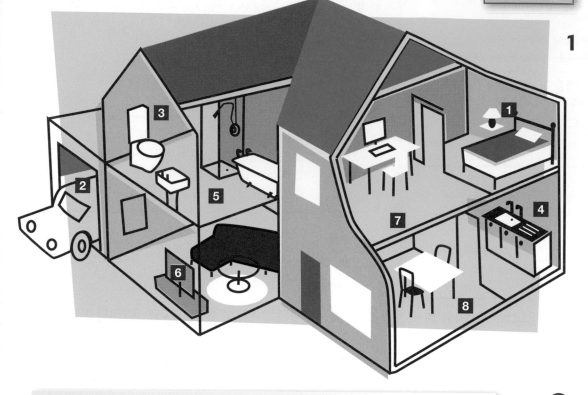

1 👥 📖 À deux. Vous avez une minute. Reliez les numéros aux pièces.

Exemple: **1a**

a la chambre
b la cuisine
c les toilettes
d le garage
e la salle à manger
f le salon
g la salle de bains
h le bureau

Les tâches ménagères, vous faites comment?

Comment mieux répartir* les tâches ménagères? Connaissez-vous l'émission *Desperate Housewives*? Êtes-vous des Bree Van de Kamp du ménage? Seulement 11% des Français sont heureux de ranger, nettoyer et lessiver.

Selon un sondage* réalisé par TNS-Sofres, 56% des Français considèrent les tâches ménagères comme ennuyeuses. 31% des personnes interrogées pensent que les tâches ménagères sont utiles. Pour 11% les tâches ménagères sont un plaisir et 18% font tout pour éviter* ces tâches.

Mais ils font quoi?
84% des personnes interrogées lavent et rangent leur vaisselle plusieurs fois par semaine, 75% préparent les repas, 72% rangent,

67% font le ménage, 57% font les courses et 56% s'occupent du linge.

Peu d'aides ménagères
12% des personnes interrogées ont une aide ménagère extérieure. 94% d'entre eux déclarent que l'aide d'une personne donne une meilleure qualité de vie.

79% des personnes interrogées disent qu'elles feraient confiance à une personne employée pour accomplir des tâches ménagères.

2 📖 Lis le texte et complète les statistiques.

Exemple: **a** 31%

a ....% think household tasks make them feel useful.
b ....% enjoy doing household tasks.
c ....% do anything to avoid them.
d ....% do the washing up and put it away several times a week.
e ....% employ someone to help with housework.
f ....% think that having outside help improves their quality of life.

3 📖 Trouve six tâches ménagères mentionnées dans le texte et traduis-les en anglais.

Exemple: ranger − *to tidy up*

---

* répartir − *to share out*
un sondage − *a survey*
éviter − *to avoid*

4a 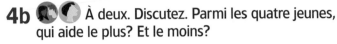 Écoute quatre jeunes qui parlent des tâches ménagères (1–4). Mets les tâches dans le bon ordre pour chaque personne.

Exemple: Céline – **b, d** …

a faire le ménage
b ranger ma chambre
c faire la lessive
d faire la vaisselle
e préparer les repas
f mettre le couvert
g faire les courses
h nettoyer la salle de bains

STRATÉGIES

When you are speaking, try to avoiding awkward silences by using 'fillers' to gain time: *eh bien, alors, euh, comment dire* …

4b À deux. Discutez. Parmi les quatre jeunes, qui aide le plus? Et le moins?

5 À deux. **A** décrit ce qu'il/elle fait pour aider à la maison. **B** prend des notes. (B⟷A) Ensuite comparez vos notes avec une autre paire. Qui aide le plus? Et le moins?

Exemple: **A** Moi, je range ma chambre …

Comment éviter les tâches ménagères…

Trouves-tu toujours des excuses pour éviter de faire le ménage? Ou es-tu un ange chez toi? Fais le quiz pour le savoir!

1 Ta mère te demande de nettoyer les toilettes. Tu dis:
  a Pas en ce moment, maman, je fais mes devoirs (puis tu retournes à ton jeu vidéo).
  b Euh … je suis un peu occupé. Plus tard peut-être …
  c D'accord, j'arrive tout de suite!

2 Tu dois partager les tâches ménagères avec tous les membres de la famille. Qu'en penses-tu?
  a Mais ce n'est pas normal. Ce n'est pas ma responsabilité!
  b Oui, c'est juste. Chacun doit aider un peu à la maison.
  c Super! J'aime faire le ménage et vivre dans une maison propre.

3 Ton père te dit: "Tu peux faire la vaisselle et ranger ta chambre, s'il te plaît?" Tu réponds:
  a Et je gagne combien d'argent pour faire ça?
  b Je n'ai pas le temps d'aider, peut-être le week-end?
  c Oui, avec plaisir.

6a Lis le quiz. Comment réponds-tu aux questions? Tu es plutôt a, b ou c?

a Toutes les excuses sont bonnes! Tu ne fais rien pour aider et c'est injuste. Fais un effort au moins.

b Tu trouves toujours une excuse pour éviter de faire les tâches ménagères. Tu dois faire plus pour aider à la maison.

c Tu es toujours prêt à donner un coup de main et c'est admirable. N'oublie pas de demander aux autres d'aider un peu aussi!

GRAMMAIRE

Devoir

The irregular verb *devoir* (to have to) is a useful verb, so learn it by heart.

Je dois	*Nous devons*
Tu dois	*Vous devez*
Il/Elle/On doit	*Ils/Elles doivent*

6b À deux. Chacun pense à trois autres excuses. Demande à ton partenaire de t'aider à faire quelque chose et note ses excuses.

Exemples: **A** Est-ce que tu peux faire la lessive, s'il te plaît?
  B Non, je ne peux pas parce que je dois finir un e-mail très important.
  A Tu peux ranger ta chambre, s'il te plaît?
  B Désolé, mais je dois aller en ville avec mes copains.

À VOUS!

7 Imagine that you are rich and you can employ people to help you around the house. What household chores do you need help with and why? Note down your ideas and compare them with a partner.

Exemple: J'ai besoin de quelqu'un pour laver mes six voitures …

8 Work in groups. Think of all the household chores that you do and write a list of strategies for coping with them.

Exemple: Prends dix minutes par jour pour ranger ta chambre …

Essaie de … tous les jours/toutes les semaines/etc.
N'oublie pas de …
Si on te demande de …, dis …
Explique à tes parents que …

G Position des adjectifs **S** Éviter les silences **P** Les voyelles **V** La vie de famille

La vie de famille – un lieu de bonheur?
À votre avis, est-ce que la famille est le premier lieu de bonheur?

La vie de famille est très importante pour moi. J'habite avec mes parents et mon frère aîné. Je m'entends très bien avec mon père. Il m'écoute et me conseille. Je suis adopté et j'apprécie beaucoup la stabilité et le soutien de ma famille. Nous faisons beaucoup de choses ensemble et je crois que c'est important.

Théo, 17 ans

Mes parents sont divorcés et j'habite avec mon père, ma belle-mère et mes deux demi-frères. On s'entend assez bien, mais il y a des disputes familiales de temps en temps bien sûr. Moi, je préfère éviter les conflits. J'ai un bon rapport avec ma belle-mère. Elle est très sympa et je peux lui parler de tout.

Noémie, 15 ans

Pour moi, la vie de famille est un peu difficile. Je ne m'entends pas du tout avec ma mère. On se dispute souvent et j'ai l'impression qu'elle ne m'écoute pas. Mes parents sont divorcés et je ne vois plus mon père. Il y a souvent une ambiance tendue chez moi. Par conséquent, je parle de mes problèmes avec mes copains. Non, la vie familiale n'est pas heureuse pour moi.

Aurélie, 16 ans

Mes parents peuvent être assez exigeants mais on s'entend bien quand même. Je me dispute un peu avec ma sœur mais la plupart du temps, ça va. J'ai de très bonnes relations avec mes grands-parents et je passe beaucoup de temps chez eux. Je trouve que la vie de famille n'est pas parfaite tout le temps, il faut faire un effort pour vivre heureux ensemble.

Laurent, 16 ans

1 Lis les textes. Qui ...

Exemple: **a** Aurélie

a est membre d'une famille monoparentale?
b évite les disputes si possible?
c s'entend très bien avec sa famille?
d pense qu'il faut faire un effort pour avoir de bonnes relations?

2 Note les phrases qui correspondent aux suivantes:

Exemple: **a** Je m'entends très bien avec mon père

a *I get on really well with my dad*
b *I don't get on at all with my mum*
c *We argue a lot*
d *I talk about my problems with my friends*
e *there are arguments from time to time*
f *my parents can be quite demanding*
g *I argue a bit with my sister*
h *I have a really good relationship with*
i *to make an effort to live happily together*

3 Écoute Sandrine qui parle de sa vie de famille. Puis écris trois phrases de son journal intime.

Exemple: je m'entends assez bien avec mes parents ...

VOCABULAIRE

Je m'entends bien avec ...   On s'entend bien
J'ai un bon rapport avec ...   Il/Elle (ne) me comprend (pas)
Je me dispute avec ...
Nous (ne) faisons (pas) beaucoup de choses ensemble
J'ai de bonnes relations avec ...

STRATÉGIES

If you don't understand what someone is asking you or aren't sure, avoid uncomfortable silences by asking for clarification, e.g.

Pouvez-vous répéter s'il vous plaît?

Comment?

Qu'est-ce que ça veut dire, ...?

Je ne sais pas. Je ne suis pas sûr(e).

4 Jeu de rôle: **A** choisit une personne de la page 20 et **B** pose des questions sur sa famille. Tu peux utiliser des expressions de l'encadré, page 20 (A↔B).

Exemples: Dans ta famille, tu t'entends bien avec qui?

Et tu te disputes avec qui? Pourquoi?

Ta vie de famille est heureuse? Pourquoi?

Des changements dans la vie familiale

Actuellement on peut dire qu'il n'existe pas de famille typique. La famille est toujours en train de changer et maintenant la famille existe sous des formes différentes. Familles monoparentales, familles traditionnelles, séparations et divorces …

Il y a des changements aussi quant au travail. Dans les années cinquante, la plupart des mères de famille ne travaillaient pas. Aujourd'hui, on voit une variété de situations. Beaucoup de mères travaillent, plus de personnes travaillent chez elles, les pères s'occupent de la maison et des enfants, tout est possible.

Mais est-ce que les relations familales ont changé aussi? Il y a toujours des difficultés relationelles dans les familles et des disputes entre parents et ados. On dirait que l'image de la famille a changé mais la vie de famille est peut-être toujours la même.

5 Recopie et complète le résumé de l'article.

Exemple: **a** familles

Aujourd'hui, il y a plusieurs types de **a**.

De la même façon, le monde du **b** a évolué.

Plus de femmes travaillent et les **c** peuvent choisir de rester à la maison et garder les **d**.

Les relations **e** ne sont pas très différentes, il y a toujours des **f** et des difficultés.

Même si **g** de la famille n'est plus la même, la vie de famille n'a pas trop **h**.

familiales	pères	changé	familles enfants
disputes	l'image	travail	

6 Écoute pour vérifier.

Adjectives

Most adjectives go after the noun:

*une famille **sympa**, des relations **difficiles**, les parents **exigeants***

Some adjectives come before the noun:

*une **grande** famille, ma **petite** sœur, de **bonnes** relations*

Other common adjectives which come before the noun are:

jeune, vieux, mauvais, nouveau, beau, gros, joli.

(See page 202 for more information.)

Improve your spoken French by making sure you can pronounce vowel sounds correctly. Pay attention to the sounds *u/ou, en/on/an*, accented letters and nasal sounds (m or n after a vowel).

7 Écoute les expressions suivantes et répète.

a mon frère aîné
b je m'entends
c il m'écoute
d on se dispute souvent
e mes parents sont divorcés
f j'ai un bon rapport

À VOUS!

8 Prepare a mini-presentation of about one to two minutes on your family life.

- Décris ta famille.
- Comment est ta vie familiale?
- Quels sont les ingrédients d'une vie de famille heureuse à ton avis?

9 Write a message on your real or imaginary blog. Describe your relationships with the members of your family.

WHEN TO USE THE PRESENT TENSE

Use the present tense to say:	
– what is happening now.	*Je prends mon petit déjeuner.*
– what happens regularly.	*Tu promènes le chien tous les jours?*
– how long something has been happening (*depuis* + present tense).	*J'habite ici depuis dix ans.*
– what is certain to happen soon (in the near future).	*On rentre à la maison ce soir.*
– to describe someone.	*Il a les cheveux longs et blonds. Il est sportif.*

1 Write one sentence illustrating each use of the present tense.

VERB ENDINGS

When you use a verb in the present tense, the ending will change depending on who is doing the action of the verb.

Most verbs have regular patterns. See page 201 for –*er* verbs, –*ir* verbs and –*re* verbs.

2 Are these verbs –*er*, –*ir* or –*re* verbs? Write down the infinitive for each one.

Exemple: **a** adorer

a nous adorons
b on parle
c ils perdent
d elle remplit
e nous écoutons
f elles finissent
g je descends
h tu préfères
i nous mangeons
j vous commencez

IRREGULAR VERBS

Some common verbs are irregular and you will need to learn them by heart. See page 211–212 for how to form them. These include:

aller, avoir, boire, écrire, être, faire, lire, pouvoir, prendre, savoir, sortir, venir, vouloir.

-Tu vas au match?
-Ben, non.
-Tu viens au **centre commercial?**
-Bof.
-Tu sors ce soir?
-J'sais pas.
-Alors, tu fais quoi ce week-end?
-Je dors.

3 Look at the cartoon. Which irregular verbs are used?

Exemple: vas – aller

4 Translate the irregular verbs listed in the box.

Exemple: aller – to go, avoir – to …

5 Complete the sentences with the correct form of the verb.

Exemple: **a** veux

a Je (vouloir) habiter à Rome.
b On (sortir) samedi soir?
c Ils (partir) en vacances la semaine prochaine.
d Elle (aller) chez sa grand-mère chaque dimanche.
e Vous (lire) quel journal?
f Nous (être) très contents.
g Tu (avoir) un animal à la maison?

REFLEXIVE VERBS

Reflexive verbs (*se lever, s'habiller*, etc.) have an extra pronoun between the subject and the verb:

je **me** *lève*
tu **te** *lèves*
il/elle **se** *lève*
nous **nous** *levons*
vous **vous** *levez*
ils **se** *lèvent*

6 It's chaos in the Legrand household at 7.30 am! Complete Louise's description by writing in the missing reflexive pronouns.

Exemple: **a** me

Alors, moi je **a** lève tard, vers sept heures vingt. Maman **b** douche déjà et mes frères **c** habillent dans leur chambre. Papa **d** lave vite dans la salle de bains, puis il **e** occupe de nos deux chiens. Après un petit déjeuner rapide, nous **f** brossons les dents et nous partons. Moi, j'ai envie de **g** coucher tout de suite!

7 Madame Legrand complains a lot. Translate what she says into French.

a Louise, you get up too late.
b The boys go to bed at midnight!
c Philippe doesn't wash.
d Henri gets dressed in the kitchen!
e I see to everything.

DEPUIS AND THE PRESENT TENSE

To say how long something has been going on (and still is), use the present tense and *depuis*.

On habite à Londres depuis cinq ans.
We have lived in London for five years.

Je fais mon lit depuis que j'ai six ans.
I have been making my bed since I was six

8 Translate these sentences into French.

a I have been living in France for five years.
b She has been doing her homework since four o'clock.
c My brother has been washing up for an hour.
d He has been going to school for five years.
e They have been watching TV since nine o'clock.

9 Write sentences using the details below and *depuis*.

a you – making your own lunch – 5 years
b brother and his girlfriend – living together – 2 months
c mother – working as a doctor – 20 years
d younger sister – reading on her own – since age 3
e you – learning French – (own answer)

ADJECTIVES

Most adjectives follow this regular pattern:

	Masculine	Feminine
Singular	*Il est grand.*	*Elle est grande.*
Plural	*Ils sont grands.*	*Elles sont grandes.*

Masculine	Feminine
Adjectives ending in –*e*: *sensible*	remain the same: *sensible*
Adjectives ending in –*eur*/–*eux*: *travailleur/aventureux*	usually change to –*euse*: *travailleuse/aventureuse*
Adjectives ending in –*el*/–*il*/–*en*: *gentil*	double the final consonant: *gentille*
Adjectives ending in –*if*: *actif*	usually change to –*ive*: *active*
Some adjectives stay the same: *sympa, super, marron, cool.*	

Some adjectives are completely irregular. See page 203 for more information.

10 Sébastien describes his pets. Copy and put the adjectives in brackets into French.

Exemple: **a** têtu

Mon chien est **a** (stubborn), mais aussi très **b** (adventurous). Mes poissons sont **c** (beautiful) mais un peu **d** (shy). Ma souris est très **e** (active) et **f** (determined) et mes oiseaux sont un peu **g** (anxious). Et mon chat? Je crois que tous les chats sont **h** (independent) et **i** (selfish).

11 Find other examples of adjectives in this unit. Copy and fill in the grid.

Adjectives before the noun	Adjectives after the noun
un énorme verre	les cheveux bruns

12 Copy and complete each sentence with at least three adjectives.

a Les filles sont …
b Les garçons sont …
c Mes parents sont …
d Mon/ma prof est …

13 Translate into French. Think about the position of each adjective – before or after the noun?

a the little girls
b a generous old lady
c an interesting family
d a big fat dog
e an anxious mother
f a pretty garden

1A Stratégies

In this unit, you've learnt how to...

À l'oral

1 Start a conversation with confidence.

Practise or rehearse in your head what you want to say.

Look up any new words you might want to use in a dictionary and learn them.

❑ Tell a partner what your daily routine is in the holidays. Before you start, think about what you are going to say.

❑ You have won a competition to meet your favourite French celebrity. Plan what you would say to him/her. How would you start the conversation? Think of at least five questions to ask and prepare your own answers.

2 Avoid awkward silences.

Use 'fillers' to gain time.

❑ Write down three things you can say to give yourself time to think.

❑ Your parents are unhappy about who you are spending time with and what you are doing. Imagine a conversation where they are questioning you and you must respond politely, without creating conflict. Use as many filler words as you can to gain time before responding to the following questions.

• *Pourquoi passes-tu toute la soirée devant la télé?*

• *Pourquoi aimes-tu jouer sur l'ordinateur au lieu de parler avec ta famille?*

• *Pourquoi tu ne fais pas tes devoirs?*

• *Pourquoi passes-tu tellement de temps avec ton copain Rémi?*

Keep the conversation going! Try to play an active part in the conversation, for instance by asking questions.

❑ List five questions you can ask someone you are trying to get to know.

3 Cope when you don't understand.

Don't panic, ask someone to speak more slowly or to repeat something. Or explain that you don't understand.

❑ Write down a way of doing each of these things.

❑ Listen to the interview and note how many times the two speakers pause/use fillers. What phrases do they use?

4 Improve your pronunciation of vowel sounds.

❑ List five words whose pronunciation you practised earlier in the unit and explain to a partner why they can be tricky.

❑ Listen and repeat the vowel sounds.

tu, tout	*me, mère*
enfant, mon, sans	*faim, pain*
parle, parlé	*un, bien*

❑ Listen. Which word do you hear?
  1 *tout, tour* 　4 *allons, allez*
  2 *deux, des* 　5 *ou, où*
  3 *ton, tante* 　6 *aime, aimé*

> **STUDY TIP**
>
> Read aloud as much as you can (from this book, the internet, magazines, and previous work) so that you can practise making the sounds of the language and hearing yourself speak.

À l'écrit

1 Use connectives and opinion phrases to build more interesting sentences.

❑ Write out three connectives and three ways to start a sentence giving your opinion.

2 Add detail to a sentence by saying when or where something happens or who else is involved.

❑ Add two examples to each list.
  a Saying when: *tous les matins, à midi, ...*
  b Saying where: *en France, dans ma chambre, ...*
  c Saying who with: *avec mes copains, avec ma petite sœur, ...*

3 Get into the habit of checking your written work and learning from your mistakes.

❑ Read some work your teacher has marked and write three reminders on avoiding the same mistakes in future.

Example: Make sure adjectives agree with the noun they describe.

Always check that ...

À l'oral

Invente une nouvelle vie de famille sur Second Life.

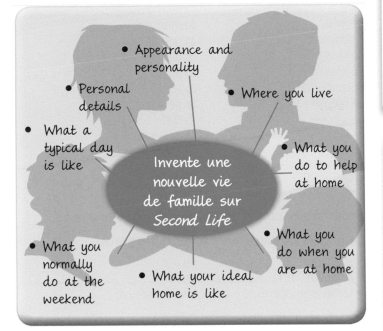

- Appearance and personality
- Personal details
- Where you live
- What a typical day is like
- What you do to help at home

Invente une nouvelle vie de famille sur Second Life

- What you normally do at the weekend
- What your ideal home is like
- What you do when you are at home

1   Work in groups of 4–5 to create a family to live in the virtual world of Second Life. As a group, decide on what roles you will play and invent some facts about your characters. Use the mind map to prepare your written profile.

2   You are going to introduce yourself in character to the rest of the group. Prepare and practise what you are going to say.

3   Prepare and ask 2–3 questions to other members of the group. Note their responses.

4   You are going to talk to members of other groups in character. Prepare and rehearse what you are going to say. Aim to keep talking for two minutes. Look back at the tips on how to keep a conversation going. Find out as much as you can about the other Second Life families and report back to your group.

À l'écrit

Décris ta maison pour faire un échange

You want to arrange a house swap and think you have found the perfect house for a family holiday in France. Read the text and then write an e-mail introducing your family and home. Give as many details as you can (75–100 words).

Couple avec trois enfants, 15, 12 et 7 ans, recherche maison en Grande-Bretagne, de préférence sur la côte pour un échange de quatre semaines cet été. Nous possédons une grande maison à échanger près de Valence, dans le Rhône-Alpes (2 heures de Lyon et son aéroport). Notre maison a deux étages – un grand séjour, 4 chambres (2 lits doubles, 2 chambres d'enfants), 2 salles de bains, cuisine avec coin salle à manger, terrasse, garage, jardin. On peut loger 7-8 personnes. La maison est située dans un village tranquille et charmant, et est entourée d'un joli jardin. De chez nous, vous pouvez visiter les gorges de l'Ardèche ou le parc national des Écrins. Dans la région, il y a beaucoup de festivals pendant l'été, par exemple le festival de jazz à Vienne. Randonnées à cheval, tennis, vélos à louer, escalade, piscine, tout à proximité.

STRATÉGIES

Check your work:

- Are all words spelt correctly? Check in a dictionary if you are unsure.
- Are all accents present and correct?
- Check that you have used the correct gender (masculine or feminine).
- Do the adjectives agree with their nouns? (See page 15)
- Check verb tenses and formation. (See page 151)
- Check word order. Make sure that adjectives come after nouns where appropriate. Check the sentence order after question words.

1A Vocabulaire

Instructions used in this book

choisis	choose
discute	discuss
écoute (pour vérifier)	listen (to check)
écris	write
invente	invent
joue le rôle de	play the role of
lis	read
mets dans l'ordre	put in the correct order
note	note
pose des questions	ask questions
recopie	copy
réfère-toi à	refer to
regarde	look at
relie	link
remplis (la fiche/la grille)	fill in (the form/the table)
réponds	answer
travaillez à deux	work in pairs
trouve	find

Comment te présenter sur le web

s'entendre (bien) avec *v*	to get on (well) with
espérer *v*	to hope
se marier avec *v*	to marry (someone)
se remarier *v*	to re-marry
se présenter *v*	to introduce oneself
rencontrer *v*	to meet
aîné(e) *adj*	older
cadet/cadette *adj*	younger
seul(e) *adj*	lonely/alone
encore une fois	again

Comment parler de toi et des autres

le centre d'intérêt *nm*	interest
l'émission *nf*	(tv or radio) programme
le sens de l'humour *nm*	a sense of humour
avoir l'air	to seem
avoir besoin de	to need
avoir tendance à	to have a tendency to
aventureux/aventureuse *adj*	adventurous
drôle *adj*	funny
égoïste *adj*	selfish
sensible *adj*	sensitive
têtu(e) *adj*	stubborn
travailleur/travailleuse *adj*	hard-working

Comment décrire une journée typique ou inoubliable

la journée *nf*	day
le lendemain *nm*	the next day
la vie quotidienne *nf*	daily life

s'amuser *v*	to enjoy yourself, have fun
se brosser les dents *v*	to brush your teeth
se coucher *v*	to go to bed
se doucher *v*	to shower
faire la vaisselle *v*	to do the washing up
gérer *v*	to manage
s'habiller *v*	to get dressed
se laver *v*	to get washed
se lever *v*	to get up
s'occuper de *v*	to see to
se préparer *v*	to get ready
se reposer *v*	to rest
surveiller *v*	to supervise
vérifier *v*	to check
ensemble *adv*	together
à mi-temps	part- time
garder un bon souvenir de	to have good memories of

Comment survivre aux tâches ménagères

l'excuse *nf*	excuse
le linge *nm*	laundry
la tâche (ménagère) *nf*	household task
aider *v*	to help
donner un coup de main	to give a hand, help out
faire les courses	to do the shopping
faire un effort	to make an effort
faire la lessive	to do the washing
faire les tâches ménagères	to do the housework
mettre le couvert	to lay the table
nettoyer *v*	to clean
préparer les repas	to prepare meals
ranger *v*	to tidy
survivre *v*	to survive

Comment discuter de ta vie de famille

l'ambiance *nf*	atmosphere
le bonheur *nm*	happiness
le conflit/la dispute *nm/nf*	conflict/argument
le divorce *nm*	divorce
le rapport/la relation *nm/nf*	relationship
le soutien *nm*	support
comprendre *v*	to understand
conseiller *v*	to advise
se disputer avec *v*	to argue with
garder les enfants *v*	to look after the children
adopté(e) *adj*	adopted
exigeant(e) *adj*	demanding
heureux/heureuse *adj*	happy
monoparental(e) *adj*	single-parent
parfait *adj*	perfect
tendu(e) *adj*	tense

Sais-tu comment...

- ❑ devenir l'ambassadeur/ l'ambassadrice de ta région?
- ❑ organiser une excursion?
- ❑ trouver la ville jumelle idéale?
- ❑ ne jamais te perdre?
- ❑ voyager écolo?

Parc de loisirs

Voudrais-tu un parc de loisirs près de chez toi?

Scénario

- **Un parc de loisirs près de chez toi: pour ou contre?**
- **Crée ton île au paradis!**

Stratégies

Lecture

In French, how do you...
- read a text efficiently?
- cope with words you don't know?
- read for gist and detail?

À l'écoute

When listening, how do you...
- use what you know to help you understand?
- work out people's opinions?
- anticipate what will be said?

Grammaire active

As part of your French language 'toolkit', can you...
- use the perfect tense?
- use the imperative?
- use adverbs to add information?
- make comparisons?

G Présent; imparfait **V** Décrire un endroit **S** Mieux comprendre les mots nouveaux

Le loto des régions

1 Choisis 6 des 12 cases et note les numéros.
2 Écoute et coche les numéros des photos.
3 Tu as 6 numéros cochés: Loto!

La Vendée, moi, j'adore!

Depuis deux ans, je vis à Chambretaud, une petite ville de Vendée, dans l'ouest de la France. (Avant, je vivais dans une banlieue industrielle de Paris. Il y avait trop de monde, trop d'usines, c'était sale et pollué, je n'aimais pas trop!)

L'endroit où je vis est campagnard. Les villes sont agréables, il n'y a pas de grandes agglomérations. L'hiver ici, ce n'est pas génial parce que c'est mort, mais par contre l'été, c'est très animé: pas loin de chez moi, il y a la mer, avec de super plages.

La Vendée, c'est une région riche en histoire, alors on trouve beaucoup de monuments historiques et de musées. Il y a le grand parc de spectacles historiques, le Puy du Fou. C'est aussi une région très dynamique et il y a beaucoup de choses à voir et à faire pour les jeunes qui aiment le sport et la nature: il y a des activités nautiques, il y a les promenades dans la nature, par exemple en canoë dans le marais. Ça, j'adore, c'est unique en France!

Le temps n'est pas toujours fantastique ici: il pleut assez souvent. Par contre, les gens sont vraiment très sympa!

Sylvain

1 À deux. Associez ces mots aux photos, page 28.

Exemple: **A** Le numéro 1, c'est la campagne.
B Oui, c'est calme.

> la montagne   la campagne   le bord de mer   la forêt
> le lac   la rivière   la plage   la ville   la banlieue
> le village   l'appartement   la maison   beau   calme
> pollué   mort   rural   historique   pittoresque
> industriel   animé

2 Écoute. Joue au loto avec les photos, page 28.

3 À deux. Jouez au Morpion (*noughts and crosses*) avec les photos, page 28: pour gagner, faites une phrase avec les expressions a–f et des mots associés à la photo.

Exemple: **c + 3** Près de chez moi, il y a un lac.

a J'habite …
b Là où j'habite, c'est/ce n'est pas …
c Près de chez moi, il y a/il n'y a pas de …
d J'aime bien/Je n'aime pas vraiment … parce que …
e Par contre, c'est/ce n'est pas … il y a/il n'y a pas de …
f Avant, j'habitais … Il y avait … /c'était …*

> *I used to live … There was/were … It was …

4a Lis le message de Sylvain, page 28. Quelles photos ne montrent pas la Vendée?

Exemple: Photo 2

STRATÉGIES

To make clever guesses about the meaning of words, use visual clues (illustrations, photos) and consider the context, e.g. *banlieue industrielle* in Sylvain's e-mail gives you a clue that *usines* is likely to mean industries/factories. Also use what you already know about words from the same family, e.g. *campagnard* comes from *campagne*.

4b Traduis en anglais les mots soulignés dans le message de Sylvain, mais sans le dictionnaire.

5 Trouve dans le message de Sylvain les synonymes des expressions a–e (activité 3).

Exemple: **a** J'habite – Je vis

6 Relis le message. Réponds pour Sylvain.

Exemple: **a** J'habite à Chambretaud.

a Tu habites où?
b C'est comment, là où tu habites?
c Qu'est-ce que tu aimes dans ta région?
d Qu'est-ce que tu n'aimes pas? Pourquoi?

7 Écoute Manon. Prends des notes et réponds pour elle aux questions a–d (activité 6).

Exemple: **a** J'habite en Vendée.

8 À deux, répondez oralement aux questions a–d. (B↔A)

Exemple: **A** Tu habites où? **B** J'habite à Brighton.

GRAMMAIRE

The imperfect tense

Use it to speak about how things used to be in the past.

Present	Imperfect
j'habite	*j'habit**ais***
c'est	*c'**était***
il y a	*il y **avait***

À VOUS!

9 'Is your region cool or rubbish?' Choose a point of view and prepare your arguments. Use the vocabulary on page 42 and the expressions below. Have a class discussion and decide who wins the debate.

- À mon avis … Moi, je trouve que …
- Je suis/ne suis pas d'accord.

10 The tourist office in your region is looking for a young ambassador. To be chosen you need to write a fantastic article about your region (150–200 words) for a brochure to appeal to young French visitors. Follow the structure of Sylvain's e-mail on page 28.

G Le passé composé **V** Les renseignements touristiques **S** Aborder les mots nouveaux d'un texte

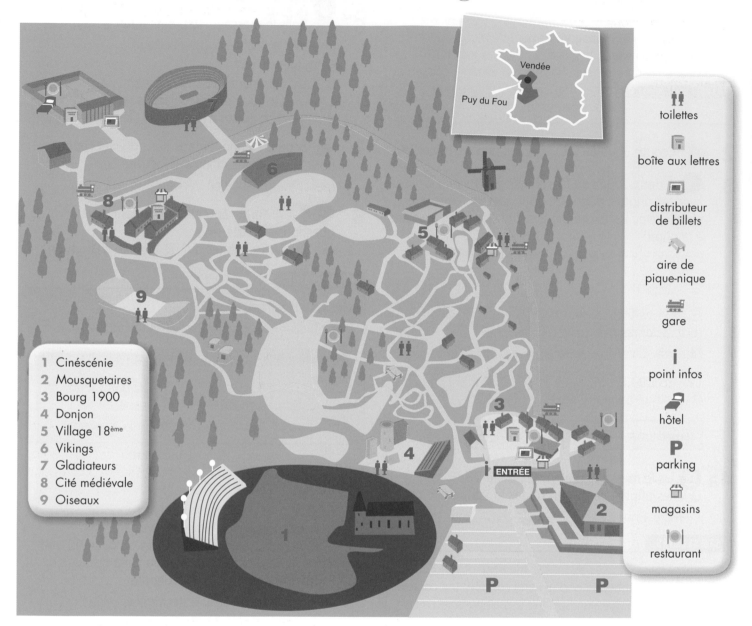

Vendée

Puy du Fou

1 Cinéscénie
2 Mousquetaires
3 Bourg 1900
4 Donjon
5 Village 18ème
6 Vikings
7 Gladiateurs
8 Cité médiévale
9 Oiseaux

ENTRÉE

P   P

toilettes

boîte aux lettres

distributeur
de billets

aire de
pique-nique

gare

point infos

hôtel

parking

magasins

restaurant

Le Grand Parc du Puy du Fou <u>invite</u> les visiteurs à voyager dans l'histoire. Ici, pas d'attractions à sensations fortes mais des spectacles uniques et <u>révolutionnaires</u>, des animations ludiques pour petits et grands, et des reconstructions à l'identique pour remonter dans le temps: du Bourg 1900 au Village du 18ème siècle, des Mousquetaires du Roi aux Chevaliers du Donjon, de la Cité Médiévale au Fort de l'An Mil avec l'attaque des Vikings, jusqu'aux combats de Gladiateurs dans les arènes gallo-romaines. Un spectacle de fauconnerie immanquable permet d'observer des <u>oiseaux</u> de <u>proie</u> de très près. <u>Éventuellement</u>, on peut assister à la Cinéscénie, le plus grand spectacle historique nocturne au monde, qui a lieu le week-end. Une dizaine de nouveautés sont actuellement en préparation. On peut aussi prolonger le voyage dans le temps en passant la nuit dans une villa romaine. Pour préparer une visite au Grand Parc: **www.puydufou.com.**

1 📖 Lis les infos, page 30. Réponds aux questions d'un ami anglais.

a *Where is this park?*
b *Are there any rides?*
c *Why is this park special?*
d *What do you do there?*

2 📖 Lis les conseils 1–4. Trouve d'autres mots du texte pour les illustrer.

Exemple: **1** visiteurs - *visitors*

3 🎧 Écoute des touristes parler du Puy du Fou (1-5). Ont-ils une opinion favorable (F), défavorable (D) ou entre les deux (D/F)? Explique pourquoi.

Exemple: **1 F** – Elle a adoré le spectacle des oiseaux.

GRAMMAIRE

The perfect tense
To say in French what you have done in the past, you need to use the present tense of *avoir* or *être* + <u>past participle</u>.

Most verbs take *avoir*. With *avoir* the past participle doesn't agree with the subject.

A few verbs take *être*. When using *être*, the past participle agrees with the subject.

visiter: J'*ai visité* Paris. / *have visited* or I *visited* Paris.
rester: Je *suis* <u>resté(e)</u> là deux jours. / *have stayed* there or I *stayed* there for two days.
See Grammaire active, page 38.

4 👥 À deux. Discutez d'une attraction touristique que vous avez visitée. Utilisez le passé composé. (B↔A)

Exemple: **A** Tu es déjà allé(e) à Alton Towers?
B Oui, j'y suis déjà allé(e).
A Qu'est-ce que tu as le plus aimé?
B Ce que j'ai le plus aimé, c'est ....

5a 📖 Lis les questions 1-12. Utilise les conseils 1–4 à gauche pour les mots nouveaux.

5b 🕐 Regarde les documents, page 30. Tu peux répondre à quelles questions? Écris tes réponses.

Exemple: **1** Oui, il y a des restaurants. Il y a un symbole sur la carte.

1 Est-ce qu'il y a des restaurants (dans le parc)?
2 Est-ce qu'on peut pique-niquer?
3 Est-ce qu'il y a une banque?
4 C'est où, la poste?
5 Je voudrais prendre le train. Il y a une gare ici?
6 À quelle heure est le prochain train?
7 Où sont les toilettes les plus proches?
8 Je peux avoir un plan et les horaires des spectacles?
9 Il faut réserver les places?
10 C'est combien, la nuit à l'hôtel? Il y a des tarifs enfants?
11 Les parkings sont-ils payants ou gratuits?
12 Quels sont les horaires d'ouverture des magasins?

6 🎧 Écoute les visiteurs (1–12) au Point Infos du parc. Note les réponses de l'hôtesse.

Exemple: **1** Oui, cinq restaurants + plusieurs fast-foods

7 👥 Jeu de rôle: A est le visiteur et B est l'hôte/l'hôtesse à l'office du tourisme de votre ville. Posez les questions 1–12 et répondez. (B↔A)

Exemple: **A** Il y a des restaurants?
B Oui, il y a trois restaurants et un fast-food.

À VOUS!

8 ✏️ Post a message (100 words) on a French forum describing a visit to a theme park. Explain what you saw and what you did and give an opinion about the theme park.

Exemple: Pendant les vacances, je suis allé(e) à Windsor et j'ai visité Legoland avec ma famille et mon petit frère...

9 ✏️ Prepare a FAQ page for the website guide of your town or your favourite theme park: write the questions and answers for French visitors.

Exemple: **Q** Y a-t-il des parkings gratuits?
R Non, les parkings du centre-ville sont payants.

Le Comité de **jumelage**

A Pontivy

Pontivy, petite ville de 15 000 habitants, **est située** au centre de la Bretagne, à 110 km à l'ouest de Rennes. C'est une ville agréable et assez touristique: un canal la traverse et il y a des petites rues très pittoresques, des chapelles et un château médiéval. Pontivy est aussi une ville moderne et dynamique: **on y trouve** un cinéma multiplexe, deux salles de spectacles et une médiathèque. On peut faire du shopping dans plus de quatre cents magasins, une quarantaine de supermarchés, et, le lundi, un marché attire des gens de toute la région. **On peut y faire** beaucoup de sports puisque la ville possède un gymnase et une piscine. Pontivy n'est pas près de la mer, mais il y a un lac pas loin où on peut faire des activités nautiques.

L'été, **il s'y passe beaucoup de choses**: des festivals de musique et des fêtes bretonnes traditionnelles en plein air, les fest-noz, vraiment intéressantes pour les visiteurs et tellement agréables quand il fait beau et chaud. L'hiver, il ne fait pas trop froid mais il pleut assez souvent. Ce n'est pas vraiment un problème: on peut aller manger et boire des spécialités locales réellement délicieuses, les crêpes et le cidre, dans les crêperies de la ville. On y mange très bien!

B Pointe-à-Pitre

Pointe-à-Pitre, capitale du département français de la Guadeloupe, est située à 7 000 km des côtes de la métropole. C'est une ville moyenne avec une population de 21 000 habitants. Dans la journée, Pointe-à-Pitre est [1] vivante. **On peut visiter** les quartiers historiques où il y a [2] de belles maisons coloniales et deux musées [3] intéressants. **On peut** [4] **faire du shopping** dans les magasins de la ville moderne ou au marché Saint-Antoine, [5] pittoresque. **C'est aussi possible de se promener** au port ou sur la marina, d'aller boire ou manger dans les cafés et les restaurants qui offrent des spécialités locales, comme le ti-punch au rhum et les accras de morue. Il y a deux centres culturels où **on peut assister à** des spectacles de musique. Le soir, par contre, c'est calme, les Pointois n'aiment pas [6] sortir. En janvier, **on peut participer** aux fêtes du Carnaval qui sont [7] fantastiques! Là, on s'amuse [8]! Et bien sûr, il y a les plages de rêve où **on peut faire des sports** nautiques et il y a la campagne où **on peut faire des randonnées** en forêt ou sur le volcan. Et ici, il fait beau toute l'année: il y a du soleil mais il ne fait pas [9] chaud!

1 🗣📖 Lis les textes A et B, page 32. Note ce qu'il y a dans chaque ville. Compare avec ton/ta partenaire.

Exemple: Pontivy – il y a un canal, des chapelles…

2 ✏ Note les informations (a–d) pour les deux villes.

Exemple: Pontivy: **a** centre Bretagne, 110 km à l'ouest de Rennes **b** 15 000 habitants

a situation	**b** population
c climat	**d** à voir et à faire

3a 📖 Trouve ces adverbes en français dans le texte A.

very   lot of   also   too   really/truly (x2)   fairly   so   well

3b 🔊 Lis le texte B à haute voix et remplace [1–9] par les adverbes d'intensité ci-dessous. Il y a plusieurs possibilités.

Exemple: Pointe-à-Pitre est **assez** vivante.

GRAMMAIRE

Adverbs of intensity
Use adverbs to emphasise what you say and to sound more convincing and precise. Here are a few useful ones:

assez aussi bien beaucoup réellement tellement très trop vraiment

3c 🎧 Écoute et note les adverbes dans l'ordre.

Exemple: **1** très

4 📖 Relis les textes A et B. Recopie les expressions en caractères gras et traduis-les en anglais.

Exemple: est située – *is situated*

GRAMMAIRE

Pronoun *y*
y refers back to a place that has already been mentioned and is normally translated by 'there'.

*J'habite **à Paris**. J'**y** habite depuis un an.* (*y* = Paris)

I live in Paris. I've been living there for a year.

See page 204.

5a ✏ Transforme ces phrases: remplace les mots soulignés par le pronom *y*.

Exemple: **a** Ma ville est agréable parce qu'on y fait …

a Ma ville est agréable **parce que** <u>dans ma ville</u>, on fait beaucoup d'activités sportives.

b C'est la ville idéale **puisqu'**on trouve de tout <u>dans cette ville</u>.

c J'aime bien ma ville en été; **par contre**, <u>dans ma ville</u>, il ne se passe rien en hiver.

d Je n'aime pas Paris; **pourtant**, on peut faire beaucoup de choses <u>à Paris</u>.

e Pontivy semble être une ville agréable **mais** je ne vais pas aller <u>à Pontivy</u> cette année.

5b ✏ Traduis ces phrases en anglais. Attention aux mots de liaison (en caractères gras).

Exemple: **a** My town is pleasant because you can do lots of sporting activities here.

6 🎧 Écoute les membres d'un comité de jumelage parler des deux villes candidates (1–14). Qui exprime une opinion favorable (F) ou défavorable (D)? Réécoute pour vérifier.

Exemple: **1** F

À vous!

7 🗣 Choose a town from page 32 to be twinned with your town. Write reasons for your choice and have a group discussion. The class votes for their favourite town.

8 ✏ Write an advert proposing your town for twinning (200–250 words). Use the vocabulary, the adverbs and the link words on pages 32 and 33 to explain why your town would be the ideal candidate. Write very enthusiastically! The class chooses the best advert.

1B Comment ne jamais te perdre

G L'impératif **V** Demander et indiquer le chemin **S** Prévoir le vocabulaire utilisé

Arles, Provence: ville d'art et d'histoire
2 500 ans de monuments classés « patrimoine mondial de l'humanité »

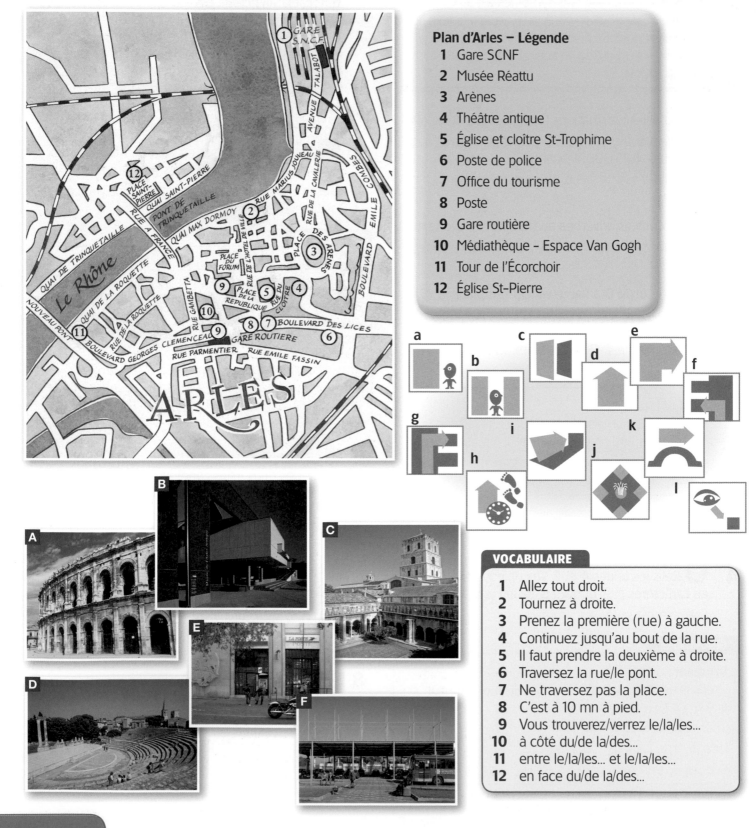

Plan d'Arles – Légende
1 Gare SCNF
2 Musée Réattu
3 Arènes
4 Théâtre antique
5 Église et cloître St-Trophime
6 Poste de police
7 Office du tourisme
8 Poste
9 Gare routière
10 Médiathèque – Espace Van Gogh
11 Tour de l'Écorchoir
12 Église St-Pierre

VOCABULAIRE
1 Allez tout droit.
2 Tournez à droite.
3 Prenez la première (rue) à gauche.
4 Continuez jusqu'au bout de la rue.
5 Il faut prendre la deuxième à droite.
6 Traversez la rue/le pont.
7 Ne traversez pas la place.
8 C'est à 10 mn à pied.
9 Vous trouverez/verrez le/la/les…
10 à côté du/de la/des…
11 entre le/la/les… et le/la/les…
12 en face du/de la/des…

1 À deux. Regardez les photos d'Arles, page 34. C'est quel numéro sur la légende? Discutez. (B↔A)

Exemple: La photo A, c'est le numéro 3, parce que ce sont des arènes. Tu es d'accord?

2 À deux: reliez les symboles a–l aux expressions 1–12. **A** dit la lettre d'un symbole, **B** dit l'expression qui correspond.

Exemple: **A c** **B** En face de

STRATÉGIES

To help you understand when listening to an item on a specific topic, think of key words and phrases you know relating to that topic and which you think are likely to come up in the listening, e.g. phrases 1–12 on page 34.

3a Écoute les conversations (1-5) à l'office du tourisme. Recopie et complète les questions.

1 Où est la ... la plus proche, s'il vous plaît?
2 Excusez-moi, où sont ...?
3 ..., c'est par où? C'est loin?
4 Pour aller à ..., s'il vous plaît?
5 Vous pouvez me dire comment aller au ...?

GRAMMAIRE

The future tense

Vous trouverez/tu trouveras	you'll find
Vous verrez/tu verras	you'll see

See *Grammar Bank* page 210.

GRAMMAIRE

The preposition *à* – at, to

à la gare (f)

*à l'*église (before a m or f noun starting with a vowel or h)

au stade (m)

aux arènes (m or f plural)

3b Recopie les expressions 1–12, page 34. Écoute encore et coche quand tu les entends.

3c Réécoute. Suis les indications avec ton doigt sur le plan. L'hôtesse de l'office du tourisme fait une erreur. Laquelle?

4 Jeu de rôle. Vous êtes au poste de police (6 sur le plan). **A** pose des questions (1–5, ci-dessus) et **B** répond (expressions 1–12, page 34). (B↔A)

Exemple: **A** Pour aller au Musée Réattu, s'il te plaît?
B Tourne à gauche, continue tout droit ...

5 Lis cet extrait d'un guide sur Arles. Trouve les endroits A, B et C.

Quand vous quittez la gare routière, traversez la rue, passez devant l'office du tourisme, continuez tout droit sur le boulevard des Lices. Après le poste de police, traversez et prenez la première rue à gauche. Allez tout droit. À gauche, vous verrez **A**.

Sortez de **A**, tournez à gauche, puis à gauche et encore à gauche. Allez tout droit et vous trouverez **B** sur votre droite.

Sortez de **B** et prenez à droite. Traversez la place de la République, puis il faut tourner à gauche et prendre la première à droite. Là, vous trouverez **C**.

Sortez de **C**, redescendez sur le boulevard Clemenceau et vous arriverez à la gare routière.

GRAMMAIRE

The imperative

Remember the two forms of address:

vous – for adults who you don't know

tu – for friends, adults you know very well and children

Use the imperative to give directions or commands.

Vous	Tu
Allez	*Va*
Tournez	*Tourne*
Prenez	*Prends*
Traversez	*Traverse*
Continuez	*Continue*

À VOUS!

6 Draw a map of your town or neighbourhood. Include a key. Use your map to write an itinerary for a tour of your town.

Exemple: Ton point de départ est la gare. Sors de la gare et tourne à droite.

7 Write and record a podcast of a guided tour to your town for French visitors and record it using the OxBox software. Explain what there is to do and see and include an itinerary and practical information such as opening hours and prices.

1B Comment voyager écolo

(G) Le comparatif (V) Les transports (S) Comprendre un texte de façon globale et dans le détail

Les transports quotidiens

En France, 69% des utilisateurs de transports en commun se déplacent en bus au moins une fois par semaine pour les trajets domicile-travail. 45% prennent le métro, 28% le RER*, 18% le tramway, 16% le car et enfin les trains de la SNCF* (13% le TER*, 5% le train Corail* et 3% le TGV*).

92% des utilisateurs de transports en commun vont aussi au travail à pied au moins une fois par semaine et 62% en voiture. Par contre, seulement 7% y vont à vélo ou à moto et 3% utilisent les rollers ou le skateboard.

Les transports pour aller en vacances

Moyens de transports préférés des Français pour leurs vacances à l'étranger:

la voiture (78,3%), le train (10,8%), l'avion (6,9%), le car (2,2%), le bateau (0,56%), autres (1,2%).

*RER – *high speed link to Paris suburbs*
SNCF – *national railway*
TER – *local and regional train*
Corail – *national train*
TGV – *high speed national train*

B L'empreinte écologique des transports en commun

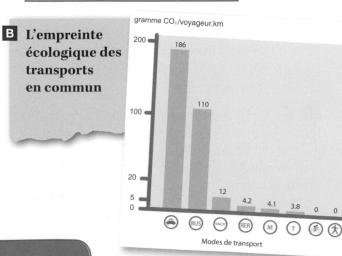

gramme CO₂/voyageur.km

Modes de transport

---

1 📖 👤 Lis l'article A et réponds aux questions.

Exemple: **a** le bus, le métro etc.

a Quels moyens de transport sont mentionnés?
b Quel est le moyen de transport en commun préféré des Français?
c Quel est le moyen de transport préféré des Français pour aller en vacances?
d À ton avis, quels sont les «autres» moyens de transport possibles pour aller en vacances?

GRAMMAIRE

Comparative and superlative

more than	... *plus* (adjective) *que* ...
less than	... *moins* (adjective) *que*...
as ... as	... *aussi* (adjective) *que* ...
the most	*le plus* (adjective)
the least	*le moins* (adjective)

2 📖 Regarde le graphique de pollution (B). Recopie et complète les phrases avec «plus», «moins» ou «aussi».

Exemple: **a** Le tramway (T) est moins polluant que le métro (M).

a Le tramway est ... polluant que le métro.
b Le bus est ... écologique que le train.
c Le vélo est ... écologique que la marche à pied.
d Le transport le ... polluant, c'est la voiture.
e Le vélo est le moyen de transport le ... polluant.

3a 🎧 Écoute (1-3). Quels adjectifs entends-tu?

polluant écolo cher économique rapide lent confortable inconfortable pratique

3b 🎧 Réécoute. Note comment chaque personne va au collège et explique son choix.

Exemple: **1** En voiture, c'est plus pratique

4 👥 👤 Fais un sondage en classe.

a Comment allez-vous au collège? Pourquoi?
b Quel est votre moyen de transport préféré pour aller en vacances? Pourquoi?

Exemple: **a** J'y vais à pied ou bien je prends le métro parce que c'est plus rapide et moins polluant que le bus.

Comment devenir un éco-voyageur? Lisez ce témoignage!

«Juste avant et pendant la Seconde Guerre mondiale, il n'y avait plus d'essence pour les voitures et les taxis, alors, en ville, on prenait des vélo-taxis. Après, dans les années 50, comme les gens préféraient les voitures, les vélo-taxis ont disparu. Aujourd'hui, ils reviennent dans le centre des grandes villes: ils ne sont pas chers (1,5 euro par km), et surtout, ils sont 100% écologiques! J'ai pris un vélo-taxi quand j'ai visité Paris la dernière fois. C'était fantastique! On a visité la ville sans se fatiguer et sans bouchons*! Bientôt, plus de cent vélo-taxis vont circuler dans Paris. Super idée, non? À partir d'aujourd'hui, je vais circuler uniquement à vélo ou en vélo-taxi! Il faut s'habituer maintenant à circuler sans voiture, parce que plus tard, elles n'existeront peut-être plus!»

Cécile

* traffic jams

STRATÉGIES

Read the questions carefully then read through the text once for gist, keeping in mind what you are asked to focus on; look for key words and identify the main ideas. Then read a second time, focusing more on specific details.

5 Lis rapidement le message de Cécile. Choisis la bonne option.
1 De quoi parle Cécile?
  a) de la Seconde Guerre mondiale
  b) des vélo-taxis en ville
2 Pourquoi pense-t-elle que c'est une bonne idée pour Paris?
  a) ils ne polluent pas et ne sont pas chers
  b) il n'y a plus assez d'essence
3 Que fera Cécile plus tard?
  a) elle circulera en voiture
  b) elle n'utilisera que le vélo ou le vélo-taxi

6 Trouve les réponses dans le texte.
Exemple: **a** Il n'y avait plus d'essence pour les voitures.
a Pourquoi y avait-il des vélo-taxis pendant la guerre?
b Pourquoi ont-ils disparu après la guerre?
c Où les vélo-taxis roulent-ils maintenant?
d Cite quatre avantages des vélo-taxis.
e Il y aura bientôt combien de vélo-taxis à Paris?

GRAMMAIRE

Adverbs of time
Use adverbs to give an indication of time:
avant après la dernière fois maintenant aujourd'hui plus tard bientôt à partir de maintenant

7 Relis le texte. Retrouve ces adverbes en français.

before now today/nowadays later on after last time soon from now on

8 Trouve et note tous les verbes aux temps suivants: *present, imperfect, perfect, future.*
Exemple: present – ils sont

À VOUS!

9 Are you an eco-tourist? Which forms of transport do you use and why? Explain what you used to do, what you do now and what you intend to do in the future (50-150 words).

10 Prepare a customer satisfaction questionnaire on public transport in your town or local area for French visitors. Mention the different types of transport and ask which they have used, why they used them and what they were like (service, comfort, price, speed etc.). Exchange questionnaires with a partner and answer the questions for yourself.

1B Grammaire active

The perfect tense

WHEN TO USE THE PERFECT TENSE

You use the **perfect tense** (*passé composé*) to say what happened at a particular time in the past. It is used to translate two different tenses in English:

I **have phoned** the hotel.	*J'ai téléphoné à l'hôtel.*
I **phoned** the hotel yesterday.	*J'ai téléphoné à l'hôtel hier.*
He **has arrived**!	*Il est arrivé!*
He **arrived** this morning.	*Il est arrivé ce matin.*

TIME EXPRESSIONS

Use **time expressions**, to say when the action you want to describe took place:

en 1999, l'année dernière, le mois dernier, la semaine dernière, hier, etc...

HOW TO FORM THE PERFECT TENSE

You need two parts:

1) *avoir* or *être* in the present tense +
2) a special form of the verb called the past participle

visiter: *j'ai visité*   **sortir**: *je suis sorti(e)*

To make a past participle, take off the infinitive verb ending of regular verbs and add a new ending:

- verbs ending in **–er**: *visiter = visit- + é = visité*
- verbs ending in **–ir**: *sortir = sort- + i = sorti*
- verbs ending in **–re**: *vendre = vend- + u = vendu*

Some common irregular past participles:

avoir = eu ; être = été ; boire = bu ; dire = dit ; écrire = écrit faire = fait ; lire = lu ; mettre = mis ; prendre = pris ; venir = venu ; voir = vu

1 Copy out the sentences with the correct past participle.

1 J'ai (décider) d'aller à Paris.
2 J'ai (acheter) un billet de train.
3 J'ai (prendre) le train de 14 h 15.
4 J'ai (lire) le journal dans le train.
5 J'ai (faire) les mots croisés.
6 Et puis, j'ai (dormir)...

WHEN TO USE *AVOIR* OR *ÊTRE*

- Most verbs use *avoir* in the perfect tense.
- All reflexive verbs use *être*: see page 39.
- Some common verbs, mostly verbs associated with movement, use *être*.

Learn them by heart (pair them up or create a mnemonic from the first letter of each verb, such as *Ms van der Tramp*).

aller/venir; entrer/sortir; arriver/partir; monter/descendre; rester/retourner; naître/mourir; tomber.

2 Copy out and complete these sentences with either *être* or *avoir*.

Père: Qu'est-ce que tu ** fait, hier soir? Où **-tu allée?
Fille: Euh... je ** sortie avec Luc et Léo et j'** mangé au Macdo.
Père: Et après le Macdo, où ** –vous allés? Qu' **-vous fait?
Fille: Euh.. On ** joué au flipper dans un bar.
Père: Menteuse! Hier soir, Luc et Léo ** venus ici! Ils ** demandé où tu étais. Nous ** discuté longtemps. Alors? La vérité?
Fille: Je ** allée chez ma copine Zoé et on ** fait nos devoirs ensemble...
Père: Quoi! Quelle horreur!

AGREEMENT OF PAST PARTICIPLES

The past participle agrees like an adjective when it is used...

- after *être*: it agrees with the <u>subject</u> of the verb

*Je suis/Tu es parti(**e**)*	*Nous sommes parti(**e**)**s***
*Il est parti/Elle est parti**e***	*Vous êtes parti(**e**)(**s**)*
*On est parti(**e**)(**s**)*	*Ils sont parti**s**/ Elles sont parti**es***

- after *avoir*: it agrees with the <u>object</u> of the verb when the object is placed before the verb

*J'aime <u>la robe</u> que tu as achet**ée**.*
*Voici <u>les photos</u> que j'ai pris**es**.*
*J'ai aimé <u>les plats</u> que j'ai mang**és**.*

3 Copy and fill in the past participle endings. N.B. sometimes, no additional ending is required!

1 Toute la classe est allé __ visiter le zoo de Vincennes.
2 Des hôtesses sont venu__ nous accueillir.
3 Ma copine Léa est resté__ avec moi.
4 Les boutiques du zoo ont fermé __ à 17 heures.
5 Léa et moi avons acheté__ beaucoup de souvenirs.
6 Les pandas sont les animaux que j'ai préféré__.

j'ai trop dormi!

REFLEXIVE VERBS IN THE PERFECT TENSE

The perfect tense of reflexive verbs: as easy as 1, 2, 3 !

1 reflexive verbs always take *être* in the perfect, never *avoir*.
2 the reflexive pronoun comes before the part of the verb *être*.
NB: Pronouns *te/se* change to *t'/s'* in front of a vowel.
3 the past participle agrees with the subject.

present: *je m'amuse* I have fun
perfect: *je me suis amusé(e)* I had fun

4 Rewrite Marina's account of her weekend walk in the country in the perfect tense.

Exemple: **1** Je me suis levée tôt.

1 Je me lève tôt.
2 Mon frère se prépare très vite!
3 Mes parents s'occupent du pique-nique.
4 Mes deux amies s'amusent avec nous.
5 Ma mère se repose sur un banc.
6 Nous nous baignons dans le lac.
7 On se couche très tard.
8 Et toi, tu te promènes ce week-end avec des copains?
9 Vous vous amusez?

THE IMPERATIVE

Use this form of the verb to give an order, an instruction or a piece of advice.

– for people you normally speak to as *tu*:
use the *tu* form of the verb, remove the *tu* and the final –s for –er verbs

écouter → tu écoutes → Écoute!
venir → tu viens → Viens!

– for people you normally speak to as *vous*:
use the *vous* form of the verb, without using the word *vous*

écouter → vous écoutez → Écoutez!
venir → vous venez → Venez!

To say not to do something, put *ne/n'* ... *pas* around the verb:

N'écoute pas! *Ne venez pas!*

Les huit commandements de l'éco-touriste

1 Utiliser l'*** avec modération,
2 prendre le ***, c'est plus malin.
3 Oublier la *** et protéger la nature,
4 faire du ***, c'est plus sage.
5 Aller à *** pour la santé,
6 et à *** quand il fait beau.
7 En ville, choisir le ***, c'est écolo,
8 et prendre le ***, la bonne astuce!

5 Read the charter for green travellers. Fill in the correct form of transport and it will rhyme!

voiture avion métro vélo
bus train pied covoiturage*

* carsharing

6 Rewrite the charter using the verbs in the imperative, first with the 1st person singular (*tu*), then the second person plural (*vous*).

Exemple: 1 (tu) Utilise l'avion ...
(vous) Utilisez l'avion...

In this unit, you've learnt how to...

Lecture

1 Use what you already know to help you work out the meaning of a text.

❏ Look at page 173 (*Lecture A*). What can help you understand the text? Is the heading helpful? Do the photos help you work out what it is about? What sort of text is it?

2 Understand the main points in a text although you don't understand all of the words.

❏ Read through the text on page 173 once. What is it about? Summarise its main point in a sentence in English.

3 Use different strategies when reading a text containing unfamiliar words.

❏ Find these words and phrases in the text.

encombrées lignes ferroviaires en toute sécurité de haute altitude sauvages inaccessibles une cinquantaine autorails

❏ Which are similar to English? Which belong to the same family as other French words you may know?

❏ Try to work out their meanings using the strategies you've learnt.

4 Concentrate on what the task asks you to do with the text.

❏ Different texts lend themselves to different tasks. For signs, notices, ads, small ads, leaflets, posters, etc. you are likely to be asked for details, so read all the words carefully. For longer texts, articles, messages, emails, etc. you are more likely to be asked for the main points and perhaps some obvious details.

STUDY TIP

The key word is read, read, read! Read French magazines for teenagers: *Okapi, Phosphore, Science et Vie Junior, Géo Ado*.

Read French books and readers in simple French (your school library should have some).

Visit French and French-speaking websites, e.g. www.tv5.org

Read messages from a penfriend and write back: letters/emails/MSN, etc.

5 Read a longer text for gist first then go back to the text for details.

❏ Practise this by reading through *Lecture B* on page 174 once. Make a note of what you think the key words/phrases are. Read the activity instructions carefully as they may contain clues. Re-read the text thoroughly, several times if necessary, making sure you understand all the words in order to do the task.

À l'écoute

1 Anticipate the type of vocabulary you will hear before listening.

❏ You've been invited to a debate in a French school. The theme is: 'Country life versus city life'. Look at the words and phrases below. Which do you think will relate to country and which to city life?

bruyant calme moche mort rien à faire plein de distractions

❏ Can you think of other words/phrases that are likely to come up in the debate? Work with a partner and make a list.

2 To identify people's opinion properly when listening, by paying attention to the little words which may affect meaning.

❏ Decide which sentence is in favour of city life.

plus ... and *ne ... plus*:
J'aime plus la vie en ville.
Je n'aime plus la vie en ville.

ne ... plus and *ne... que*:
Je n'aime plus la vie en ville.
Je n'aime que la vie en ville.

❏ Start a list of other important small words which can affect meaning at the back of your exercise book.

❏ Listen to extracts from the debate. For each person, say which 'camp' they belong to: country or city?

❏ What would your contribution to this debate be? Exchange views with a partner.

À l'oral

1   A French company is planning to build a theme park in your locality. Read through the proposal and decide:
    - what you think are the pros and cons.
    - whether you are in favour of the proposal or against it.

2   Work in two groups: one group is in favour of the proposal and supports the French company and one is against. Present the arguments to support your case. Also think of what the other group is likely to say and prepare counter-arguments.

3   Participate in a debate involving the French company and its supporters.
    Recap all the arguments and proceed to a vote. Who wins?

Un parc d'attractions près de chez toi?

Sur le modèle du parc de spectacles historiques du Puy du Fou en France, il y aura: des spectacles basés sur l'histoire locale, des magasins, des démonstrations d'art et d'artisanat local. Nombre de visiteurs prévus: 500 000 – 1 million par an. Tarifs réduits pour les riverains. Il faut: des parkings, des transports en commun, des hôtels, des employés (200 personnes + des saisonniers).

À l'écrit

1   Invent an island in paradise! Your mission is to read the text and explain in English:
    - where and what the 'World' is.
    - who it is intended for and what sort of facilities it will have.
    - whether everybody thinks it is a good idea.

2   Create your own island! Decide what sort of environment it will be, what facilities it will have (leisure, shops, transport, etc.). Describe it and illustrate your presentation by making a poster, brochure or leaflet. Use the vocabulary and structures learnt in this unit and write 100–150 words.

3   As a class, make a display of your invented islands like in an estate agent's window. Everyone can then shop for their favourite island. No need to be rich and famous!

Crée ton île au paradis!

Le Monde, c'est 300 îles artificielles en construction à Dubaï. Elles auront la forme des cinq continents de la planète. Certaines îles seront réservées aux célébrités: on dit que Brad Pitt et

Angelina Jolie ont déjà acheté « l'Ethiopie », et que le chanteur Rod Stewart a acheté la mini « Grande-Bretagne ». Sur d'autres îles, on trouvera des stations balnéaires de luxe, des plages privées, des marinas, des résidences touristiques, des zones commerciales, des parcs de loisirs. Ici, les seules limites sont celles de l'imagination des promoteurs — malgré les protestations des écologistes.

1B Vocabulaire

Comment devenir l'ambassadeur/l'ambassadrice de ta région

C'est comment, là où tu habites?	What is it like where you live?
Là où j'habite, c'est/ce n'est pas ...	Where I live is.../isn't...
Près de chez moi, il y a/il n'y a pas de ...	Where I live, there is/are... there isn't/aren't...
Avant, j'habitais ...	I used to live...

la banlieue nf	suburb
le bord de mer nm	seaside
la campagne nf	countryside
la montagne nf	mountain

animé adj	lively
calme adj	quiet
historique adj	historical
industriel/industrielle adj	industrial
mort(e) adj	dead
pittoresque adj	picturesque
pollué(e) adj	polluted

Comment organiser une excursion

Est-ce qu'il y a des restaurants?	Are there restaurants?
C'est où, la poste?	Where is the post office?
Il y a une gare ici?	Is there a station around here?
À quelle heure est le prochain train?	What time is the next train?
Où sont les toilettes les plus proches?	Where are the nearest toilets?
Je peux avoir un plan et les horaires des spectacles?	May I have a map and a timetable for the shows?
Il faut réserver les places?	Do we have to book tickets?
C'est combien, la nuit à l'hôtel?	How much is a night at the hotel?
Il y a des tarifs enfants?	Are there discounts for children?
Les parkings sont-ils payants ou gratuits?	Are the car parks free or paying?
Quels sont les horaires d'ouverture des magasins?	What are the opening hours of the shops?

l'aire de pique-nique nf	picnic area
la boîte aux lettres nf	post box
le distributeur de billets nm	cashpoint machine
le point infos nm	information point
les toilettes nf pl	toilets

Comment trouver la ville jumelle idéale

Ma ville est située ...	My town is situated
On y trouve ...	You can find ... there
On peut y faire ...	You can do ... there
... du shopping/des randonnées	shopping/hiking

Il s'y passe beaucoup de choses	There is a lot happening there
C'est possible de se promener	You can go for walks
On peut assister à ...	You can attend ...

assez adv	quite, rather
aussi adv	also, too
réellement adv	truly
tellement adv	so, so much
trop adv	too much
vraiment adv	really

Comment ne jamais te perdre

Où est le ... le plus proche, s'il vous plaît?	Where is the nearest ... please?
..., c'est par où? C'est loin?	Which way is ...? Is it far?
Pour aller à ..., s'il vous plaît?	Which way is it to ..., please?
Allez tout droit.	Go straight on.
Tournez à droite.	Turn right.
Prenez la première (rue) à gauche jusqu'au bout de la rue.	Take the first on the left to the end of the road.
la deuxième à droite	the second on the right
Traversez la rue/le pont.	Cross the road/the bridge.
C'est à 10 minutes à pied.	It's a 10 minute walk.
Vous trouverez/verrez le/la/les ...	You'll find/see the ...
à côté du/de la/des ...	next to the ...
entre le/la/les ... et le/la/les ...	in between the ... and the ...
en face du/de la/des ...	opposite the

la gare routière nf	coach station

Comment voyager écolo

les transports en commun nm pl	public transport
(la marche) à pied	on foot/walking
le car nm	coach
le métro nm	underground
le RER nm	Paris fast suburban rail link
le tramway nm	tram

écolo(gique) adj	green, ecological
polluant(e) adj	polluting
pratique adj	handy
... plus (adjective) que ..	more ... than
... moins (adjective) que...	less ... than
... aussi (adjective) que ...	as ... as
le plus (adjective)	the most ...
le moins (adjective)	the least ...

à partir de maintenant	from now on
après prep	after
avant prep	before
bientôt adv	soon
la dernière fois	last time
plus tard	later

Sais-tu comment...

- [ ] te muscler sans danger?
- [ ] choisir le sport idéal?
- [ ] relever le défi olympique?
- [ ] être en forme comme un champion?
- [ ] survivre dans la nature?

Scénario

- **Le Top 10 des sportifs**
- **Challenge sportif dans ta ville**

Qui sont les meilleurs sportifs de tous les temps?

Stratégies

À l'oral

When speaking, how do you...
- make sure you pronounce words and sentences clearly?
- speak expressively and convincingly?
- make sure you know the words to say what you want?

À l'écrit

In French, how do you...
- use determiners correctly?
- make your sentences longer and more detailed?

Grammaire active

As part of your French language 'toolkit' can you...
- use all subject pronouns?
- use modal verbs?
- use the imperfect tense?
- use adverbs to provide more detail?
- avoid literal translations using expressions with *avoir*?

G Les pronoms personnels sujets **V** Le corps et le sport **S** Bien prononcer les mots **P** Son et graphie

Le A-Z du corps

A B le bras **C** le cou; la cuisse **D E F G** le genou
H I J la jambe **K L M** la main **N O P** le pied
Q R S T la tête; le torse **U V W X Y** les yeux

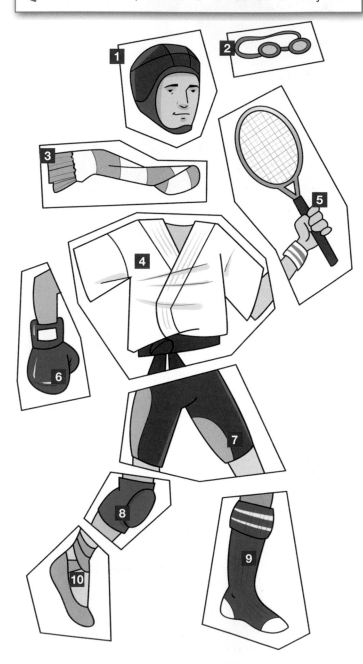

1 📖 Regarde le puzzle. Retrouve dix parties du corps à l'aide de l'A-Z du corps.

Exemple: **1** la tête

2 👤🖊 À deux, recopiez et complétez votre propre A-Z en deux minutes. Qui a la liste la plus longue?

Exemple: A les abdominaux, B la bouche, etc.

STRATÉGIES

French words sound different even if spelt the same way as in English. Knowing how to pronounce common French sound-spelling links (e.g. *-isme; -ion; -ade*) helps you speak more confidently as well as understand better when you listen.

3a 🎧 Lis les noms de sports à haute voix. À ton avis, pourquoi les trois groupes (pense à la prononciation)?

rugby
hockey roller ski
golf tennis judo
football badminton
basket-ball

danse boxe
gymnastique

cyclisme
athlétisme
équitation
natation
escalade

3b 👤👤 À deux. À votre avis, quels sports ci-dessus sont des disciplines olympiques? Discutez puis écoutez pour vérifier.

4 🎧 Écoute les conversations sur des sportifs (1–10). Note le sport et le commentaire.

Exemple: I de la danse; dur pour les pieds

GRAMMAIRE

Je fais de la/de l'/du... + *sport individuel*
Je fais de la natation, de l'équitation et du judo.
Je joue à la/à l'/au ... + *sport collectif ou à deux*
Je joue à la pétanque et au rugby.

5 👤👤 À deux. Discutez. Attention à la prononciation!

A Tu fais quel sport?
B Je fais ... /Je joue ...

C'est bon pour ... / C'est dur pour... + partie du corps

Quiz: Sais-tu comment sauver quelqu'un?

1 Quelqu'un saigne du nez.

a) Penche sa tête en avant et pince le bout de son nez.

b) Penche sa tête en arrière et pince son nez.

2 Quelqu'un s'est brûlé à la jambe.

a) Mets de la glace ou du beurre sur la jambe.

b) Mets la jambe sous l'eau pendant au moins 10 minutes.

3 Quelqu'un s'est coupé un doigt: ça saigne beaucoup.

a) Baisse et mets la main dans de l'eau tiède.

b) Lève la main au-dessus du cœur et appuie sur la coupure.

4 Quelqu'un s'étouffe.

a) Tape entre les épaules (5 fois) et comprime le torse (5 fois).

b) Penche la tête en arrière et comprime le torse.

5 Quelqu'un a perdu connaissance.

a) Allonge la personne sur le dos, mets sa tête sur un coussin.

b) Allonge la personne sur le côté, plie son genou et son bras.

6 Quelqu'un ne respire plus.

a) Saute à pieds joints sur son torse.

b) Place tes deux mains au milieu du torse et appuie (2 fois par seconde).

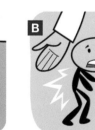
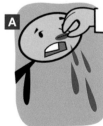

A B C
D E F

6 Lis à haute voix: « Sais-tu comment sauver quelqu'un? ».

Trouve d'autres façons d'écrire les sons:

Exemple: **a** un/ain

a « in » (2)   **b** « eur » (1)   **c** « é » (4)

d « o » (4)   **e** « en » (2)   **f** « è » (5)

7a Relie les dessins (A-F) aux problèmes (1-6) puis choisis la bonne option a) ou b) pour sauver la victime.

Exemple: **A** 1a

7b Écoute pour vérifier. As-tu sauvé la victime?

GRAMMAIRE

Subject pronouns

Definite pronouns are the little words that stand in for the names of specific people or things:

Sing. *je tu/vous il/elle* Pl. *nous   vous   ils/elles*

On often replaces *nous* to mean 'we': *toi et moi, on …*

Indefinite pronouns refer to people or things without mentioning who or what they are precisely.

Il is used in set expressions, e.g. *il faut …*

On is used to refer to 'one' or to people in general: *En France, on aime le foot.*

Quelqu'un – someone: *Quelqu'un ne respire plus.*

8 Réécoute l'activité 4. Note tous les pronoms sujets. Note la forme de «faire» et «jouer» après chaque pronom et traduis sujet + verbe en anglais.

Exemple: 1 Elle fait – *She does*

À VOUS!

9 Prepare an A-Z of sport. Say which parts of the body the sports are particularly good for and which need protecting. Give your opinion on each sport.

Exemple: C = le cricket: c'est bon pour les bras mais c'est dur pour les jambes. Il faut mettre des jambières. Moi, j'adore le cricket!

10 Prepare a one-minute gym routine for a podcast or videocast. Use the vocabulary on pages 44 and 45. Look up other useful words and phrases in the dictionary.

Exemple: D'abord, pliez les genoux. Puis levez les bras. Respirez … , etc.

G Les adverbes; les verbes modaux **V** Les activités sportives **S** Bien prononcer les groupes de mots
P Les liaisons

Quel genre de sportif/sportive êtes-vous?
Allergique ou fanatique?

Je n'aime pas le sport en général et je déteste le sport à l'école en particulier. Je n'ai pas envie de faire des activités physiques, ça ne m'intéresse pas du tout. Je ne joue pas au foot, je ne suis supporter d'aucune équipe et je ne regarde presque jamais le sport à la télé. Même les Jeux Olympiques ne m'intéressent pas spécialement. Mes parents me conseillent gentiment de faire plus de sport. Je sais que l'activité physique, c'est sans doute nécessaire pour la santé et je n'en fais pas suffisamment, mais je ne sais vraiment pas quoi faire!

Max

Noé

Moi, j'aime le sport, tous les sports, et avant tout, j'aime le challenge. Je fais de la musculation régulièrement, je joue au foot dans un club tous les jours. Je fais partie d'une équipe de handball depuis trois ans. Je participe à beaucoup de championnats et de compétitions. C'est bien mais maintenant, j'ai envie de faire des sports plus passionnants qui donnent des sensations plus fortes, comme les sports extrêmes! Mes parents disent que c'est trop dangereux mais après tout, il faut toujours essayer des choses nouvelles et dépasser ses limites!

Sports extrêmes

1 la chute libre

2 la plongée sous-marine

3 le kitesurf

4 le speed riding

A Pour qui rêve de découvrir un autre monde! On fait ce sport seulement si on ... nager et on ... être en bonne forme physique. On ... si on ... se familiariser avec l'équipement en piscine. On ne ... jamais faire ce sport seul.

B Le sport pour toi si tu ... glisser et voler! C'est un sport à envisager seulement si tu ... très bien skier, hors-piste et dans n'importe quelle* neige. Comme tu ... aller très vite et très haut quand il y a du vent, tu ne ... pas avoir le vertige!

C Pour ceux qui ... voler comme un oiseau! Les candidats à ce sport extrême ... le faire sans être des athlètes mais ils ... passer une visite médicale. Quand ils ... un minimum de choses sur les techniques de vol, ils ... sauter seuls.

* any

1a 📖 Lis les textes de Max et Noé, page 46. Qui est allergique au sport? Qui est fanatique? Pourquoi?

1b 📖🔊 Lis à haute voix les mots qui s'appliquent à toi.

Exemple: Je déteste le sport parce que...

2a 🎧 Écoute Sophie. Quel genre de sportive est-elle? Quel(s) sport(s) fait-elle? Pourquoi?

2b 🎧 Réécoute Sophie. Prends des notes et complète ses phrases.

> J'aime ... J'ai envie de ... Je joue ...
> ... ça m'intéresse Je fais ... Je participe à ...
> Je regarde ... Je soutiens ...

STRATÉGIES

Remember that determiners are used differently in English and French.

I love _ football   = j'aime *le* football

to play _ football = jouer *au* foot

at _ school = *à l'*école   on _ TV = *à la* télé

---

3 ✏️ Réponds aux questions de l'activité 2a pour toi. Utilise les expressions de l'activité 2b. Attention aux déterminants!

GRAMMAIRE

Adverbs

You met some adverbs of time and intensity in Unit 1B.

An adverb can also indicate how something is done (manner) e.g. *gentiment,* etc.

An adverb can be a single word or a phrase: e.g. *souvent, tous les jours.*

See *Grammaire active*, page 54.

---

4 📖✏️ Relis les textes de Max et Noé, page 46 – sans les mots en gris. Que remarques-tu? Explique le rôle des mots en gris dans les phrases et traduis-les.

5a 📖 Lis « Sports extrêmes », page 46. A,B,C: c'est quels sports?

GRAMMAIRE

Modal verbs: pouvoir, vouloir, devoir, savoir

These indicate whether you can, must, know how or want to do something. They are followed by an infinitive: e.g. *je sais nager.*

5b 📖✏️ Lis la boîte Grammaire et complète les textes A, B et C avec les bons verbes.

Exemple: On fait ce sport seulement si on sait nager ...

5c 🎧 Écoute (A-D) pour vérifier. Prends des notes sur le quatrième sport.

Exemple: Un sport pour vous si vous savez ...

6 🔊 Parle des sports pour toi (un point par verbe modal utilisé!)

Exemple: Je veux faire du speed riding mais je ne peux pas parce que je ne sais pas skier, alors je dois apprendre. = 4 points.

STRATÉGIES

Be aware of *liaisons* – when a normally silent consonant at the end of a word is pronounced at the beginning of the word that follows it. Certain liaisons are compulsory. Knowing when and how to make them helps you speak more fluently as well as understand better when you listen.

7a 🔊📖 Relis les textes A, B et C, page 46. Prononce les liaisons obligatoires ▪. Attention aux liaisons interdites! ▪

7b ✂️🔊 Lis ces phrases à haute voix. Écoute pour vérifier.

a Le ski de fond est un sport passionnant.
b Les heures d'EPS? Je les aime de moins en moins.
c J'apprends à skier et à nager.

À VOUS!

8 👥✏️ 'Call my bluff'. Write ten things about the sports and hobbies you do (some false). Read them out. The class decides which ones are lies.

Exemple: Je suis très sportif/ive : je fais du jogging tous les matins. Je joue au tennis...

9 👥🔊 In groups, choose a sport from around the world and present it to the class (using **PowerPoint** or video, or by giving a demonstration, etc.). Use modal verbs and be aware of liaisons!

Exemple: La capoeira vient du Brésil. C'est un sport entre l'art martial et la danse. Le joueur doit combattre un adversaire mais il ne peut pas le toucher. etc.

G L'imparfait　**V** Les Jeux Olympiques　**S** Préparer le vocabulaire utile

Citius, altius, fortius

La devise olympique est en latin: toujours plus vite, plus haut, plus fort.

Le savais-tu?

1　1896 – Un Français, l'historien Pierre de Coubertin, a créé les jeux olympiques modernes (à Athènes).

2　1900 – Les premières femmes ont participé (en golf et croquet) aux JO de Paris.

3　1908 – On a donné les premières médailles (or, argent, bronze) aux JO de Londres.

4　1912 – Pour la première fois, il y avait des athlètes des cinq continents aux JO.

5　1920 – On a utilisé le drapeau olympique, cinq anneaux dessinés par Coubertin, aux JO d'Anvers.

6　1924 – On a créé les premiers Jeux Olympiques d'hiver, à Chambéry en France.

7　1936 – La première flamme olympique est partie d'Olympie pour les JO de Berlin.

8　1916, 1940, 1944 – On n'a pas fait de JO pour cause de guerre.

Les Jeux Olympiques Antiques

C'était quand?

C'était il y a [1] ans, en Grèce. Il y avait des Jeux Olympiques à Olympie tous les [2] ans, toujours en [3]. C'était une cérémonie pour la paix. Après 393 après Jésus-Christ, les Jeux Olympiques ont été interdits* par les Romains.

On faisait quels sports?

Au début, on faisait seulement de la course à pied*. Après, il y a eu d'autres sports, comme la boxe, le pentathlon et les courses de [4] mais on ne faisait pas de sports d'équipe ou de sports nautiques. Les jeux duraient [5] jours. Le dernier jour, il y avait les jeux des enfants. Il y avait des jeux séparés pour les jeunes filles.

Qui étaient les athlètes ?

Au début, seuls les hommes [6] participaient aux Jeux. Beaucoup étaient fils de champions olympiques ou ils étaient de familles [7]. Les femmes ne participaient pas, sous peine de mort*! Les athlètes étaient nus*, peut-être pour vérifier qu'il n'y avait pas de femmes!

Comment devenait-on athlète?

Pour participer aux Jeux, un athlète devait s'entraîner pendant [8] mois chez lui avec un entraîneur personnel* et pendant [9] mois à Olympie. Là, tous les athlètes avaient un régime strict sans [10]: pain, céréales, noix, figues et fromages. Le règlement aussi était strict : si un athlète trichait*, il avait des coups de fouet* ou une amende*.

Quelles étaient les récompenses?

C'était la gloire pour l'athlète qui gagnait: il avait une couronne d'olivier, un grand honneur! On faisait des [11] sur lui et des [12] pour sa ville. Il avait aussi beaucoup de cadeaux précieux (de l'huile d'olive, etc.) Après les Jeux, un champion olympique participait à beaucoup de compétitions nationales et il gagnait beaucoup d'argent.

> * interdit – *forbidden*
> la course à pied – *running race*
> la peine de mort – *death penalty*
> nu – *naked*
> l'entraîneur personnel – *coach*
> tricher – *to cheat*
> le coup de fouet – *whip lash*
> l'amende – *fine*
> la récompense – *reward*

GRAMMAIRE

Imperfect tense

The imperfect is used to describe how things were in the past or to talk about events that used to take place regularly in the past.

e.g. *je jouais, tu jouais, il/elle/on jouait, nous jouions, vous jouiez, ils/elles jouaient*

See *Grammaire active*, page 55.

1a 📖 Lis ces phrases. Trouve les verbes à l'imparfait.

Exemple: **a** était

- **a** Le créateur des JO Modernes était grec.
- **b** Avant 1900, les femmes participaient aux JO.
- **c** On donnait des médailles aux JO Antiques.
- **d** Il y avait des athlètes des cinq continents aux JO Antiques.
- **e** Avant 1924, les JO d'hiver n'existaient pas.
- **f** Au début, il n'y avait que trois anneaux sur le drapeau olympique.

1b 📖 Les phrases a-f sont vraies ou fausses? Lis « Le savais-tu? », page 48, et corrige les phrases fausses.

Exemple: **a** – Le créateur des JO modernes était français.

2a 📖 Lis le texte sur les Jeux Olympiques Antiques, page 48. Devine les informations qui manquent (1–12).

2b 🎧 Écoute pour vérifier. Résume brièvement chaque paragraphe en anglais.

3 📖 Relis le texte. Note tous les verbes à l'imparfait et leur infinitif.

Exemple: c'était = être

4 ✏️ Prépare des phrases à l'imparfait sur les JO. La classe dit vrai ou faux et corrige.

Exemple: Coubertin était un champion olympique. (faux). C'était un historien.

5a 👥📖 À deux. Avant d'écouter la biographie de Xénophon de Corinthe, athlète aux JO en 464 avant JC, relisez les pages 44-47 et essayez de prévoir le vocabulaire.

Exemple: verbes: s'entraîner, participer, gagner, etc.

noms: athlète, entraîneur, etc.

adjectifs: sportif, héros, etc.

5b 🎧 Écoute (1-5) et réponds aux questions.

Exemple: **1** *His father and grandfather were Olympic sportsmen.*

- **1** *How did Xénophon get into Olympic sports?*
- **2** *How did he train prior to the games?*
- **3** *What did he used to do just before the games?*
- **4** *Which events did he do?*
- **5** *Did he win?*

STRATÉGIES

When speaking about a topic, make sure you have the right vocabulary at your disposal: scan through your vocabulary lists for useful words and phrases and look up any other words you need in a dictionary,

e.g. to compete; to score; to win; to break the record, etc.

6 👥💬 Imagine: tu es un/e sportif/ive célèbre. Prépare des renseignements et des phrases utiles. Présente-toi oralement. La classe devine qui tu es.

Exemple: Quand j'étais petit, j'habitais à Londres. J'allais souvent à Manchester. J'allais à l'école de Bobby Charlton …

À vous!

7 ✏️ Write an article for a French sport ezine summing up the differences between the Ancient and the Modern Olympic games. Remember to use the imperfect.

Exemple: Avant, les Jeux Olympiques étaient en été. Depuis 1924, il y a aussi les JO d'hiver, composés de 15 sports, etc.

8 👥💬 In pairs, write and act out an interview for a French TV channel with Musclon of Bodibuildos, a fictional ancient Greek, talking about his youth as an Olympic athlete. Use the information here or research your own. Make it fun!

Exemple:

Q Qu'est-ce que vous faisiez comme sport?

R Je faisais de la course à pied. Aaaahhh !! C'était très dur pour les pieds!

G Les verbes pronominaux; les adverbes   **V** Être en forme   **S** L'intonation pour convaincre

Partagez les secrets des champions

Six règles d'or pour être en forme

1) Bien se bouger

Ne rate [1] une occasion de faire de l'exercice! Tu peux brûler des calories sans faire un sport. Par exemple, prends [2] les escaliers et non l'ascenseur; regarde moins [3] la télé et sors plus [3] le chien (marcher = 80 Kcal/h)! D'autres idées: danser (450 Kcal/h) ou faire le jardinage ou le ménage (200 Kcal/h)!

2) Bien s'échauffer

Le stretching est l'activité physique la plus négligée pendant les activités sportives. Pourtant, c'est [4] vital pour la flexibilité et pour se protéger contre les accidents musculaires. Étire-toi [5] avant et après chaque activité sportive.

3) Bien s'entraîner

Entraîne-toi [6] et travaille différents aspects: la force (par exemple, musculation avec haltères) pour avoir plus de puissance, la vitesse (sprint) pour réagir plus [7], l'endurance (jogging, saut à la corde) pour te fatiguer moins [8].

4) Bien s'alimenter

Il est vital de prendre un bon petit déjeuner et de manger des fruits et légumes le plus [9] possible (oui, écoute ta mère!). Bien sûr, tu peux manger des hamburgers-frites et des sucreries, mais le moins [10] possible.

5) Bien se relaxer

Faire un sport ne veut pas dire se priver de tous les plaisirs. Au contraire, c'est [11] important de se donner du bon temps, mais il faut savoir s'organiser [12] pour pouvoir tout faire.

6) Bien se reposer

Il est essentiel pour un sportif de [13] dormir car c'est pendant le sommeil que le corps se répare [14] et qu'on recharge le plus [15] ses batteries. Évite les excitants au moins une heure avant de te coucher: pas de thé, café, ou sodas, et éteins TV, Internet, MSN et téléphone.

A

Hugo

J'adore le sport et surtout le football. Je joue dans une équipe mais je me blesse souvent aux muscles des jambes. C'est frustrant parce que je ne peux pas aller à tous les entraînements ni jouer dans tous les matchs.

B

Morgane

Des fois, j'ai trop envie d'aller au fast-food avec les copains! Et puis j'adore le chocolat et les bonbons et je ne peux pas m'empêcher d'en manger même si je sais que ce n'est pas bon pour la santé!

C

Malika

On me dit de me coucher tôt pour être en forme, mais moi, je ne m'endors pas avant 11h 30 ou minuit. Par contre, le matin, je ne me réveille pas, c'est dur de me lever et on se dispute avec mes parents!

D

Julien

Je joue au handball dans un club et j'adore ça mais comme je me fatigue assez vite, je ne joue pas toujours dans les matchs. C'est frustrant! Je ne sais pas quoi faire pour m'améliorer.

E

Marianne

Je n'aime pas le sport et je n'ai pas vraiment envie d'en faire. Je n'arrive pas à me motiver. Je veux quand même faire une activité physique parce que je sais que c'est important. Mais quoi faire?

F

Yohann

J'aime bien le sport mais j'ai aussi envie de me distraire, de jouer sur ma console, de m'amuser avec les copains, de sortir, d'aller aux fêtes. Ce n'est pas facile quand il y a aussi les devoirs et les entraînements sportifs!

1 📖 Lis les textes, page 50. Relie chaque personne à une règle qui peut l'aider.

Exemple: **A 2)**

2a 📖 Relis les six règles d'or, page 50. Remplace les numéros par les bons adverbes dans chaque section (1-6).

Exemple: Règle1 [1] = **c)**, jamais

  1 a) souvent　　**b)** toujours　**c)** jamais
  2 a) doucement　**b)** absolument
  3 a) rapidement　**b)** vite　　**c)** régulièrement
  4 a) souvent　　**b)** régulièrement
  5 a) convenablement **b)** extrêmement
  6 a) efficacement　**b)** bien　　**c)** le mieux

2b 🎧 Écoute pour vérifier.

GRAMMAIRE

Comparing with adverbs
You can make comparisons with adverbs the same way as you do with adjectives.
Comparative: *plus/moins/aussi souvent/facilement (que)*
Superlative: *le plus/le moins souvent*

GRAMMAIRE

Reflexive verbs
In French, many verbs referring to actions are reflexive, for example *se lever* (to get up) or *se laver* (to have a wash), and *se disputer* (to argue with somebody). You have encountered many of these in Unit 1A.

The reflexive pronouns are: *me/te/se/nous/vous/se*
Je me réveille. On se dispute.

The pronouns go before the verb:
Je me lève, je me suis levé(e), je vais me lever!

3a 📖 Relis les textes, page 50, et note tous les verbes pronominaux (= *reflexive verbs*).

Exemple: je me blesse

3b ✏️ À qui (A–F) ressembles-tu? Explique pourquoi. Utilise des verbes pronominaux.

Exemple: Je ressemble à Malika parce que je me couche tard, etc.

4 🎧 Écoute les jeunes (1-4). Note ce qu'ils disent sur leur problème et la solution.

Exemple: **1** Avant, je me blessais; Maintenant, je m'étire doucement ...

5 📖✏️ Relis la page 50. Résume la situation des six jeunes.

Exemple: **A** Hugo – Avant, il se blessait souvent aux muscles des jambes quand il jouait au football. Maintenant, il s'échauffe bien, il s'étire avant et après chaque activité sportive.

6 🎧 Écoute le problème de Léa et les suggestions de deux coachs. Lequel est le plus convaincant? Pourquoi?

STRATÉGIES

To sound convincing you need to speak clearly and expressively: be lively and enthusiastic, stress certain words to make them stand out.

7 🗣️ Jeu de rôle. A mentionne un problème et B est l'expert qui suggère une solution (avec le ton!). (B↔A)

Exemple: **A** Je ne cours pas assez vite.
B Il faut t'entraîner à la vitesse. Fais du sprint plus souvent!

À VOUS!

8 🗣️ Your favourite French celebrity is looking for a fitness buddy! Present your health profile at the interview, saying why you are the best person for the job (you need to be convincing!).

Exemple: Je suis très en forme et très sportif/ive. Je mange toujours ce qui est bon pour la santé, etc.

9 🗣️✏️ Which generation is the healthiest? In groups, prepare a questionnaire, interview at least two people: one from your parents' and one from your grandparents' generation and compare their answers with your own. Write a report and present it to other groups in the class. Discuss your conclusions, giving your opinion on them.

Exemple: Les grands-parents ne mangeaient vraiment pas beaucoup de fruits et légumes mais ils faisaient beaucoup plus d'exercice ....

G Les mots interrogatifs   V Les dangers du plein air   S Faire des phrases plus longues

Tu es naufragé(e) sur une île déserte, tu veux survivre aux dangers du plein air. Sais-tu quoi faire?

1 Tu es perdu(e): Tu dois trouver le nord. Tu as de la chance, il y a de la mousse* sur les arbres! **[1]** pousse la mousse?

a) Du côté nord ou **b)** du côté sud du tronc?

* moss

2 Tu as soif, tu ne trouves pas d'eau douce*. Pendant **[2]** temps peux-tu boire de l'eau de mer?

a) Trois jours ou **b)** trois semaines?

* fresh water

3 Tu vois un champignon, il a l'air délicieux. **[3]** savoir s'il est bon? Coupe-le, si sa chair* devient bleue, il est:

a) bon ou **b)** mauvais?

* flesh

4 Tu as faim: tu décides de manger des glands*. **[4]**

a) Tu as raison ou bien **b)** tort?

* acorns

As-tu pris les bonnes décisions? Es-tu toujours en vie?

Écoute les conseils du professeur Rambeau.

8 Tu es mordu(e) par un serpent: tu as mal à la jambe et tu as chaud. Tes amis font des suggestions:

a) quelqu'un veut sucer le venin* , **b)** quelqu'un d'autre veut mettre un bandage.

[8] a raison?

* to suck out the venom

7 Un lion veut attaquer, tu as peur. **[7]** faire?

a) Partir en courant* ou **b)** parler?

* to run away

5 Tu es très fatigué(e) tu as sommeil. **[5]** as-tu besoin de faire un lit de branches avant de t'allonger?

a) Pour ne pas avoir froid ou **b)** pour éviter les bébêtes*?

* creepie-crawlies

6 **[6]** faut-il utiliser du vinaigre:

a) sur une piqûre de méduse* ou **b)** une piqûre d'abeille?

* jellyfish

1 🗣️📖 À deux. Lisez le jeu-test, page 52. Cherchez les mots nouveaux.

2a 📖 Relis. Remplace [1]–[8] par les bons mots interrogatifs.

> Combien de ...?   Comment?   Est-ce que ...?   Où?
> Pourquoi?   Quand?   Que?   Qui?

2b ✏️ Écris deux questions pour chaque mot interrogatif: une sérieuse et une rigolote. Pose-les à un(e) partenaire et réponds à ses questions!

Exemple: Combien de sports fais-tu?

Combien de paires de chaussettes as-tu?

3a 📖 Fais le jeu-test. Note la bonne option a) ou b).

3b 🎧 Écoute le professeur Rambeau. As-tu bien choisi?

3c 🎧 Réécoute et note ses explications.

Exemple: **1** La mousse pousse du côté sombre et froid, le côté nord dans l'hémisphère nord.

GRAMMAIRE

Expressions with *avoir*

Remember that English and French don't always translate literally. Expressions with *avoir* often use 'to be'.

avoir lieu – to take place; *avoir raison* – to be right

4a 📖 Trouve les expressions avec «avoir», page 52. Relie avec l'anglais (1–12).

Exemple: **1** *to be lucky* - avoir de la chance

1 *to be lucky*	**7** *to be wrong*
2 *to be thirsty*	**8** *to be scared*
3 *to be hungry*	**9** *to look...*
4 *to be cold*	**10** *to need (to)*
5 *to be hot*	**11** *to feel sleepy*
6 *to be right*	**12** *... hurts*

4b 🌓 Lance un ou deux dés et fais une phrase avec les expressions 1–12.

Exemple: = **9** Le prof de français a l'air sympa!

5a 🎧 Réécoute le professeur Rambeau. Note les connecteurs qu'il utilise.

Exemple: ... <u>si</u> vous êtes perdus ...; <u>Quand</u> il y a de la mousse ...; <u>parce que</u> la mousse pousse ...

> alors   car   cependant   comme   donc   et
> et   puis   mais   même si   parce que
> par contre   quand   si

5b 🗣️🌓 Jeu de rôle. **A** est le naufragé et **B** est le professeur Rambeau. **A** pose des questions et **B** donne des conseils. (B↔A)

STRATÉGIES

When writing a text, make your sentences longer and more sophisticated by using:

• adjectives and adverbs to add colour:
  Je suis <u>complètement</u> perdu.

• linking words: *Tu es perdu <u>donc</u> cherche le nord.*

6 ✏️ Réécris les phrases du jeu-test, page 52, avec des connecteurs.

Exemple: Tu es naufragé(e) sur une île déserte <u>et</u> tu veux survivre, <u>mais</u> sais-tu quoi faire?

À VOUS!

7 🗣️🌓 Surviving a day at... school! In pairs or groups, prepare a parody survival guide about getting through a day in your school. Present it orally with illustrations. Make a poster, a PowerPoint presentation, or a video.

Exemple: Si tu as vraiment faim, ne va surtout pas à la cantine. C'est beaucoup trop dangereux ...

8 ✏️ Imagine you were shipwrecked on an island and lived to tell the tale. Write your story, making sure you embellish it as much as possible (use long sentences!).

Mention: how you got there, how long you were there, any dangerous situations you got into, how you escaped...

Exemple: Il y avait au moins dix gros singes autour de moi mais je n'avais pas peur car je savais que j'étais plus intelligent ...

Adverbs

Tu t'entraînes beaucoup trop! Tu cours si lentement! Tu es vraiment ridicule! Moi, je suis bien ici, dans mon hamac. Je cours plus vite que toi et je vais certainement gagner, sans m'entraîner!

Ah ah! Qui est ridicule maintenant? Tu cours peut-être plus vite mais tu es monté moins haut que moi sur le podium!

Je prépare les Jeux Olympiques et je veux absolument gagner.

Le lièvre et la tortue

Après la course

ADVERBS

Adverbs describe verbs, adjectives and other adverbs. They describe **what** something is like or **how** it happens (manner), **where** (place), **when** (time and sequence), **how often** (frequency) and **to what extent** (degree: quantity and intensity).

1a How many adverbs are there in the cartoon? What do they mean? Note which category they belong to.

Exemple: beaucoup + trop = far too much = degree

1b What about the adverbs below? Look back through this unit and Unit 1B. Can you find others for each category?

> assez   dedans   hier   normalement
> partout   toujours   gentiment

ADVERBS ARE INVARIABLE

Adverbs never change their form.

Many adverbs are formed by adding a suffix to an adjective (like '−ly' in English). Add:

−ment to the feminine form of the adjective and to the masculine form of adjectives ending with a vowel.

heureux − heureuse = heureusement

poli = poliment

-emment or **-amment** to the stem of adjectives ending in *−ent* or *−ant*.

récent → réc- = stem → récemment;
suffisant → suffis- → suffisamment

WHERE TO PLACE THE ADVERB

The adverb can go directly before an adjective or an adverb.

*C'est un **très** <u>bon</u> sportif. Il saute **très** <u>loin</u>.*

It can go directly after the conjugated verb or auxiliary in the perfect tense and after a negative.

*Il saute **bien**. Il a **bien** sauté. Il ne saute pas **bien**.*

There are many exceptions (adverbs of time and place usually go at the beginning or end of the sentence.)

Il a gagné la course <u>hier</u> = <u>Hier</u>, il a gagné la course.

2 Rewrite the sentences using the adverbs indicated.

Exemple: **a** Il a bien joué pendant le match.

a Il a joué pendant le match. (bien)
b L'entraîneur n'est pas patient avec ses élèves. (assez)
c Il s'entraîne au gymnase. (régulièrement)
d Je n'aime pas jouer au handball. (beaucoup)
e Son coach dit qu'il progresse rapidement. (relativement)

3 Rewrite the sentences using an adverb.

Exemple: **a** Elle explique simplement.

a Elle explique de façon simple.
b Il est silencieux quand il travaille. (Il travaille ...)
c Il parle de façon rapide. (Il parle français ...)
d Il parle de façon franche.
e C'est fréquent qu'il voyage.

The imperfect

La tortue voulait absolument participer aux Jeux Olympiques alors, elle s'entraînait tous les jours. C'était dur! Pendant qu'elle s'entraînait, le lièvre se reposait. Il trouvait ça super!

WHEN TO USE THE IMPERFECT TENSE

- To describe what something was like in the past.
  C'était dur. It was hard.

- To give an opinion in the past:
  *Il **trouvait** ça super!* He thought that was great!

- To describe a regular action in the past.
  *Elle **s'entraînait** tous les jours.* She trained/used to train every day.

- To describe what was happening at the same time as something else was going on.
  *Pendant qu'elle **s'entraînait**, le lièvre **se reposait**.* While she was training, the hare was resting.

HOW TO FORM THE IMPERFECT

1 Take the *nous* part of the present tense*
   faire = *(nous) faisons*

2 Take off the *−ons* ending and keep the stem.
   fais~~ons~~

3 Add imperfect endings:
*je fais**ais***	*nous fais**ions***
*tu fais**ais***	*vous fais**iez***
*il/elle/on fais**ait***	*ils/elles fais**aient***

* The only exception is ***être***, which has the stem ***ét-***

---

4 Which of these sentences are in the imperfect? Translate each into English.

  a Est-ce qu'il voudrait faire du sport?
  b Il voulait aller au match hier soir.
  c Quand elle était petite, elle faisait du ski.
  d Elle a toujours fait du ski en France.
  e Ils aimeraient jouer dans l'équipe de France.
  f Ils aimaient bien jouer dans l'équipe de France.

5 Fill the gaps with the correct imperfect form of the verbs given in brackets (see page 206).

  Exemple: … j'étais vraiment déçu!

Salut Max!

J'ai regardé le match France-Hollande avec mon père hier soir. J' ….. vraiment déçu (**être**)! Nous, les Français, nous ….. nuls! (**être**). Il ne se ….. rien (**passer**)! On ….. presque à la fin de la première mi-temps (**dormir**)! Les Bleus ….. faute après faute (**faire**). Tu ne ….. pas ça lamentable (**trouver**)? Quand quelqu'un ….. de marquer (**essayer**), personne ne l'….. (**aider**). En plus, le gardien néerlandais ne ….. rien passer (**laisser**)! Et la défense? Nulle. Les Hollandais ….. avancer sans problème (**pouvoir**), on ne les ….. pas (**marquer**). Pathétique!

À bientôt,

Thomas

6 Complete these sentences and make them true for you. Use the imperfect when needed.

  Exemple: Avant, je ne faisais pas de sport mais maintenant, je joue au rugby.

  a Avant, je ne … pas mais maintenant, je …
  b Avant, je …. par contre maintenant, je ne …. plus.
  c Quand j'étais petit(e), je …
  d L'année dernière, …

2A Stratégies

In this unit, you've learnt how to...

À l'oral

1 Make sure you pronounce words correctly.

❏ Read these words aloud. Which don't contain the *'in'* sound? Listen to check.

*demain un domaine un matin la matinée
un poulain un pain un pin l'épingle l'épine*

❏ Say these phrases. Which don't contain the sound *'é'*? Listen to check.

*un pied de nez
Mémé et Pépé
l'alphabet complet
la fête des pères
s'amuser à rouler
un reporter à roller*

❏ Say this sentence. What is special about it?

Trop drôle, ce manchot rigolo avec son manteau bien chaud sur le dos!

❏ Test yourself: How French do you sound?

a *Attention au cartilage de l'articulation!*

b *Une brigade de brutes est responsable d'une explosion à la dynamite.*

c *L'agriculture est sa passion et sa profession.*

d *Son attitude explique sa solitude: il est irritable et inconsolable.*

2 Remember the liaisons (words that run together when you pronounce them).

❏ Say these sentences and listen to check if you made the liaisons correctly.

Vous avez une médaille?

Il a des amis à Paris.

Ils veulent aller aux Jeux Olympiques.

Elles aiment les animaux.

C'était un grand athlète.

C'est un examen important pour son avenir.

3 Speak expressively. Intonation and expression are as important as pronunciation.

❏ Listen. Which person is better at advertising for a new gym? Listen again, compare and contrast. What is s/he doing better?

> **STUDY TIP**
>
> Your motto should be: 'Speak till you peak!'
>
> - Speak French at least once in each lesson. Then build up gradually ... till the teacher begs you to stop!
>
> - At home, try 'shadow speaking': get the sound file to go with written material in the textbook. Read and listen and 'mime' the pronunciation.
>
> - Visit some websites like http://phonetique.free.fr/ and do the exercises. More fun than it sounds!

❏ Have a go: persuade a friend to go with you to see a football match. Use these arguments and make your tone of voice as convincing as possible!

match passionnant

meilleures équipes du moment

joueurs fantastiques

suspense garanti

bonnes places

À l'écrit

1 Use determiners (*le, la, les*) correctly.

❏ Translate these sentences into French.

a I like swimming but I prefer judo.

b Australians love surfing.

c I play tennis and badminton.

d Do you want to drink juice or water?

e I listen to music when I go jogging.

2 Make your sentences longer and more detailed.

❏ Write a short paragraph about PE at school in Years 7–9. Use phrases such as :

J'adorais/Je détestais l'EPS parce que je trouvais les activités très ...

On faisait régulièrement ...

Par contre, on allait rarement ...

❏ Exchange your text with a partner. Can you think of ways of improving? More adjectives, adverbs or linking between clauses?

À l'oral

Le Top 10 des sportifs/sportives

Propose your favourite sports personality for a World Top Ten Sports Personality Award. Work individually or in pairs:

1 Choose a sportsperson (from any sport and any period) and research information about him/her (biographical details, achievements, etc).

2 Prepare notes and visuals. Rehearse your oral presentation carefully, making sure you are speaking clearly and convincingly.

3 Present your sportsperson to the class. Be prepared to answer questions! You will need to anticipate vocabulary for this. The class then vote for the personalities who will make it into the Top Ten!

Edison Arantes do Nascimento, dit Pelé, est un ancien joueur de football, né au Brésil en 1940.

Il avait 17 ans pour sa première Coupe du monde. Il a remporté 3 coupes du monde et marqué 1281 buts en 1376 matchs! On le surnommait le Roi Pelé.

Selon moi, Pelé est le meilleur footballeur, parce que ...

À l'écrit

Challenge sportif dans ta ville

You have been asked to work on the publicity campaign which advertises your town to foreign visitors as a major health and sport centre in the area.

The class divides into five or six groups. Each group must:

1 Identify and list what sporting/healthy living opportunities there are in your area: What facilities? Which sports? How often? Why (health benefits)? Etc.

2 Suggest new ones and discuss their feasibility in your group. Offer paragliding? Diving courses at the pool? A 'parcours santé' (see text right)? etc.

3 Research your town history: any links to sporting history or famous athletes?

4 Decide how best to present your campaign: poster, brochure, leaflet. Use the vocabulary and structures learnt in this unit, and write convincingly! The class then read the different presentations and decide which group has made the most convincing campaign.
Tip: consult Unit 1B for useful language about towns!

La santé pour tous!

Beaucoup de villes françaises sont équipées d'un parcours-santé gratuit. C'est l'endroit idéal pour les promenades ou pour faire un peu de sport et faire travailler les jambes, les bras et le reste du corps! Sur les différentes stations-exercices (en général entre 15 et 20), certaines sont accessibles à tous, d'autres sont plus difficiles pour les sportifs qui veulent s'entraîner plus sérieusement.

Comment te muscler sans danger

le cœur *nm*	heart
le cou *nm*	neck
la cuisse *nf*	thigh
le doigt *nm*	finger
le dos *nm*	back
l'épaule *nf*	shoulder
le genou *nm*	knee
le nez *nm*	nose
le torse *nm*	torso
les yeux *nm pl*	eyes

l'équitation *nf*	horse-riding
l'escalade *nf*	climbing
la natation *nf*	swimming

baisser *v*	to lower
se brûler *v*	to burn oneself
se couper *v*	to cut oneself
s'étouffer *v*	to choke
pencher *v*	to tilt
perdre connaissance *v*	to faint
plier *v*	to bend/fold
respirer *v*	to breathe
saigner *v*	to bleed
sauver *v*	to save
quelqu'un	someone

Comment choisir le sport idéal

après tout	after all
avant tout	above all
en général	generally
en particulier	particularly
gentiment *adv*	gently
pas du tout	not at all
pas spécialement	not specially
presque jamais	almost never
régulièrement *adv*	regularly
sans doute	probably
seulement *adv*	only
vraiment *adv*	really

avoir envie de	to feel like ...
ça m'intéresse	I'm interested
faire partie d'une équipe	to play in a team
participer *v*	to take part
soutenir une équipe	to support a team

Comment relever le défi olympique

la course à pied *nf*	running
l'entraînement *nm*	training
l'entraîneur/entraîneuse *nm/nf*	coach
l'épreuve *nf*	event

la lutte *nf*	wrestling
la médaille *nf*	medal
la récompense *nf*	reward
le régime *nm*	diet
le sport d'équipe *nm*	team game
le sport nautique *nm*	water sport

s'entraîner *v*	to train
gagner *v*	to win
tricher *v*	to cheat

Comment être en forme comme un champion

s'alimenter *v*	to eat
s'améliorer *v*	to improve
se blesser *v*	to get injured
bouger *v*	to move
se disputer *v*	to argue
se distraire *v*	to have fun
s'endormir *v*	to go to sleep
s'échauffer *v*	to warm up
s'empêcher *v*	to stop onself
s'étirer *v*	to stretch
se fatiguer *v*	to get tired
se lever *v*	to get up
se motiver *v*	to motivate oneself
s'organiser *v*	to get organised
se priver *v*	to deprive onself
se protéger *v*	to protect oneself
se réparer *v*	to mend itself
se reposer *v*	to rest
se réveiller *v*	to wake up

Comment survivre dans la nature

avoir l'air	to look...
avoir besoin	to need (to)
avoir chaud/froid	to be hot/cold
avoir de la chance	to be lucky
avoir faim/soif	to be hungry/thirsty
avoir mal à	... hurts
avoir peur	to be scared
avoir raison/tort	to be right/wrong
avoir sommeil	to feel sleepy

alors	then, so
car	because
cependant	however
comme	as
donc	then, therefore
et puis	and then
même si	even though
par contre	on the other hand
quand	when
si	if

2B Bon appétit!

Sais-tu comment ...

- ❏ cuisiner pour tes copains?
- ❏ refuser poliment un plat?
- ❏ éviter les mauvaises habitudes?
- ❏ acheter sans trop dépenser?
- ❏ bien manger au restaurant?

Scénario

- **Promouvoir la cuisine britannique sur un marché en France.**
- **Planifier un week-end de remise en forme.**

Choux-fleurs 2.35€

Carottes 1.20€ le kilo

Haricots verts 2.50€ le kilo

Venez goûter à la gastronomie britannique!

Stratégies

À l'oral

When speaking, how do you...

- speak precisely and expressively?
- illustrate what you say with examples?
- cope when you don't know a word or have forgotten it?
- ask questions in a variety of ways?

À l'écoute

In French, how do you...

- listen out for key phrases to identify someone's opinions?
- use grammar clues to identify what is being talked about?

Grammaire active

As part of your French language 'toolkit', can you...

- use determiners to mean 'some' and 'any'?
- use the pronoun *en*?
- use the conditional?
- ask questions using a variety of question words?

(G) Les articles: du, de la, des (V) Les aliments et les recettes (S) Utiliser des adverbes pour être précis

Bien manger tous les jours...

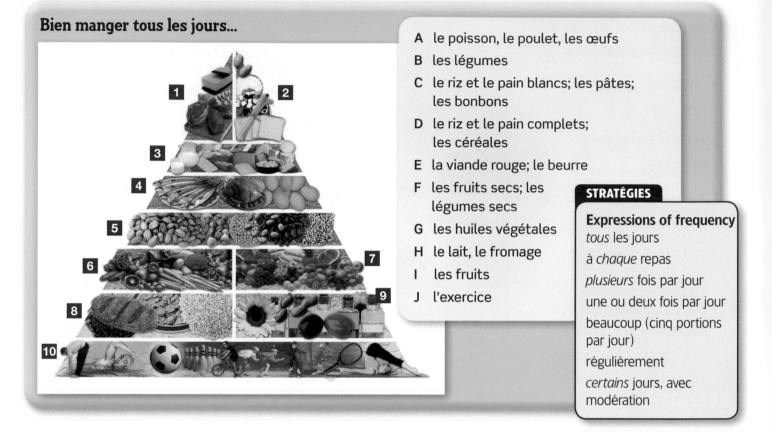

A le poisson, le poulet, les œufs

B les légumes

C le riz et le pain blancs; les pâtes; les bonbons

D le riz et le pain complets; les céréales

E la viande rouge; le beurre

F les fruits secs; les légumes secs

G les huiles végétales

H le lait, le fromage

I les fruits

J l'exercice

STRATÉGIES

Expressions of frequency
tous les jours
à *chaque* repas
plusieurs fois par jour
une ou deux fois par jour
beaucoup (cinq portions par jour)
régulièrement
certains jours, avec modération

...une petite douceur de temps en temps!

Le soufflé au chocolat

Ingrédients pour 4 personnes

Un moule à soufflé de 1 litre

….. beurre (20 g.)

….. œufs (4 jaunes et 6 blancs)

….. chocolat noir (100 g.)

….. crème fraîche (2 cuillerées à soupe)

….. sucre en poudre (2 cuillerées à soupe)

….. essence de vanille (1 cuillerée à café)

….. sel

1 [1], préchauffez le four à 200 °C (th. 6/7) et beurrez le moule.

2 Cassez les œufs et séparez les jaunes des blancs.

3 [2] faites fondre le chocolat. Ajoutez la crème et les 4 jaunes d'œufs.

4 Laissez épaissir 3 ou 4 minutes et remuez [3]. Sortez du feu et laissez refroidir.

5 Fouettez [4] les 6 blancs d'œufs en neige ferme. Ajoutez la pincée de sel, la vanille et le sucre [5].

6 [6] incorporez [7] ces œufs en neige au mélange au chocolat. Versez dans le moule et mettez au four pendant 20 minutes.

Servez [8] pour que le soufflé ne retombe pas.

D'abord   continuellement   délicatement
pour terminer   immédiatement   puis
progressivement   vigoureusement

1a Regarde la pyramide, page 60. Relie les aliments (A–J) aux catégories 1-10.

Exemple: **1E**

The **indefinite** article (*un, une, des*) usually refers to an unspecified person or thing.

des carottes, *un poulet*   some carrots, a chicken

The **definite** article (*le, la, les*) indicates a specific person or thing and is also used to refer to categories, e.g. food you like or dislike (no article here in English):

J'adore le lait et les carottes. I love milk and carrots.

1b À deux. Discutez de ce que vous aimez manger.

A Est-ce que tu aimes le/la/les… (carottes)?

B Oui, j'aime/non je n'aime pas le/la/les…

2 Lis l'encadré Stratégies, page 60, et trouve l'équivalent français de:

every   several   each   certain

3a Relie chaque catégorie de la pyramide, page 60, à une fréquence et fais des phrases.

Exemple: Il faut faire de l'exercice **tous les jours**.

3b Écoute la diététicienne pour vérifier.

In French, unlike in English, you need to use an article (*du, de la, des*) to refer to an unknown quantity of something, e.g. food or drink:

Je mange du pain, de la crème, des fruits.

After an adverb of quantity, use *de*:

Je mange beaucoup de pain, de crème et de fruits.

After a negative, use *de*:

Je ne mange pas de pain, de crème ou de fruits.

4 À deux, utilisez les expressions de fréquence pour discuter de ce que vous mangez. Qui mange le mieux? Pourquoi?

A Je mange des céréales tous les jours. Et toi?

B Non, je mange des céréales certains jours mais je mange des fruits plusieurs fois par jour.

5a Lis la recette, page 60. Complète la liste d'ingrédients avec «du, de la, de l', des».

5b Écoute pour vérifier.

6a Relis la recette. Note tous les mots typiques des recettes. C'est quoi en anglais?

Exemple: préchauffer – *to preheat*, le four – *the oven*

6b Connais-tu d'autres mots utiles? En groupe, préparez une liste d'expressions utiles pour cuisiner.

Exemple: to cook – faire cuire

Use adverbs to be more precise, especially when giving instructions. Make sure you use the correct ones!

Incorporez délicatement ou vigoureusement?

6c Relis et remplace [1]–[8] par les bons adverbes. Attention, adverbe mal placé = recette ratée!

Exemple: [1] D'abord

7 Écoute pour vérifier.

À vous!

8 Describe your dream meal or your food nightmare, explaining what you like/dislike and how healthy it is. Compare with a French pen pal or link class in France.

Exemple: – Mon repas de rêve, c'est du/de la/des… parce que j'adore le/la/les …

– Mon cauchemar, c'est manger du/de la/des… parce que je déteste le/la/les…

9 Present your favourite recipe to French visitors. Choose how to deliver your presentation (PowerPoint® with sound, podcast, video). Mention the ingredients, how to prepare and cook them and say:

Exemple: Voici une recette typiquement britannique: les flapjacks. Tout d'abord, il faut…

2B Comment refuser poliment un plat

G le conditionnel; le pronom "en" **V** Les traditions alimentaires **S** Parler de façon plus expressive

P Moduler l'intonation

J'aimerais bien manger des grenouilles ...

Grenouilles

Insectes (sauterelles)

Alligator

Larves de papillon

Cochon d'Inde

Chaque pays a des traditions alimentaires différentes, selon ses ressources, sa culture et ses religions.

En France, par exemple, on aime le lapin et la viande de cheval, alors que beaucoup de Britanniques
5 considèrent ces animaux comme des animaux de compagnie et n'en mangeraient pas. Un Britannique ne choisirait sans doute pas non plus les escargots ou les grenouilles au menu alors qu'un Français, un Portugais ou un Vietnamien en mangerait avec plaisir!

10 De même, les Français ne prendraient peut-être pas en priorité les anguilles en gelée, l'estomac de mouton farci (*haggis*) ou les baked beans, ces haricots dans une sauce rouge sucrée, en Grande-Bretagne! Les communautés juives ou musulmanes, qui interdisent
15 la consommation de porc, n'apprécieraient pas le petit déjeuner britannique à base de saucisses et de bacon. Et le traditionnel bifteck-frites? Un Hindou, même

non-végétarien, n'en mangerait pas puisque pour lui, la vache est un animal sacré.

Les Jaïns, de religion non-violente très stricte, 20 refusent de manger les légumes-racines (carottes, etc.) parce qu'on risquerait de tuer des insectes. Dans d'autres pays du globe, par contre, les insectes et leurs larves sont une source de protéines très appréciée: un aborigène australien mangerait sans 25 problème une portion de « witchetty grub » (larves de papillon) et dans de nombreux pays d'Afrique et d'Asie, les sauterelles et les fourmis, rôties ou grillées, sont très appréciées. Beaucoup d'Américains refuseraient de consommer ces insectes mais, par 30 contre, mangeraient avec appétit un burger de bison ou un steak d'alligator. On servirait volontiers du cochon d'Inde rôti et du piranha grillé en Amérique du Sud alors que peu de gens en France ou en Grande-Bretagne en goûteraient avec plaisir... 35

1 📖 **Lis le texte. Note tous les aliments.**
Exemple: le lapin, le cheval...

2 🖊 **Complète avec des aliments du texte.**
J'aimerais bien manger du/de la/de l'/ des (escargots)...
Je n'aimerais pas manger de/d'(insectes)...

Le bougna (Nouvelle-Calédonie)

Ingrédients: il faut de la viande (poulet, pigeon), du poisson, des patates douces, des plantains, de l'igname, de la citrouille, des tomates, des oignons, de l'ail, du lait de noix de coco.

Enveloppez tout dans une feuille de bananier.

Faites cuire sur des pierres chaudes, dans la terre, pendant 2 ou 3 heures.

GRAMMAIRE

En replaces *du/de la/des* + noun. It means 'some' in positive sentences and 'any' in negative sentences:

J'en mangerais avec plaisir. I'd happily eat some.

Il n'y en a plus. There isn't any left.

See *Grammaire active*, page 71.

3a Relis le texte, page 62, et trouve «en» (x 4). Quels mots remplace-t-il?

Exemple: ligne 6: en = lapin/cheval

3b Transforme les phrases de l'activité 2 avec «en».

Exemple: Des escargots, j'aimerais *en* manger.

Des insectes, je n'aimerais pas *en* manger.

GRAMMAIRE

Conditional

J'aimerais (I would like) is the verb *aimer* in the conditional form. The conditional refers to events that may or may not happen. Conditional endings are normally added to the infinitive ('-re' verbs drop the final 'e') and are the same for all verbs:

*aimer = j'aimer**ais*** -ais, -ais, -ait, ions, – iez, - aient

See *Grammaire active*, page 70.

4 Trouve ces verbes au conditionnel dans le texte, page 62. Que remarques-tu sur leur terminaison?

Exemple: manger = mangeraient (ligne 6)

> manger   choisir   prendre   apprécier   risquer
> refuser   servir   goûter

5a Écoute les réactions d'Anya face aux aliments du texte, page 62. Complète.

Exemple: Je n'en mangerais *jamais*.

1 Je n'en mangerais …
2 J'en prendrais par …
3 J'en goûterais … pour essayer.
4 J'en mangerais avec …

5b À deux. Discutez des aliments. Utilisez les expressions 1-4.

Exemple: **A** Est-ce que tu mangerais des insectes?
B Ah non, je n'en mangerais jamais! Et toi, tu en mangerais?

6 Lis le texte sur le bougna, page 62. Explique la recette en anglais (avec un dictionnaire).

STRATÉGIES

To identify someone's opinion, listen to the whole sentence to hear <u>key words</u>: the first few words can be misleading e.g. does this person accept or refuse the food?

J'en goûterais bien [sounds as though accepting] <u>*mais euh… je n'ai pas très faim, merci.*</u> [refuses]

7a Écoute (1–8). Qui accepte (✓) ou refuse (✗) le bougna?

Exemple: 1 ✓

7b Quelles excuses entends-tu?

Exemple: **1** Je n'ai pas faim.

je n'ai pas faim	j'ai déjà mangé
je ne mange pas de…	c'est interdit par ma religion
je n'aime pas trop	je n'aime pas du tout
je suis allergique	je suis végétarien(ne)

STRATÉGIES

Stress certain words or phrases to give them more emphasis. You can also use pronouns or change word order:

Moi, du bougna, j'en veux bien. C'est <u>dé-li-cieux</u>!

<u>Jamais</u> je n'en mangerais!

8 À deux. **A** offre un plat, **B** accepte ou refuse (avec expression!). (B↔A)

Exemple: **A** Tu veux goûter au traditionnel *fish and chips*?

B Moi, j'en voudrais bien, mais je suis allergique.

À VOUS!

9 Research a dish from a different country and present it to the class. Ask for reactions. Who would try it? Why (not)?

10 In groups, write a short guide to British food for French-speaking visitors. Cover the three meals: *le petit déjeuner, le déjeuner, le dîner* and typical snacks.

2B Comment éviter les mauvaises habitudes

G Le conditionnel irrégulier   **V** Les bonnes et les mauvaises habitudes

S Illustrer ce qu'on dit par des exemples

Forum-santé: Questions-réponses

A Je sais qu'il faut bien manger au petit déjeuner mais je ne peux pas parce que je n'ai vraiment pas faim. Par contre, pendant la matinée, je me sens faible et je n'arrive plus à me concentrer en classe. Qu'est-ce que je devrais faire?
Simon

B Je n'ai pas le temps de manger à midi à l'école parce que je fais beaucoup de sport. Est-ce que je pourrais prendre un supplément de vitamines et minéraux à la place?
Katia

C Je voudrais perdre quelques kilos mais j'aime trop le chocolat! Je ne peux pas m'empêcher de manger plusieurs barres chocolatées par jour. Qu'est-ce que je pourrais faire pour en manger moins?
Edgar

D Je sais que le fast-food, c'est nul pour la santé. Ce serait bien de ne pas en manger … mais j'adore ça! Je veux être en bonne santé, alors est-ce que je ferais mieux de ne pas manger du tout de fast-food ou bien est-ce que j'aurais le droit d'en manger de temps en temps?
Alex

---

1 📖 Lis les questions du forum-santé. C'est qui?

Exemple: **a A** Simon

  a Who can't eat at breakfast but then feels weak and lacks concentration?

  b Who is thinking of taking vitamin supplements at lunchtime due to lack of time?

  c Who wonders whether eating junk food occasionally is ok in an otherwise balanced diet?

  d Who can't help eating chocolate every day despite wanting to lose weight?

GRAMMAIRE

Irregular conditional verbs

Most verbs are regular in the conditional: endings are added to the infinitive. However, a few common verbs are irregular:

être = ser-ais; avoir = aur-ais; faire = fer-ais; devoir = devr-ais; pouvoir = pourr-ais; vouloir = voudr-ais

Il voudrait perdre du poids alors il devrait faire plus d'exercice. He would like to lose weight so he should do more exercise.

2 📖 Relis les textes A–D et retrouve ces verbes au conditionnel.

Exemple: vouloir **C** voudrais

  vouloir   devoir   avoir   pouvoir   être   faire

3a 📖✏️ Lis ces conseils et résume en anglais. C'est pour qui?

Essaie de moins manger; par exemple, coupe une barre en petits bouts et mange un petit bout au lieu d'une barre entière. C'est mieux de manger du chocolat noir, comme le chocolat à 60% de cacao, parce qu'il est moins gras et moins sucré. Remplace le chocolat par des fruits secs, entre autres des abricots, des pommes ou des mangues.

3b 📖 Relis les conseils et trouve ces expressions utiles pour donner des exemples.

like   for instance   among others

4a 🔊 Écoute les conseils de l'expert. Réponds en anglais (a–d).

Exemple: **a** *To try and drink something in the morning.*

  a What three suggestions does the expert make to help Simon?

  b What two things mustn't Katia do and what should she do for 20 minutes?

  c What two things could help Edgar lose weight?

  d Name three ways that Alex can enjoy fast food safely?

4b 🔊 Réécoute et note les exemples précis dans chaque réponse.

Exemple: **Simon** – *un jus de fruit frais…*

ALCOOL = DANGER

A À petite ou moyenne dose, l'alcool semble relaxer, mais en fait, on peut perdre le contrôle de soi-même et on peut avoir une «gueule de bois*».

B À très forte dose, l'alcool cause des troubles graves (hallucinations, pertes de mémoire), des maladies du foie*, des cancers et parfois des comas mortels.

C Les mélanges (alcool-soda) ne diminuent pas les effets de l'alcool, au contraire: on sent moins l'alcool et on en boit plus.

D L'alcool est une drogue et on peut devenir dépendant. Plus on boit jeune, plus on risque de devenir dépendant.

* une gueule de bois – *hangover*
le foie – *liver*

Constance: « Quand je sors, je bois quelques verres. Je ne suis pas ivre* mais je ne suis pas toujours en forme le dimanche pour faire mes devoirs !»

Clément: « J'ai commencé à boire à 12 ans: cidre, bière et maintenant vodka. Ma copine dit que je suis alcoolique parce que je ne peux pas m'amuser sans boire. »

Adam: « L'an dernier, j'ai trop bu pendant une soirée. Je ne me souviens de rien, sauf de voir mes parents pleurer à l'hôpital. Ils pensaient que j'allais mourir! »

Étienne: «Avant, je mélangeais toujours l'alcool avec du coca et je buvais des premix: je pensais que c'était mieux. En fait, je buvais beaucoup sans réaliser. »

* ivre – *drunk*

7 Quelles mauvaises habitudes ne faut-il pas prendre avec l'alcool? Explique oralement avec un exemple.

Exemple: À mon avis, il ne faut pas boire de premix. L'exemple d'Étienne montre que c'est dangereux...

5 Lis et résume ce que disent les jeunes en anglais.

Exemple: Constance only drinks a few glasses when she goes out...

6a Relie les effets de l'alcool (A–D) à un jeune.

Exemple: **A** = Constance

6b Écoute pour vérifier.

STRATÉGIES

Speak in a more interesting and convincing way by adding examples.
Si on prend l'exemple de X, on voit que ...
Le cas/L'exemple de X montre/prouve que...

6c Réécoute. Note les phrases de la conseillère avec les expressions ci-dessus.

Exemple: Si on prend l'exemple de Constance, on voit que l'alcool a des effets négatifs.

À VOUS!

8 Organise a health forum to exchange ideas with a link class in France. Students each write a query. In small groups, come up with replies (using conditional tenses and examples). Discuss in class.

Exemple: **Q** Je dé-tes-te manger des légumes!
R Tu pourrais ajouter des petits bouts de légumes à des plats que tu aimes, comme des pâtes ou du riz .

9 In groups, prepare a campaign to warn young French children of the dangers of alcohol. Choose a medium (poster, video, quiz, etc) and use lots of examples.

Exemple: L'alcool est mauvais pour la santé. L'exemple des premix montre qu'il faut faire très attention!

Quiz: Sais-tu acheter des produits sains pour pas cher?

Qui fait les courses chez toi? Savez-vous économiser? Savez-vous acheter ce qui est bon pour la santé? Fais le test!

1 En général, ta famille achète à manger où?
a   au marché et au supermarché.
b   à l'épicerie de quartier.
c   à l'hypermarché ou au hard-discounter.

2 Combien de fois par semaine fait-on les courses chez toi?
a   Quand on a besoin de quelque chose.
b   Plusieurs fois par semaine.
c   Une seule fois par semaine.

3 Qu'est-ce que vous achetez au supermarché pour manger équilibré?
a   Surtout des produits frais.
b   Surtout des plats préparés.
c   Ce qu'on ne sait pas cuisiner nous-mêmes.

4 Quand est-ce qu'on peut faire de bonnes affaires* au marché?
a   Quand ça ouvre.
b   Juste quand ça ferme.
c   Tout le temps.

5 Pourquoi devrait-on toujours faire une liste de courses?
a   Pour ne pas oublier quelque chose.
b   Parce qu'on fait les courses plus rapidement.
c   Parce que ça évite d'acheter des choses en plus.

6 Est-ce que tu fais tes courses quand tu as faim?
a   Oui, ça donne des idées.
b   Non, ça fait acheter des choses chères et inutiles.
c   Oui, et on achète des chips et des barres chocolatées!

7 Tu fais les courses avec qui?
a   Mon petit frère et ma petite sœur.
b   Des copains.
c   Avec mes parents.

8 Comment est-ce que vous achetez les légumes?
a   On les achète dans les emballages plastique*.
b   On les achète toujours frais, en vrac*.
c   On les achète surtout surgelés*.

9 Quels fruits achetez-vous en hiver?
a   On achète des fraises, on adore ça!
b   On achète des fruits de saison (pommes, poires).
c   On achète des fruits en boîte*.

> * good deals
> plastic wrappers
> loose
> frozen
> tinned fruit

---

1 Lis le quiz. À deux: discutez des options a, b, c des questions 1–9 et classez-les: «Bonne idée!» «Pas trop mal» ou «Bof!»

Exemple: **1** Bonne idée! = **c**; Pas trop mal = **a**; Bof! = **b**

2 Écoute les conseils pour vérifier. Résume les neuf règles d'or en anglais.

Exemple: **1** *Try and shop where it is the cheapest, in hypermarkets or discount stores.*

STRATÉGIES

Question forms

When speaking, try to use different ways of phrasing questions to add variety.

A As a statement but add a question mark and raise your voice.
B Use *est–ce que* or a question word (with or without *est–ce que*).
C Reverse the order of the verb and subject.

See *Grammaire active*, page 71

3 Trouve les interrogatifs (question words) et les trois types de questions (A, B, C) dans le quiz.
Exemple: où, … **1–A**

Au marché

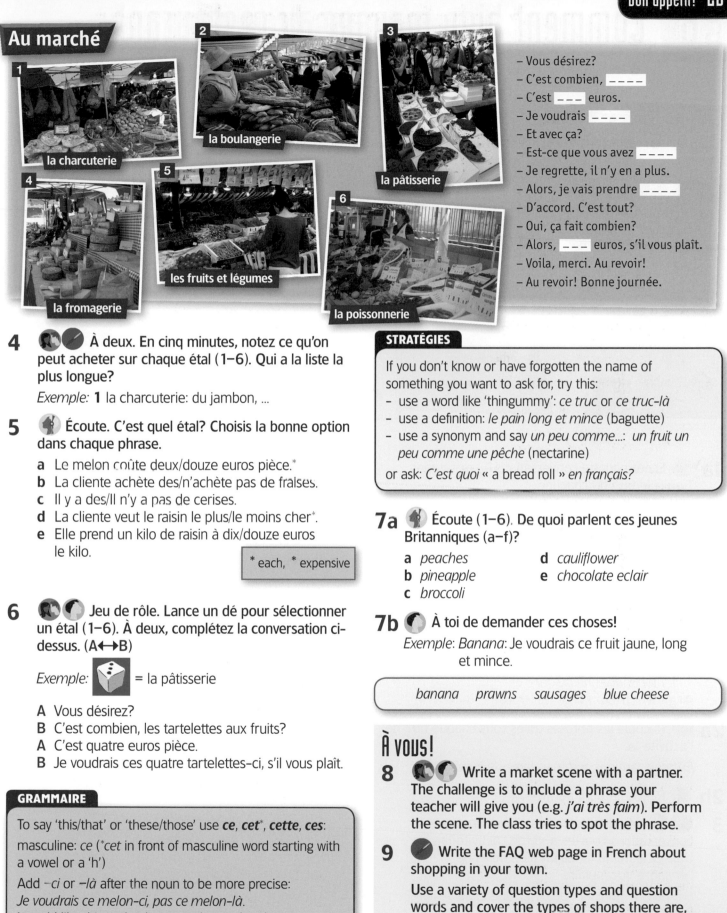

1 la charcuterie
2 la boulangerie
3 la pâtisserie
4 la fromagerie
5 les fruits et légumes
6 la poissonnerie

– Vous désirez?
– C'est combien, ____?
– C'est ___ euros.
– Je voudrais ____
– Et avec ça?
– Est-ce que vous avez ____
– Je regrette, il n'y en a plus.
– Alors, je vais prendre ____
– D'accord. C'est tout?
– Oui, ça fait combien?
– Alors, ___ euros, s'il vous plaît.
– Voila, merci. Au revoir!
– Au revoir! Bonne journée.

4 À deux. En cinq minutes, notez ce qu'on peut acheter sur chaque étal (1–6). Qui a la liste la plus longue?

Exemple: **1** la charcuterie: du jambon, …

5 Écoute. C'est quel étal? Choisis la bonne option dans chaque phrase.

a Le melon coûte deux/douze euros pièce.*
b La cliente achète des/n'achète pas de fraises.
c Il y a des/Il n'y a pas de cerises.
d La cliente veut le raisin le plus/le moins cher*.
e Elle prend un kilo de raisin à dix/douze euros le kilo.

* each, * expensive

6 Jeu de rôle. Lance un dé pour sélectionner un étal (1–6). À deux, complétez la conversation ci-dessus. (A↔B)

Exemple: ⚄ = la pâtisserie

A Vous désirez?
B C'est combien, les tartelettes aux fruits?
A C'est quatre euros pièce.
B Je voudrais ces quatre tartelettes-ci, s'il vous plaît.

GRAMMAIRE

To say 'this/that' or 'these/those' use **ce**, **cet***, **cette**, **ces**:

masculine: *ce* (*cet* in front of masculine word starting with a vowel or a 'h')

Add –*ci* or –*là* after the noun to be more precise:
Je voudrais ce melon-ci, pas ce melon-là.
I would like this melon here not that melon there.

STRATÉGIES

If you don't know or have forgotten the name of something you want to ask for, try this:
- use a word like 'thingummy': *ce truc* or *ce truc-là*
- use a definition: *le pain long et mince* (baguette)
- use a synonym and say *un peu comme...*: *un fruit un peu comme une pêche* (nectarine)

or ask: *C'est quoi « a bread roll » en français?*

7a Écoute (1–6). De quoi parlent ces jeunes Britanniques (a–f)?

a *peaches*
b *pineapple*
c *broccoli*
d *cauliflower*
e *chocolate eclair*

7b À toi de demander ces choses!

Exemple: *Banana*: Je voudrais ce fruit jaune, long et mince.

banana   prawns   sausages   blue cheese

À VOUS!

8 Write a market scene with a partner. The challenge is to include a phrase your teacher will give you (e.g. *j'ai très faim*). Perform the scene. The class tries to spot the phrase.

9 Write the FAQ web page in French about shopping in your town.

Use a variety of question types and question words and cover the types of shops there are, where they are, when they're open, etc.

V Au restaurant   **S** Utiliser des expressions idiomatiques

Menu à 22 euros

Entrées
- Pâté de campagne
- ou Terrine de saumon
- ou Tomates mozzarella

Plats
- Truite aux amandes
- ou Omelette aux fines herbes
- ou Plat du jour

Desserts
- Tarte Tatin
- ou Crème brûlée
- ou Glace/Sorbet au choix

1a Écoute quatre conversations au restaurant. Trouve le titre de chacune.

Exemple: **1b**

a On arrive   **b** On commande   **c** On se plaint
d On paie l'addition

1b Réécoute et réponds.

1 **a** *What is the customer going to eat?*
   b *Why can't he have tarte Tatin?*
2 **c** *What's wrong with the bill?*
   d *Is the service included?*
3 **e** *Have the customers booked a table?*
   f *What does he ask for?*
4 **g** *Which four things go wrong?*

2a Recopie les phrases utiles sous chaque titre de l'activité 1a.

Exemple: **a** Vous avez une table de libre?

2b Réécoute pour vérifier.

3 Jeu de rôle. À deux, inventez quatre conversations courtes a–d (de l'activité 1a). Utilisez le menu et les phrases utiles de l'encadré Vocabulaire.

Exemple: **A** Bonjour, vous avez une table de libre?
B Vous avez réservé? etc.

VOCABULAIRE

Serveur/Serveuse:

Vous avez choisi?

Qu'est-ce que vous allez prendre?

Il n'en reste plus.

Vous avez réservé?

Je vous apporte ça tout de suite.

Vous avez bien mangé?

Client/Cliente:

Vous avez une table de libre?

Comme entrée/plat principal/dessert, je vais prendre/je voudrais …

Je n'ai pas de cuillère.

S'il vous plaît! On peut avoir l'addition?

Je crois qu'il y a une erreur.

Le service est compris?

Mon assiette est sale.

C'est froid.

Je n'ai pas commandé ça.

C'était très bon.

4a 🎙️ Écoute la réaction des clients à la sortie du restaurant Au Bon Coin (1–6). Contents ou mécontents?

Exemple: **1** mécontents

4b 🎙️🖊️ Réécoute. Pourquoi certains sont-ils mécontents?

Exemple: **1** On est servis trop lentement.

5 🖊️ Écris une lettre à un restaurant après un mauvais repas.

Exemple: Monsieur,

J'ai mangé dans votre restaurant avec deux amis hier soir. Je n'étais pas satisfait(e). La table était trop petite et le serveur n'était pas aimable, etc.

Les cyber-gourmands

Donnez vos impressions sur:

– l'accueil et la qualité du service

– l'ambiance et le décor

– le rapport qualité-prix

👎 **Adeline37:** « Ce restaurant, c'était <u>la fin des haricots</u>! Je ne vais pas <u>mâcher mes mots</u>: la salle était jolie mais on y a été très mal reçus! Le menu n'était pas varié, les serveurs <u>étaient dans la lune</u> et le repas a <u>coûté les yeux de la tête</u> pour une cuisine pas très bonne. »

👍 **Abdel22:** Vous <u>avez un petit creux</u> ou <u>une faim de loup</u> mais vous <u>êtes fauché comme les blés</u>? Voici l'adresse idéale pour vous! Le propriétaire de ce joli petit restaurant de quartier vous <u>reçoit à bras ouverts</u>, le personnel <u>se met en quatre</u> pour vous servir et leur crème caramel <u>vous fera craquer</u>!

6a 📄 Lis les avis des internautes sur le restaurant Au Bon Coin et réponds aux questions.

Who likes it? Who dislikes it? What do they disagree about?

6b 📄 Relie les expressions soulignées aux expressions en anglais.

mâcher mes mots = **a**

a *to mince one's words*
b *to die for*
c *to cost an arm and a leg*
d *to feel ravenous*
e *to be stone broke*
f *to feel peckish*
g *to bend over backwards*
h *to have one's head in the clouds*
i *to welcome with open arms*

7 👤👤 Raconte ta dernière visite dans un restaurant. Donne ton avis et justifie-le. Utilise des expressions (a–i).

Exemple: L'autre jour, j'ai mangé dans un fast-food. C'était super parce que j'étais fauché comme les blés!

À vous!

8 👤👤 In groups of three, write a humorous conversation between a waiter in a restaurant and his customers. Give them personalities (grumpy, deaf, etc.) and decide on what goes wrong during the meal.

Exemple: Client/e 1: Monsieur! Le menu, s'il vous plaît!
Serveur/Serveuse: Oh là là, une minute, j'arrive…

9 🖊️ Prepare a review of two eating places in your town, one you like and one you don't. Write it and record it on OxBox. Mention the service, the ambiance and the quality of the food. Include some idioms to make it more fun.

Exemple: 👎 Je ne vais pas mâcher mes mots: si vous avez une faim de loup, n'allez pas manger à la pizzeria Belladonna. Les portions sont minuscules et en plus, ça coûte les yeux de la tête!

The conditional

J'aimerais bien manger quelque chose. J'ai faim.

D'accord. On pourrait aller à Burgerland?

Je voudrais un double burger extra plus, s'il vous plaît.

Hmm... D'accord, mais ce serait bien de prendre une salade avec ça.

Euh... je pourrais plutôt avoir des frites, s'il vous plaît? J'adore ça!

Ah non! Tu devrais manger plus équilibré, sinon tu auras des problèmes.

HOW TO FORM THE CONDITIONAL

The endings are the same as for the imperfect tense.

je **–ais**	tu **–ais**	il/elle/on **–ait**
nous **–ions**	vous **–iez**	ils/elles **-aient**

Either add them to the infinitive, remembering to drop the final 'e' of '-re' verbs:

aimer + -ais = aimerais
sortir + -ais = sortirais
prendr + -ais = prendrais

(There are a few exceptions: *avoir, être, aller, faire, devoir, pouvoir, venir, vouloir*, etc.)

or think of verbs in the future tense (including the irregular ones) as the stems are the same:

j'aimer-ai/j'aimer-ais
je sortir-ai/je sortir-ais   je prendr-ai/je prendr-ais
avoir: j'aur-ai/j'aur-ais   être: je ser-ai/je ser-ais

Use the conditional

A to make a polite request
B to express a wish or a desire
C to make a suggestion

1a Read the cartoon. Which verbs are in the conditional?

Exemple: J'aimerais

1b Which verbs are in the conditional in this list?

adorais   adoreraient   détesterait   préparions
cuisineriez   mangerai   boira   choisiront   mangeait
mangerais   refuserions   goûterez   boirais

2 Copy and complete the sentences with the verbs in the conditional.

Exemple: **a** devrais

a Max: Je [devoir] perdre quelques kilos...
b Sam: À ta place, je [faire] plus d'exercice.
c Max: J'[aller] bien faire du jogging le dimanche matin. Tu [venir] avec moi?
d Sam: Je [vouloir] bien mais ... euh... je fais mes devoirs le dimanche matin.
e Max: Alors, tu [pouvoir] venir à la piscine le mercredi? Tu [avoir] le temps?
f Sam: Euh... J'[aimer] bien, mais... je ne sais pas nager.
g Max: Eh bien, ce [être] l'occasion d'apprendre!

3a In the cartoon, which use do the verbs in the conditional illustrate (A, B or C)?

Exemple: J'aimerais – **B**

3b Invent two sentences for each use (A–C) listed in the box.

Exemple: **B** – Je voudrais être plus en forme.

3c Write an ending for each sentence using the conditional.

Exemple: **a** Avec plus d'argent, je ferais un voyage en Italie.

a Avec plus d'argent, ...
b Avec plus de temps, ...
c Dans un monde idéal, ...

THE PRONOUN EN

1 **En** replaces one or several nouns. It usually means 'some' and 'any'.	*Tu aimes le lait? J'en ai.* *Tu **en** veux?* *Non, je n'**en** bois jamais.*
2 **En** is used with expressions of quantity.	*Il faut des pommes? Oui, il **en** faut deux.* *Du sucre? Il **en** faut un peu.*
3 Where does **en** go in the sentence? a) It is placed before the conjugated <u>verb</u> even when it is in two parts. b) When there is a <u>verb</u> + infinitive, **en** goes in the middle.	*Ton gâteau est bon mais je n'**en** <u>veux</u> plus.* *Il reste du pain. J'**en** <u>ai acheté</u> hier.* *Les pâtes, c'est bon pour la santé. Je <u>vais</u> **en** <u>préparer</u>*

4a Read and translate the sentences in the grammar box.

Exemple: Tu aimes le lait? J'en ai. – *You like milk? I have some.*

4b Read the dialogue below. Copy it replacing the words underlined by *en*.

Exemple: Vous en voulez combien?

Client: Mademoiselle, des croissants, s'il vous plaît?

Serveuse: Vous voulez combien <u>de croissants</u>?

Client: Je voudrais deux <u>croissants</u>.

Serveuse: Il reste un <u>croissant</u> mais nous avons des pains aux raisins.

Client: Ah oui? Alors, je prendrai deux <u>pains aux raisins</u>. J'adore les pains au raisin.

Serveuse: Et comme boisson? Un café?

Client: Ah non, je ne bois jamais <u>de café</u>. Un thé nature, s'il vous plaît. Je bois dix tasses <u>de thé nature</u> par jour!

Serveuse: Voilà votre thé. Vous voulez du sucre?

Client: Oui, je vais mettre un peu <u>de sucre</u>. Merci.

HOW TO ASK QUESTIONS

There are three ways of asking 'yes' or 'no' questions.

1 Form a normal sentence and raise your voice.	*Tu aimes les pommes de terre?* ↗
2 Add **est-ce que** at the beginning of the sentence.	*Est-ce que tu aimes les pommes de terre?*
3 Reverse the order of the subject of the verb, adding a hypen (more formal).	*Aimes-tu les pommes de terre?* *Mange-t-il de la viande?* *

*Add *t* to help pronunciation.

5 Ask the following questions in two other ways.

Exemple: **a** Est-ce qu'il voudrait devenir chef? / Voudrait-il devenir chef?

a Il voudrait devenir chef?
b Aime-t-il faire la cuisine?
c Est-ce qu'il a déjà fait la cuisine à la maison?

QUESTION WORDS

For other questions, you need to use a question word:

who – **qui**   what - **que/qu'est-ce que/quoi**
when - **quand**   how much/many – **combien**
how – **comment**   why - **pourquoi**   where – **où**

Which?	singular	plural
masculine	**quel**	**quels**
feminine	**quelle**	**quelles**

To sound more French, use **est-ce que** after a question word: *Où/Quand/Pourquoi … est-ce que tu manges?*

What
Before the verb, use **que/qu'est-ce que**:

Que *fais-tu pour être en forme?*

Qu'est-ce que *tu fais pour être en forme?*

After the verb, use **quoi**:

*Tu fais **quoi** pour être en forme?*

6 Write 12 questions for your partner using all of the question words above. Then answer their questions. (B↔A)

Exemple: **A** Quel sport aimes-tu faire?
B J'adore faire du…

2B Stratégies

In this unit, you've learnt how to...

À l'oral

1 Use adverbs to be more precise.

❑ Which of these adverbs do you think would be useful in a recipe? Note them down.

* *d'abord* * *ailleurs* * *avant* * *puis* * *debout*
* *vigoureusement* * *progressivement* * *sans doute*
* *probablement* * *délicatement* * *longtemps*
* *continuellement* * *pour terminer* * *facilement*

❑ Tell your partner this simple recipe for scrambled eggs using an adverb from above. Listen to check.

Exemple: D'abord, cassez quatre œufs dans un bol.

a Casser

b Battre + crème fraîche

c Ajouter

d Verser

* *une poêle*

e Remuer et faire cuire trois minutes.

f Mettre

2 Illustrate what you say with examples.

❑ List at least three ways of introducing examples.

❑ In pairs, try and convince younger children to resist the temptation of fast food. Present a convincing argument. Mention people you know.

Exemple: L'exemple de Sam prouve que le fast-food peut être mauvais pour la santé.

3 Cope when you don't know a word or have forgotten it.

❑ List all the strategies you know for coping and discuss with a partner.

❑ **A** asks for one of these items without mentioning the French word and **B** works out which one.

Exemple: A C'est le truc pour s'essuyer les mains et la bouche quand on mange.

a a napkin **b** a whisk **c** some prawns

4 Ask questions in a variety of ways.

❑ List as many question words as you can in ten seconds!

❑ Make up as many questions as you can based on the sentences below, using a variety of ways and the question words you revised on page 71.

Exemple: Tu manges le matin? Est-ce que tu manges le matin? Manges-tu le matin? etc.

a Tu manges le matin.
b Tu déjeunes à midi.
c Tu manges au restaurant.
d Tu fais du sport.

5 Use idiomatic expressions.

❑ Rephrase these sentences using one of the expressions you learnt on page 69.

Exemple: a j'étais dans la lune.

a *Je marchais sur le trottoir et je ne faisais pas attention: je n'ai pas vu la voiture arriver.*

b *Je n'ai pas acheté ce gâteau parce qu'il était beaucoup trop cher.*

c *J'ai fait une mousse au chocolat qui va beaucoup te plaire!*

À l'écoute

1 Listen out for key phrases to identify someone's opinion.

❑ *À ton avis, devrait-on boire de l'alcool à 15 ans?*

Listen to young people's opinions (1–6). Who thinks it's ok [✓] and who thinks it's not [✗]? What words/phrases are the clues?

Exemple: 1 [✗] trop jeune

2 Use grammar clues to identify what is being talked about.

❑ Listen to four conversations in which you're going to hear a made-up word: *chénécal*.

a In which is it a noun? an adjective? a verb? an adverb? How can you tell?

b Listen again and replace it with an appropriate word for each conversation.

2B Scénario

À l'oral

Promouvoir la cuisine britannique sur un marché en France

Your mission: to promote British food on a French market.

Your aim: to prepare the winning bid!
To prepare your bid, work in groups.

1 Choose a typically British product or dish, e.g. baked beans, Marmite, crumpets, garlic bread, fish and chips, Yorkshire pudding, ploughman's lunch, cheesecake, jelly.

2 Explain what it is, what is in it and how it is eaten.

3 Explain why you chose it (taste, health reasons, etc).

4 List your ideas for how you would sell it on the market stall
e.g. poster to present the product; patter to attract customers, etc.

5 Then present your bid to the class who will give it a mark out of ten.

Exemple: *Ce serait bien de proposer des "baked beans". Les Français ne connaissent pas ces haricots blancs dans une sauce tomate un peu sucrée.*

Les clients pourraient en goûter sur des toasts...

> To help you, remember:
> - how to speak expressively, using examples and a variety of questions, etc.
> - the conditional, the pronoun 'en' and 'ce/cet/cette/ces'.

À l'écrit

Planifier un week-end de remise en forme

You run a health farm and you have been asked to plan a healthy residential weekend for a group of French teenagers.

Work in groups of three or four and draw up a programme.

1 Discuss:
  – what sports or physical activities the group could do and why.
  – what food they could have and why.

2 Write an hour-by-hour programme for the group, from their arrival to their departure. Mention each meal, explaining your choice of food, and each activity, mentioning its health benefits. Don't forget to schedule in some rest and relaxation!

Exemple:
7:30 *Le groupe se réveille et se lève.*
7:45 *Le groupe fait un footing dans le parc.*
8:15 *Le groupe prend le petit déjeuner.*

Au menu, les jeunes auraient le choix entre des céréales, des fruits, du pain, etc. parce que c'est excellent pour la santé et ça donne de l'énergie. etc.

> To help you, remember:
> - the language and ideas in unit 1A as well as in this unit
> - the conditional, the pronoun 'en' and 'ce/cette/ces'.

3 Display the programmes in class. Which one will be voted the best by the class and why?

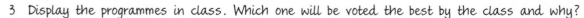

Comment cuisinier pour tes copains

ajouter v	to add
beurrer v	to butter
faire fondre v	to melt
fouetter v	to beat
incorporer v	to fold
laisser refroidir v	to cool
préchauffer v	to preheat
remuer v	to stir
verser v	to pour
certain/certaine adj	some, certain
chaque adj	each
plusieurs adj	several
tout/toute/tous/toutes adj	all

Comment refuser poliment un plat

C'est interdit par ma religion	It's forbidden by my religion
j'ai déjà mangé	I've already eaten
je n'ai pas faim	I'm not hungry
j'aimerais	I would like
je n'aime pas du tout ...	I really don't like...
je n'aime pas trop ...	I don't really like...
je goûterais	I would try
j'en mangerais bien mais ...	I would eat some but...
je ne mange pas de ...	I don't eat...
je prendrais	I would have

Comment éviter les mauvaises habitudes

C'est dangereux pour la santé	It's dangerous for your health
Il ne faut pas boire	You must not drink
Je ne peux pas m'empêcher de manger ...	I can't stop myself eating...
Le cas/L'exemple de X montre/ prouve que ...	The case/example of... shows/ proves that...
Si on prend le cas/l'exemple de X, on voit que ...	If we take the case/example of..., we see that...
j'aurais	I would have
je devrais + inf.	I should...
je ferais	I would do...
je pourrais + inf.	I could ...
je serais	I would be
je voudrais + inf.	I would like to...
avoir mal à la tête	to have a headache
avoir envie de vomir	to feel sick
comme	like
entre autres	among others
par exemple	for example

Comment acheter sans trop dépenser

Ça fait combien?	How much is it?
C'est combien, le/la/les ...	How much is/are...
Et avec ça?/C'est tout?	Anything else?
J'ai besoin de quelque chose	I need something
Je regrette, il n'y en a plus	Sorry, but we've run out
Je vais prendre ...	I'll have ...
Vous désirez?	What would you like?
la charcuterie nf	butcher's/delicatesen
la boulangerie nf	baker's
l'épicerie de quartier nf	corner shop
la fromagerie nf	cheese shop
les fruits et légumes nm pl	fruit and vegetables
le marché nm	market
la pâtisserie nf	cake shop
des plats préparés nm pl	ready-made meals
la poissonnerie nf	fishmonger's
des produits frais nm pl	fresh produce
Ce que je ne sais pas cuisiner moi-même	What I can't cook myself

Comment bien manger au restaurant

Vous avez une table de libre pour X personnes?	Do you have a table for X?
Vous avez réservé?	Have you made a reservation?
Vous avez choisi?	Are you ready to order?
Qu'est-ce que vous allez prendre?	What will you have?
Comme entrée/plat principal/ dessert	For starter/main course/ dessert
Je vais prendre/Je voudrais ...	I'll have/ I'd like...
Il n'en reste plus.	There is none left.
Je vous apporte ça tout de suite.	I'll get that straight away.
C'était très bon.	It was very nice.
On peut avoir l'addition?	Could we have the bill?
Le service est compris?	Is service included?
Je n'ai pas de cuillère.	I don't have a spoon.
Mon assiette est sale.	My plate is dirty.
C'est froid.	It's too cold.
Je n'ai pas commandé ça.	I haven't ordered this.
Je crois qu'il y a une erreur.	I think there is a mistake.
Vous avez bien mangé?	Did you enjoy your meal?
avoir un petit creux	to feel peckish
avoir une faim de loup	to feel ravenous
C'est la fin des haricots!	It's the pits!
coûter les yeux de la tête	to cost an arm and a leg
être dans la lune	to have one's head in the clouds
être fauché comme les blés	to be stone broke
faire craquer	to die for
mâcher ses mots	to mince one's words
se mettre en quatre	to go out of one's way
recevoir à bras ouverts	to welcome with open arms

Sais-tu comment...

- ☐ proposer une sortie?
- ☐ organiser une fête à thème?
- ☐ être un champion du shopping?
- ☐ trouver le festival idéal?
- ☐ raconter une journée inoubliable?

Scénario

- Organiser une soirée de charité
- Faire des recherches sur une fête dans un pays francophone

Collecte de l'argent pour une organisation caritative*.

* charity

Stratégies

Lecture...

When reading in French, how do you...
- skim to get the gist?
- scan for key words?
- use what you already know to help work out meaning?

À l'écoute...

In French, how do you...
- use intonation to help you understand?
- recognise how link words are a clue to meaning?
- pick up on negative phrases?

Grammaire active

As part of your French language 'toolkit' can you...
- use *si* + imperfect tense verb to make a suggestion?
- use pronouns to replace or reinforce nouns?
- use a range of negatives?
- recognise and use the pluperfect tense?

G Vouloir, devoir, pouvoir + infinitif   **V** Inviter, accepter/refuser une invitation   **S** Survol d'un texte*

* skimming a text

Où aller à Marseille?

1 Le parc balnéaire du Prado

Plages du Roucas Blanc: Piste de vélocross, jeux d'enfants, jeu de boules, jeu de volley-ball, solarium.

Plages Escale Borély: Spot remarquable pour la pratique de la planche à voile. Restaurants, matelas et parasols, piscine, boutiques.

Plages de Bonneveine: Zone de jeux, location de scooters et ski nautique.

2 Le Bowl Marseillais

(Gratuit et non couvert)

Considéré comme un des plus importants d'Europe!

Le Skate Park, d'une surface de 700m2, est chaque année fréquenté par les passionnés de roller et de skateboard. Au Skate Park, on peut aussi faire d'autres sports tels que le roller, le bicross, le V.T.T. et la patinette.

3 Le musée boutique de l'OM:

Il retrace le parcours de l'Olympique de Marseille lors d'expositions, etc.

Gaëlle   Jonas

J: Tu es libre mercredi après-midi? Si on sortait? Tu veux aller au cinéma?

G: Ah, je suis désolée. Je voudrais bien mais mercredi je ne peux pas. Je dois aller chez le dentiste. C'est dommage...

J: Samedi alors?

G: D'accord. Mais tu sais, il n'y a pas de bons films en ce moment. Si on faisait autre chose?

J: On pourrait aller à la plage s'il fait beau. Ça te dit?

G: D'accord. Je veux bien.

J: Où est-ce qu'on se retrouve? Je pourrais passer chez toi, si tu veux.

G: Non, ce n'est pas la peine. On peut se retrouver à l'arrêt de bus, non?

J: Comme tu veux. À quelle heure?

G: À deux heures? Il y a un bus à deux heures cinq... tu ne dois pas être en retard!

J: OK! Ben... à samedi! Salut!

5 Espace Julien - Marseille : les prochains concerts

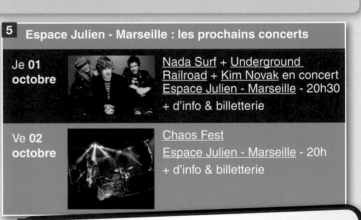

Je 01 octobre
Nada Surf + Underground Railroad + Kim Novak en concert
Espace Julien - Marseille - 20h30
+ d'info & billetterie

Ve 02 octobre
Chaos Fest
Espace Julien - Marseille - 20h
+ d'info & billetterie

6 Le Millénium

Sortir » Clubs & Boîtes de Nuit à Marseille

Route Léon Lachamp, Entrée 20 € (le vendredi et samedi avec deux conso), 13 009 Marseille

Pour ma part, c'est une des meilleures boîtes de Marseille. Malgré le problème de la distance (la boîte est relativement loin du centre ville... **plus...**

Exit Café

Bar & Pub » Bars » Bars Lounge à Marseille | Restaurant » Restaurant Terrasse à Marseille

12, quai de Rive Neuve, vieux port, 13001 Marseille

Couscous ••••
Cet établissement situé sur le vieux port de Marseille est très fréquenté par la jeunesse marseillaise. Le fond de musique électro très sympathique... **plus...**

4 Cinéma Pathé Madeleine

36, avenue Foch - 13004 Marseille 8 salles, 1373 places

Mamma Mia ! Le Film - VF

Comédie musicale de Phyllida Lloyd avec Amanda Seyfried, Meryl Streep, Pierce Brosnan...

Durée : 1h48

When you first read a text, skim it for information. Let your eyes flow over it to get a general idea of what it is about. Illustrations and headings can give you clues.

1 📖 Qu'est-ce qu'on peut faire à Marseille? Lis rapidement les annonces, page 76. Écris une liste en anglais pour un copain qui ne comprend pas le français.

2 🔊📖 Écoute et lis la conversation entre Gaëlle et Jonas, page 76. Ils vont où? Où vont-ils se retrouver? Quel jour? À quelle heure?

GRAMMAIRE

Modal verbs

je veux (I want) ⎫
je peux (I can) ⎬ + infinitive
je dois (I must) ⎭

Use the conditional of these verbs to be more polite: *je voudrais* – I would like, *on pourrait* – we could, etc.

Find and translate all the examples of these verbs in the dialogue, page 76 (there are 11).

See page 211–212 for how to form *vouloir, pouvoir* and *devoir*.

3 📖⭘ Note les expressions utilisées dans la conversation, page 76, quand:
 a Jonas propose une sortie.
 b Gaëlle refuse.
 c Jonas propose une autre activité.
 d Gaëlle accepte.

4 👤👤 À deux. Jouez les rôles de Gaëlle et Jonas.

GRAMMAIRE

Suggestions

To make a suggestion, use:

Tu veux...? or *Tu voudrais...?* or *si* + imperfect tense verb:

Si on allait en ville? How about going to town?

Si on regardait un DVD? Let's watch a DVD!

5a 🔊 Écoute les conversations 1–4. Recopie et complète la grille.

Activité proposée	Acceptée ou refusée?	Autre activité proposée?
1 aller à la plage		

5b 🔊 Réécoute 1 et 4. Note le lieu et l'heure de chaque rendez-vous.

Exemple: **1** la plage, dans une demi-heure

6 📖 Relie les débuts et fins d'excuses. À toi d'inventer d'autres excuses! (au moins cinq)

Exemple: **1e** Je n'ai pas d'argent.

 1 Je n'ai pas   a avec Luc.
 2 Je dois   b préférée à la télé.
 3 Je déteste   c me laver les cheveux.
 4 Je sors déjà   d le rap.
 5 Il y a mon émission e d'argent.

7 👤👤 À deux. Imaginez que vous êtes à Marseille.

A téléphone à **B** et propose une sortie.

B refuse (et donne ses raisons) et propose une autre activité.

Mettez-vous d'accord. Fixez une heure/un endroit pour vous retrouver. (A⟷B)

Exemple: **A** Salut, Amy! Ici Nikki. Tu veux aller au Skate Park cet après-midi?

B Non, je ne peux pas, je dois faire mes devoirs. Si on allait au cinéma ce soir?

A D'accord, je voudrais bien voir *Mamma Mia*!

À VOUS!

8 👤👤 With a partner, write a scene for a French sitcom. A very shy (or very persistent) person is asking a boy/girl out but the latter is making up excuses to avoid going. Record the scene on OxBox.

9 ⭘ What is there to do in Annecy, Dieppe or Blois? Choose one of these towns and use the Internet to find out. Write an email (100 words) suggesting some things to do in the town to a French friend.

Exemple: Tu veux...? Tu voudrais..? On pourrait... Si on allait/faisait...?

3A Comment organiser une fête à thème

G Les pronoms compléments d'objet direct, les pronoms toniques **V** Préparer une fête à thème

S Personnaliser le vocabulaire comme aide-mémoire

Les ingrédients d'une soirée vampire

La déco: on peut la faire simplement mais c'est important pour l'ambiance. Baissez la lumière. Décorez la salle avec beaucoup de noir et de rouge.

L'invitation: on l'envoie pour donner l'adresse, la date et l'heure de la soirée. Utilisez-la aussi pour signaler le thème de la soirée.

1
Astrid et Charlotte vous invitent à une soirée «spécial» vampires terrifiante

Quand? Vendredi 13 novembre, de 19 heures à minuit

Où? Au Manoir Tête-de-Mort, 31, rue de Tyrans, Toulon

Tenue de vampire exigée! (vêtements noirs)

Apportez vos films d'horreur préférés ou des CD de musique sinistre.

Vous allez entendre des histoires à vous faire hurler!

Répondez SVP à astridk@wanadoo.fr

Les vêtements: mettez des vêtements noirs. Vous pouvez les emprunter si nécessaire. Ajoutez une grande cape et de fausses dents si vous en avez.

À boire et à manger: offrez du jus de tomate (on le prendra pour du sang!). Vous pouvez aussi faire des pizzas avec beaucoup de sauce tomate et des olives noires. Les vampires les adorent!

Le maquillage: faites-le juste avant la fête – du blanc pour le visage, du noir pour les yeux et du rouge pour les lèvres... effrayant!

1 Regarde les images. Quel est le but de l'article? C'est pour qui?

2 Quel sujet n'est pas mentionné?

le menu   le déguisement   la musique   les jeux   les décorations

Direct object pronouns

You have met *le*, *la*, *l'* and *les* ('the') as determiners in front of nouns. Remember: they can also be used alone as pronouns, to avoid repeating a noun that is not the subject of the verb.

*On décore **la salle**.*   *On **la** décore.*
We decorate **the room**.   We decorate **it**.

The pronoun is masculine or feminine, singular or plural, to match the noun it replaces.

For the complete list of direct object pronouns, see page 208.

3   Trouve tous les pronoms compléments d'objet direct, page 78. Ils remplacent quel nom? Ensuite, donne l'équivalent en anglais.

Exemple: **1** *on l'envoie* − *l'invitation* = you send it (the invitation)

4   Où placer les pronoms? Consulte ta liste de l'activité 3 et complète les règles.

  a *When the verb is in the present tense, the pronoun goes...*
  b *When there are two verbs together* (e.g. *on peut faire*), *the pronoun goes...*
  c *In an imperative giving an instruction, order or advice, the pronoun...*

Emphatic pronouns

These add emphasis to the subject that follows, e.g:

***Toi**, tu t'occupes de la musique et **moi**, je prépare les boissons.*

***moi**, je...*	***nous**, nous...*
***toi**, tu....*	***vous**, vous...*
***lui**, il.../**elle**, elle...*	***eux**, ils.../**elles**, elles...*
***nous**, on...*	

Use them after a <u>preposition</u> too, e.g. *Qui veut faire ça <u>avec</u> **moi**?*

or when the pronoun stands alone, e.g. *Qui danse? **Lui**!*
See also page 208.

5a   Écoute et note les tâches* de chaque personne: Astrid, Charlotte, Nicolas et Mehdi.

Exemple: Nicolas − les invitations

    * tasks

5b   Réécoute. Lève la main quand tu entends un pronom tonique.

6   Trouve les pronoms qui manquent.

Exemple: **a** *Lui*, il fait les invitations et ...

  a [*], il fait les invitations et [*], tu prépares le menu.
  b [*], je reste à la maison mais mes parents, [*], ils sortent.
  c [*], on va faire du shopping, [*], vous faites quoi?

7   À la maison, cherche dans le dictionnaire cinq mots nouveaux associés à une soirée vampire. Note et apprends. Le lendemain, enseigne les mots à la classe.

Create your own personalised vocabulary notebook.

Record new words and phrases in a way that will help you remember them. Thematic sections? Alphabetical ones? There's no right or wrong way, see what works best for you. Try pictures or word associations:

1   *une chauve-souris* = bat/ bald mouse!

2   *inviter/une invitation/un invité*

3   draw a spider diagram: *la peur* — *terrifiant*
                                       effrayant

8   À trois. Imaginez: vous organisez une soirée.

  a Mettez-vous d'accord sur le thème: soirée internationale, sportive, vedettes de cinéma, etc.
  b Cherchez dans le dictionnaire et notez des mots associés au thème.
  c Écrivez une liste des préparations nécessaires et partagez les tâches.

Exemple: Jack, toi, tu veux faire les invitations? Qui fait ça avec lui? ...

À vous!

9   Write an invitation for your party (activity 8) with the theme, the place, the date and time. Mention what people should wear/bring, the activities and the food and drink.

10   Write ten instructions for how to arrange a great disco party. In groups of four, swap and read each other's lists. Vote for the best list.

Exemple: Faites..., Il faut..., Vous pouvez..., Si on...?

G Lui/leur **V** Le shopping **S** Faire des associations de mots pour mieux comprendre

Jérôme:	Je **[1]** un T-shirt à rayures et manches longues, s'il vous plaît.
Vendeuse:	Oui. Quelle **[2]** voulez-vous?
Jérôme:	Du bleu marine et blanc, si possible.
Vendeuse:	Bien sûr! En quelle **[3]**?
Jérôme:	En taille moyenne. … Merci, je **[4]** l'essayer?
Vendeuse:	Oui… il y a une **[5]** au fond, à gauche. *[plus tard]* Ça va?
Jérôme:	Oui, ça me va bien. Ça fait **[6]**?
Vendeuse:	Alors, ça fait 19 euros.
Jérôme:	D'accord, je vais **le [7]**.

1 Choisis des mots de l'encadré pour compléter le dialogue. (Il y a deux mots de trop.)

Exemple: **[1]** cherche

2  Écoute pour vérifier.

cabine	couleur	euros
cherche	combien	peux
merci	prendre	taille

Magasins ou Internet?

Tu préfères faire tes achats dans les magasins ou sur Internet? On a posé la question aux jeunes Français.

Grégory, 16 ans: J'achète toujours mes vêtements dans un magasin. Je préfère essayer les vêtements avant de les acheter. Dans une boutique, le vendeur vous aide à faire votre choix. Et sur catalogue Internet, les acheteurs ne voient pas bien les couleurs ni les formes. Pour les DVD, les livres ou les gadgets, je les achète sur Internet parce qu'on a un plus grand choix.

Emma, 15 ans: Moi, je pense que c'est super pratique d'acheter sur Internet, surtout les vêtements. Il faut vivre avec son temps – les magasins sont démodés! J'achète pratiquement tout sur Internet parce que c'est moins cher… et j'adore ebay! Par contre, pour la rentrée, j'ai acheté toutes mes affaires scolaires dans un supermarché et je sais que beaucoup de collégiens le font.

Jeu-test: Spécial shopping

1 C'est ton anniversaire. Tes parents te demandent ce que tu voudrais comme cadeau.

♥ Tu leur demandes de l'argent, comme ça tu pourras acheter ce que tu veux.

▲ Tu leur demandes un nouveau portable.

2 Tu achètes un petit cadeau pour ta copine. La vendeuse est sympa.

♥ Tu lui demandes de faire un paquet-cadeau,

▲ Tu ne lui demandes rien. Tu peux faire un paquet-cadeau toi-même.

3 Tu as acheté une montre mais le vendeur ne t'a pas donné de ticket de caisse.

♥ Tu lui demandes ton ticket – c'est important pour être remboursé.

▲ Tu ne lui dis rien… tu es trop timide.

4 Tes copains ne savent pas où acheter quelque chose.

♥ C'est toi qui leur indiques le meilleur magasin.

▲ Tu ne leur fais aucune suggestion.

3 Relis le dialogue, page 80. Comment dit-on...?

a *What size?*   d *it fits well*
b *medium*   e *I'll take it*
c *can I try it on?*

Sizes

Vêtements = En quelle **taille**? (grande, moyenne, petite ou 36, 38 etc.)

Chaussures = En quelle **pointure**? (38, 40, etc.)

4 À deux. Jouez les rôles de Jérôme et de la vendeuse. Ensuite, adaptez le dialogue pour les situations suivantes:

a un jean noir, grand, 35€

b une casquette verte, petite, 7€

c des baskets blanches, 42, 59€

Change the pronouns highlighted in the dialogue to match the new nouns, e.g.

la casquette – je vais **la** prendre

les baskets – je peux **les** essayer

5 Écoute (1–3). Charlène et Hakim essaient les articles de l'activité 4, mais ils ne les achètent pas. Pourquoi?

Exemple: **1d**

a Ils n'aiment pas.   c C'est trop grand.
b C'est trop petit.   d C'est trop cher.

Indirect object pronouns

lui replaces *à* + sing. noun (person):
Je parlais à Max. Je lui parlais.

leur replaces *à* + plural noun (people):
Tu téléphones à tes parents? Tu leur téléphones?

See *Grammaire active*, page 102.

6a Trouve des exemples de «lui» et «leur» dans le jeu-test, page 80. Écris la phrase avec le pronom et ensuite avec «à + nom».

Exemple: Tu leur demandes de l'argent./Tu demandes de l'argent à tes parents.

6b Écoute. Lève la main quand tu entends «lui» ou «leur».

7 Écoute et lis Magasins ou Internet?, page 80. Qui préfère le shopping sur Internet?

To help work out the meaning of a new word, check if it is related to others you know.

Exemple: inoubliable ('unforgettable') is from the same family as *oublier* ('to forget').

8 Dans le texte Magasins ou Internet?, page 80, trouve les mots associés aux mots a–e et donne les équivalents en anglais.

Exemple: vendre   un vendeur (*to sell/a salesman*)

a acheter (2 mots)   d rentrer
b choisir   e le collège
c la mode

9 Que fais-tu? Tu préfères le shopping traditionnel ou sur Internet? Pourquoi? Discute avec un(e) partenaire, puis écris ton explication (50 mots).

À vous!

10 Write a radio sketch in which a shop assistant is having trouble with a difficult customer who is always finding fault and can't make up his/her mind. Act out the sketch with a partner and, if possible, record it for the class to listen to.

11 Write an article for a French magazine. Explain the advantages and disadvantages of Internet v regular shopping in your area (100 words). You might want to mention:

- les magasins près de chez toi
- le choix
- les prix
- les vendeurs: polis ou pas? Attitude?
- la livraison (*delivery*) etc.

G La négation   **V** Les festivals   **S** Repérage d'infos dans un texte   **S** Les connecteurs d'opposition

Le festival des fiançailles est une fête marocaine qui a lieu au mois de septembre. Pendant trois jours, les jeunes Berbères viennent faire la fête et chercher un copain ou une copine. <u>Pourtant</u>, *personne ne part déçu, même ceux qui ne trouvent pas l'amour*. Il y a des cérémonies de mariage, de la musique folklorique et des danses traditionnelles. Et si on veut faire du shopping, il y a un marché où on peut acheter de tout– même un chameau.

* camel

Le festival de la Neige de Sapporo a lieu en février au Japon. Ça dure huit jours. Les principales attractions sont des centaines de sculptures de neige et des statues de glace – grandes et petites. *La hauteur des statues n'est plus limitée* à sept mètres comme elle l'était pendant le premier festival, et certaines sont ÉNORMES! Les sculptures sont faites par les habitants de Sapporo, <u>mais aussi</u> par des artistes de tout le Japon.

Le Carnaval de Nice est le premier carnaval de France. Il se déroule dans la ville de Nice en février durant deux semaines. *Il n'y a rien de plus beau que les parades*, avec des chars et la bataille de fleurs. La star du festival, c'est sa Majesté Carnaval, un mannequin de carton pâte d'une dizaine de mètres de hauteur. <u>Néanmoins</u>, le dernier soir, il est brûlé et il y a un grand feu d'artifice* avec de la musique.

* firework display

1 📖 **Lis ces mots: à quelles photos correspondent-ils?** (Utilise un dictionnaire.)

Exemple: un défilé – **A**

> un défilé   un concert en plein air   une cérémonie
> des spectateurs

2 📖 **Lis les descriptions des festivals. Relie une photo à chaque description. (Il y a deux photos de trop.)**

Exemple: Le festival des fiançailles – **D**

La Fête du Lac. Dans la ville d'Annecy, dans l'est de la France, *il ne se passe rien de spécial* au mois d'août, <u>sauf</u> le soir de la Fête du Lac. Ce soir-là, autour du lac, on peut voir un feu d'artifice inoubliable. Cette fête annuelle est un des plus importants spectacles pyrotechniques de France. Le spectacle dure environ deux heures. *Vous n'avez jamais vu de feu d'artifice?* C'est peut-être la fête pour vous!

STRATÉGIES

When scanning a text for specific information, don't waste time working out unnecessary detail. For example, in 3a, you will be on the lookout for place names, in 3b, for months of the year or seasons, etc.

3 Réponds en anglais pour chacun des quatre festivals, page 82.

a *Where does the festival take place?*
b *When is it?*
c *How long does it last?*
d *What happens/what is there to do?*

STRATÉGIES

ne... pas – not

ne ... plus – not any more

ne ... jamais – never

ne ... rien – nothing

ne ... personne – no one

Try to use as many different negatives as possible when you are speaking and writing in French. This will increase the complexity of your sentences.

See *Grammaire active* on page 86.

4 Traduis en anglais les passages *en italique* dans les descriptions des festivals, page 82.

Exemple: la hauteur des statues n'est plus limitée – *The statues are not limited in height any more*

5 Retrouve dans les textes les connecteurs (<u>soulignés</u>) qui veulent dire:

Exemple: **a** sauf

a *except*   c *but also*
b *however*   d *nonetheless*

STRATÉGIES

Some connectives have a dramatic effect on the meaning of a sentence. If you read or hear: *J'aime tous les sports...* ('I like all sports') you might think you have a clear idea of what the speaker likes. But if the sentence continues: *sauf le tennis* ('except tennis'), then you have a different view. So make sure you learn these little words!

Why do you think the words from activity 5 have been used in the texts? What effect do they have?

6 Écoute et réponds en anglais. (Attention aux «petits mots»!)

a *Did Anna just like the pop music?*
b *Did she go in for all the sports competitions?*
c *Was the food and drink good?*
d *What did she think of the Spanish party?*

7 À deux. Jouez à «Ni oui, ni non». A pose des questions sur les festivals, page 82, B répond sans dire oui/non. Utilisez des expressions négatives. (B↔A)

Exemple: **A** Le Carnaval de Nice est en janvier?
B Le Carnaval n'est pas en janvier.
A À Sapporo, la hauteur des statues est limitée?
B La hauteur des statues n'est plus limitée.

8a Regarde les deux photos sans description, page 82. Avant d'écouter les descriptions (activité 8b), écris une liste de mots que tu vas peut-être entendre. Ensuite, compare avec un(e) partenaire.

Exemple: Photo **b**, musique, Écosse...

8b Écoute (1–2) et relie les conversations aux photos. Quels mots de ta liste as-tu entendus?

8c Réécoute. Prends des notes. Ensuite, réponds aux questions de l'activité 3 pour *T-in-the-Park* et le festival de *Holi*.

À VOUS!

9 Choose the festival (**A–F**) you would most like to go to. Explain why. Then say which festival does not appeal to you and why.

Exemple: J'aimerais bien aller à T-in-the-Park parce que j'adore la musique et...

10 Record a radio interview promoting a festival you have been to (or an invented one). Make notes, including: where and when the festival is held, how long it lasts and what happens there. Your partner asks you questions about it and you answer.

3A Comment raconter une journée inoubliable

G Le plus-que-parfait **V** Raconter un évènement **S** Reconnaître l'intonation (question, exclamation, etc.) **P** Lire à haute voix pour améliorer la prononciation

Forum-Internet

Sam, Limoges:

La meilleure journée de ma vie, c'était hier, au championnat de foot, quand j'ai marqué un but pour l'équipe du lycée. J'avais toujours rêvé* de faire ça! Je m'étais entraîné tous les jours et j'ai eu ma récompense*. Et toi? Il y a eu des journées inoubliables dans ta vie? Raconte-moi!

1 Ta journée, c'était quand? quoi? où?
2 Qu'est-ce que tu as fait?
3 C'était comment?
4 Est-ce que tu avais fait des préparatifs à l'avance?

> * J'avais toujours rêvé – *I had always dreamed*
> récompense – *reward*

Léo, Paris:

Tu connais la ville d'Annecy? Pour moi, une journée inoubliable, c'est quand je suis allé à la Fête du Lac à Annecy quand j'étais petit. Je n'avais encore jamais vu de feu d'artifice et j'ai trouvé ça spectaculaire! (On avait acheté les billets des mois à l'avance parce que ce n'est pas facile d'en avoir.) Avant le spectacle du soir, on avait visité la ville et j'avais fait une promenade en bateau sur le lac. Je n'ai jamais oublié cette fête et depuis, j'adore toujours les feux d'artifice.

Marion, Bordeaux:

Moi, la journée que je n'oublierai jamais, c'est le jour de mes 16 ans, l'année dernière. Mon frère et ma sœur ont organisé une fête d'anniversaire surprise pour moi au club de jeunes. Ils avaient décoré la salle avec des ballons et des banderoles, ils avaient même fait un gâteau avec des bougies. Ils avaient invité tous mes copains mais ils s'étaient cachés derrière les rideaux alors quand je suis entrée, je ne les ai pas vus. Quelle surprise quand tout le monde est sorti!

On m'a offert de super cadeaux. Mon frère m'a donné une caricature de moi qu'il avait dessinée lui-même. Après, on a mangé du gâteau et de la glace. Ensuite, des copains qui ont un groupe ont joué de la musique et on a dansé – surtout les filles. C'était une soirée super! Et je n'avais vraiment rien soupçonné avant!

1 🔊📖 Écoute et lis le message de Marion, page 84. Réponds aux questions en anglais.

- **a** *How old was Marion on her last birthday?*
- **b** *Who organised the party?*
- **c** *What had they done beforehand to prepare for it?*
- **d** *Why didn't Marion see her friends when she went in?*
- **e** *What was she given?*
- **f** *What did they do at the party?*

STRATÉGIES

French has more than one word to translate 'then':

- *Ainsi, alors* and *donc* are mainly used to explain the consequences or effect of an action.
- *Après, ensuite* and *puis* are used to indicate the order of events.

Can you find examples of these in Marion's message?

GRAMMAIRE

Tenses

In the past		Now
X	X	X
pluperfect ←	perfect ← imperfect	present

Use the pluperfect to say that something had (already) happened: *Ils avaient invité mes copains.*
They had invited my friends.
The pluperfect is a bit like the perfect tense. It is made up of two parts:

avoir or *être* in the imperfect + a past participle.

| *j'avais oublié* | I had forgotten |
| *j'étais sorti(e)* | I had gone out |

See *Grammaire active* on page 87. Try to use these tenses when you speak or write in French.

2 📖 Trouve les phrases avec des verbes au plus-que-parfait dans le message de Marion, page 84, et traduis-les en anglais.

Exemple: Ils avaient décoré la salle – *they had decorated the room*

3 📖✏️ Lis le message de Sam, page 84. Explique en anglais ce que Sam a fait hier et pourquoi c'était important pour lui.

4 📖 Lis le message de Léo, page 84. Comment dit-il...?

- **a** *I had never seen a firework display*
- **b** *we had visited the town*
- **c** *I had been on a boat trip*

STRATÉGIES

To improve your pronunciation, practise reading anything and everything aloud so you get used to making French sounds and hearing yourself speak. Try reading aloud Marion and Léo's messages before doing activity 5 and see if it helps.

5 👥 Jeu de rôle: **A** pose les questions de Sam, **B** est Marion et répond. Ensuite, **B** pose les questions et **A** répond pour Léo.

6 🔊 Écoute d'abord l'exemple. Puis, écoute 1–9 et note si c'est une affirmation (.), une question (?) ou une exclamation (!).

Exemple: **1** (.)

À VOUS!

7 ✏️ Write your own message for the forum. Describe an unforgettable day you have had (you can invent one if you prefer). Answer Sam's questions. Say:

- when/what/where your day was
- what you did
- what it was like
- whether you had made any preparations beforehand

8 👥🎤 With a partner, prepare a list of questions and record an interview about an important event or day in your country as a guide for French visitors. Be careful to make your pronunciation as authentic as possible.

Exemple: **A** Qu'est-ce qui se passe dans ton pays le 25 janvier?

B On fête *Burns Night*.

A Pourquoi fête-t-on *Burns Night* ce jour-là? etc.

Léo ne veut pas aller à la fête d'anniversaire de son cousin Max.

Je n'aime pas les fêtes. Et je ne connais personne ici.

Je m'ennuie. Je ne vais jamais m'amuser ici.

Tu n'as rien oublié?

Salut! C'est toi le cousin de Max?

1 Find the negative sentences in the cartoon strip above. Translate them into English.

TO MAKE A SENTENCE OR QUESTION NEGATIVE

Put *ne* in front of the conjugated verb and *pas* after it:
ne + verb + *pas* (or *rien/jamais,* etc)
Je ne vais pas à la fête.

- in the perfect (or pluperfect) tense:
Asif n'a pas invité son cousin.
Je n'avais pas répondu.

- with verb + infinitive: *Tu ne peux pas venir?*

- with reflexive verbs: *On ne s'amuse pas!* (*ne* before the pronoun, *pas* after the verb)

- reflexive verbs in the perfect: *Vous ne vous êtes pas ennuyés?*

- with imperatives: *N'invite pas Marie!, Ne mangez pas mes chips!*

In informal spoken French, *ne* is often dropped:
Je ne sais pas → Je sais pas – I don't know.

NEGATIVES

In French, negatives usually have two parts: *ne ... pas* is the first negative you learn, but there are others which work in the same way:

Ne ... jamais – never

Nous ne sortons jamais.   We never go out.

Ne ... personne – no one (not anyone)

Je ne connais personne.   I don't know anyone.

Ne ... plus – not any more (no longer)

Il ne va plus au club.   He doesn't go to the club any more.

Ne ... rien – nothing (not anything)

Je ne vais rien acheter.   I'm not going to buy anything.

You might also meet *ne ... guère* (hardly, scarcely) and *ne ... nulle part* (nowhere.)

ne before a vowel or silent h = *n'*: *Tu n'aimes pas le sport?*

Remember to look out for the second half of the negative when you are reading a text to make sure you understand the meaning fully.

2 Jim always does the opposite of Jules. Adapt sentences a–g for him.

Exemple: **a** Je n'aime plus aller à la plage.

a J'aime aller à la plage. (*no longer*)
b Je regarde la télé. (*no longer*)
c J'ai lu le journal. (*not*)
d Je veux manger au restaurant. (*never*)
e Je mange le matin. (*nothing*)
f Je vais jouer au foot. (*not any more*)
g J'avais invité tous mes copains. (*not*)

3 Translate into English.

a Tu n'as rien fait d'intéressant?
b Je ne suis jamais allé à l'étranger.
c Loïc ne s'est pas amusé à la fête.
d N'achète pas les baskets jaunes, Mathieu!
e Vous n'allez pas inviter vos parents au concert?
f Elle ne peut plus sortir le soir.

GRAMMAIRE

After a negative, *un/une/du/de la/de l'/des* + noun change to *de* (or *d'* in front of a vowel):

Il n'y a pas de pizza.	There isn't any pizza.
Il n'y a plus de chips.	There aren't any more crisps.
Je n'ai jamais d'argent.	I never have any money.

---

4 Translate into French.

a I don't go out with Laura any more.
b She never spoke to her parents.
c We can't do anything this evening.
d There are no shops in this street.
e I never buy any presents at Christmas.
f Don't you have any questions?

5 Write ten instructions: what **NOT** to do at a party. Compare with a partner.

Use *il ne faut pas* and imperatives (see page 35, Unit 1B).

Exemple: **Il ne faut pas** arriver en retard. **Ne buvez jamais** trop d'alcool. etc.

6 Change the verbs from the perfect or imperfect to the pluperfect (see panel at foot of page).

Exemple: **a** j'achetais   j'avais acheté

b Tu as voulu
c Elles sont parties
d On a pu
e Ils entraient
f Nous lisions
g Je mangeais

7 Write out the sentences, changing the infinitives in brackets to pluperfect verbs.

Exemple: **a** Je t'avais invité

a Je t'(inviter) au concert.
b On (mettre) de beaux vêtements pour la fête.
c Il m'a dit qu'il (arriver) hier soir.
d Ils (arrêter) de fumer l'année dernière.
e Quand le téléphone a sonné, elle (sortir).
f Nous (voir) lu ce livre au collège.

8 Make a suggestion with *Si...* + imperfect tense verb for each of the following situations.

Exemple: **a** Si on allait en France l'année prochaine?

a You want to go to France next year.
b You want to play tennis.
c You want to make a birthday cake.
d You want to go home by taxi.
e You want to watch some DVDs.
f You want to buy tickets for the music festival.

THE PLUPERFECT TENSE

Quand je suis arrivée à l'arrêt ce matin, **le bus était déjà parti!**

When I arrived at the bus stop this morning, the bus had already left.

The pluperfect allows you to describe an action in the past that happened before another past action. Like the perfect tense, it is in two parts, but *avoir/être* are in the imperfect:
Perfect tense: *avoir/être* in the <u>present</u> + past participle
Pluperfect tense: *avoir/être* in the <u>imperfect</u> + pas participle.

How to form the pluperfect

with *avoir*		with *être*	
j'avais	*vu*	*j'étais*	*arrivé(e)*
tu avais	*vu*	*tu étais*	*arrivé(e)*
il/elle/on avait	*vu*	*il/elle/on était*	*arrivé(e)(s)*
nous avions	*vu*	*nous étions*	*arrivé(e)s*
vous aviez	*vu*	*vous étiez*	*arrivé(e)(s)*
ils/elles avaient	*vu*	*ils/elles étaient*	*arrivé(e)s*

See page 205 for a list of the verbs which use *être*.

In this unit, you've learnt how to...

Lecture

1 Skim a text to understand the gist.

❏ Read through the text below quickly and decide how much freedom Christelle has at home.

 a a lot
 b a reasonable amount
 c very little

How did you decide? Why do think it is a good idea to read a text in this way before you work on it?

Christelle

"Dans mon petit village, il n'y a rien à faire mais je ne peux pas aller en ville le soir. De toute façon, je n'ai jamais la permission de sortir en semaine parce que je dois faire mes devoirs. Même le week-end, quand je sors, je dois rentrer avant dix heures et demie le soir. Je n'ai pas le droit d'aller à des fêtes. On me dit: "À ton âge, on ne faisait jamais ça!" Et en semaine, je dois me coucher à neuf heures. Ce n'est pas juste! J'ai seize ans, je ne suis pas un bébé!"

---

2 Scan a text for specific information.

❏ Find the answers to these questions in the text in activity 1. Think what sort of detail you will be looking for before you read through (a number, a time, a certain verb, e.g *se coucher* for bed time, etc.).

 a How old is Christelle?
 b Where does she live?
 c Is she allowed to go to parties?
 d What time does she have to be home if she goes out at the weekend?
 e What time does she have to go to bed during the week?

3 Make links with words you already know to help understand new words.

❏ Match words a–e with definitions 1–5 by making links with any words you already know.

Exemple: la mi-temps = pause au milieu d'un match (link to **temps** – time)

a *surpeuplé*
b *prévoir*
c *interligne*
d *réparable*
e *patineur*

1 *espace entre deux lignes*
2 *où il y a trop d'habitants*
3 *qu'on peut réparer*
4 *personne qui fait du patinage*
5 *imaginer à l'avance ce qui va arriver*

À l'écoute

1 Recognise the intonation patterns for statements, questions and exclamations.

❏ Explain the intonation rules for each to your partner.

❏ Test yourself. Listen and write ., ? or ! to show what you hear. Check your answers and then try repeating after each one, imitating the intonation as closely as possible.

❏ Practise with a partner. Read each of the following aloud as either a statement, question or exclamation. Your partner must guess which it is.

 a *Tu peux acheter des CD demain*
 b *Max ne joue plus de la guitare*
 c *Il y a une réduction pour les étudiants*
 d *On va aller à la fête en jean*
 e *Elle n'a jamais assez d'argent*

2 Listen out for link words which turn opinion on its head.

❏ Give the English equivalent of the link words below.

puis car sauf mais et aussi pourtant ou par contre alors si néanmoins

Use each one in a sentence and read the sentences to your partner. Can he/she spot the word in each and translate it into English?

❏ Listen and put up your hand every time you hear a link word. Listen a second time and answer the questions.

 a Is the *Palais des Loisirs* open seven days a week?
 b Are all the activities free?
 c Does the speaker go there often?
 d Does her brother go there?

À l'écrit

Organiser une soirée de charité

Work in groups of three or four to devise and write a plan for a charity fundraising event.

1   Suggest (in French) what sort of event to put on and write a list:

    Si on organisait un concert en plein air? On pourrait faire un barbecue. Pourquoi pas un jeu de Loto? etc.

2   Consider the advantages and disadvantages of each and make a note:

    C'est amusant/très cher/difficile à organiser, etc.
    Il faut demander aux profs/avertir la police, etc.

3   Decide together which event you want to go for. Make a list of what needs to be done and to show what tasks are allocated to each member of the group.
    One or two people design publicity leaflets, posters and invitations with full information. One or two people write a press release explaining what will happen on the day.

4   Bearing in mind your experience, draw up a list of hints to help others organising a similar event.

    On peut aussi organiser une tombola. Vous devez demander la permission à... etc.

À l'oral

Faire des recherches sur une fête dans un pays francophone

Use the Internet to research a festival or special occasion in a French-speaking country. Use one of the ideas below or one of your own.

Noël   le quatorze juillet   la fête des Rois   la Fête de la Musique   le Carnaval du Québec   Les FrancoFolies de la Rochelle

1   Prepare a presentation, ideally using PowerPoint® and illustrate it with pictures.

    Where is the festival held?

    When?   Why?

    What happens?

2   Make your presentation to the class. Try to use one or two examples of the pluperfect tense and include at least three different negatives.

    When everyone has finished, the class votes in a secret ballot for the event they would most like to go to.

Comment proposer une sortie

On peut aller...	You can go...
On pourrait (regarder un DVD).	We could (watch a DVD).
Si on allait (au restaurant)?	How about going (to a restaurant)?
Si on faisait autre chose?	How about doing something else?
Tu es libre (vendredi soir)?	Are you free (on Friday evening)?
Tu veux (aller au café)?	Do you want to (go to the café?)
Ça te dit?	Do you fancy that?
D'accord! Bonne idée.	OK! Good idea.
Je dois (aller chez le dentiste).	I have to (go to the dentist).
Je ne peux pas.	I can't.
Je sors déjà avec (Luc).	I'm already going out with (Luc).
Je suis désolé(e) mais...	I'm sorry but...
Je veux bien.	I'd like that.
Je voudrais bien mais...	I'd like to but...
Où est-ce qu'on se retrouve?	Where shall we meet?
À quelle heure?	At what time?
On se retrouve (à six heures/ à l'arrêt de bus.)	Let's meet (at six o'clock/ at the bus stop.)
le rendez-vous nm	date
la sortie nf	outing
inviter v	to ask out

Comment organiser une fête à thème

l'adresse, la date et l'heure	the address, the date and the time
l'ambiance nf	atmosphere
la déco(ration) nf	decorations
la soirée, la fête nf	party
apportez (des DVD)	bring (some DVDs)
baissez la lumière	turn down the lights
décorez la salle	decorate the room
envoyer une invitation	to send an invitation
mettez (des vêtements noirs)	wear (black clothes)
offrez du jus de tomate	hand round tomato juice
vous pouvez faire (des pizzas)	you can make (pizzas)

Comment être un champion du shopping

Quelle couleur voulez-vous?	What colour do you want?
En quelle taille?	What size?
En taille moyenne/grande/petite.	Medium/large/small.
En quelle pointure?	What size? (for shoes)
Je peux l'essayer?	Can I try it on?
Oui, ça me va bien.	Yes, it fits me.
Ça fait combien?	How much does it cost?
Ça fait 19 euros.	It costs 19 euros.
Je vais le prendre.	I'll take it.
Je ne le prends pas.	I'm not taking it.
C'est trop grand/petit/cher.	It's too big/small/expensive.
l'acheteur/acheteuse nm/nf	buyer/shopper
la cabine nf	changing room
le cadeau nm	present
le client/la cliente nm/nf	customer
le magasin nm	shop
le ticket de caisse nm	receipt
le vendeur/la vendeuse nm/nf	shop assistant
à manches longues	with long sleeves
acheter v	to buy

Comment trouver le festival idéal

Ça a lieu en février.	It takes place in February.
Le carnaval se déroule...	The carnival is held...
faire la fête	to celebrate
la danse traditionnelle	traditional dance
le festival de la neige	snow festival
le festival des fiançailles	wedding festival
la fête marocaine	Moroccan celebration
le feu d'artifice nm	firework display
le spectateur/la spectatrice nm/fm	spectator
la statue de glace nf	ice statue
ne... jamais adv	never
ne... pas adv	not
ne... plus adv	no longer, not any more
ne ... rien adv	not ... anything, nothing
néanmoins	nevertheless
pourtant	however, yet
sauf	except

Comment raconter une journée inoubliable

La journée que je n'oublierai jamais	The day that I will never forget...
La journée, c'était quand? quoi? où?	When, what, where was your day?
Qu'est-ce que tu as fait?	What did you do?
Est-ce que tu avais fait des préparatifs à l'avance?	Did you make any preparations in advance?
La meilleure journée de ma vie	The best day of my life...
le ballon nm	balloon
la banderole nf	streamer
le championnat nm	league
le gâteau avec des bougies nm	cake with candles
la promenade en bateau nf	boat trip
c'était quand...	it was when...
marquer un but	to score a goal
j'avais toujours rêvé de...	I had always dreamed of...
je m'étais entraîné tous les jours	I had trained every day
ils avaient décoré la salle	they had decorated the room
ils s'étaient cachés	they had hidden

Sais-tu comment ...

- [ ] être un téléspectateur futé*?

  * smart

- [ ] parler «musique»?

- [ ] donner ton opinion sur un film?

- [ ] choisir une nouvelle activité de loisirs?

- [ ] comparer des loisirs: passé/présent?

Scénario

- **Fais la critique d'un livre, d'un film ou d'une émission de télévision.**
- **Crée un club pour ados.**

Fais la critique d'une émission de télé.

Stratégies

À l'écrit

When writing, how do you...

- use a variety of different structures?
- make the most of synonyms?
- keep to the point?
- use a dictionary to check verb tenses?

Lecture

When reading in French, how do you...

- avoid relying too much on a dictionary?
- note useful expressions to adapt and use in your own writing?

Grammaire active

As part of your French language 'toolkit' can you...

- use comparative/superlative?
- use direct and indirect object pronouns?
- use *qui*, *que* and *dont*?
- decide whether to use perfect or imperfect tense verbs?

A

TÉLÉVISION
mardi 18 juillet

  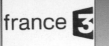 

TF1

18.00 : STAR ACADEMY (5925)
Musique.

18.30 : K 2000 (63166)
Série américaine : « Bactéries ».

19.05 : JEU Une famille en or

20.00 : JOURNAL (32859)
Résultats des courses – La minute hippique – Météo.

20.45 : CINÉMA (169760)
Fantôme avec chauffeur
Film français (1996) de Gérard Oury. Durée 1h27. Avec Philippe Noiret et Gérard Jugnot

france 2

18.15 Cinq sœurs
Série française: Les photos de Lucie font scandale

18.50 : UN HOMME À DOMICILE (27147)
Série française : « Rollers ».

19.20 : QUE LE MEILLEUR GAGNE (7858234)
Jeu animé par Nagui.

20.00 : JOURNAL (48418)
Présenté par Étienne Leenhardt. Météo – Point route.

20.50 : CINÉMA (726079)
L'hôtel de la plage
Film français (1977) de Michel Lang. Durée 1 h 45. Avec Daniel Ceccaldi (Euloge), Guy Marchand (Hubert), Myriam Boyer (Aline), Martine Sarcey (Élisabeth), Michel Robin (Léonce).

france 3

18.20 : QUESTIONS POUR UN CHAMPION (3090296)
Jeu animé par Julien Lepers.

18.45 : MÉTÉO DES PLAGES (6615470)

18.55 : « 19/20 » Journal (8340234)
Présenté par Élise Lucet. Suivi du Journal régional – Météo.

20.05 : FA, SI, LA... CHANTER (523708)
Jeu animé par Pascal Brunner.

20.30 : TOUT LE SPORT (92234)
Magazine présenté par Gérard Holtz.

20.55 : DIVERTISSEMENT (5178447)
L'humour au féminin. Sketches interprétés par des humoristes sur la scène de Montreux.

CANAL+

17.45 : PLAYGROUND (5037876)
Magazine jeunesse.

18.25 : LES SIMPSON (6809321)
Dessin animé.

19.10 : LE GRAND JOURNAL DE CANAL + (626234)
Infos.

20.55 : FOOTBALL (7206031)
Bastia/PSG, en direct, commenté par Charles Biétry.

france 5 + arte

18.25 : BALADES EN FRANCE (9228128)

18.30 : LE MONDE DES ANIMAUX (5555)

18.57 : LE JOURNAL DU TEMPS (22621)

19.00 : CONFETTI (4166)
Magazine présenté par Alex Taylor et Annette Gerlach.

19.30 : LA GALICIE, VOUS CONNAISSEZ? (4760)
Documentaire allemand de Jutta Szostak.

20.30 : JOURNAL (64963)

20.40 : MAGAZINE (509005)
Transit. Reportages sur le thème : «Vivre son handicap ».

M6

18.00 : SONNY SPOON
Pour enfants

19.00 : DOCTEUR QUINN, FEMME MÉDECIN
Série américaine.

19.54 : FLASH INFOS

20.00 : MADAME EST SERVIE
Série américaine : « Le choix ».

20.35 : TOUR DE FRANCE À LA VOILE
Evénement sportif.

20.45 : TÉLÉFILM
La planète des singes (3/5) Avec Roddy McDowall (Galen), Ron Harper (Virdon), James Naughton (Burke), Booth Coleman (Zaïus), Mark Leonard (Urko).

B

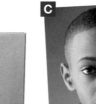

le journal télévisé (les infos)
une émission sportive
une émission jeunesse
un documentaire
une série/un feuilleton
un film   un jeu
une émission musicale
une émission de téléréalité

C

Oscar

Le plus souvent, je regarde une heure de télé le soir, dans ma chambre, quand j'ai fini mes devoirs. Pour moi, les meilleures émissions sont les émissions sportives. Les pires émissions sont les feuilletons – je ne les regarde jamais. Je trouve que les films sont meilleurs que les séries. Et la meilleure chaîne pour les films, c'est Canal Plus, mais c'est France 3 qui a les documentaires les plus intéressants. Sur TF1, il y a trop d'émissions de téléréalité comme «Secret Story» et «Koh-Lanta» que je trouve moins amusantes. Les jeux sont aussi stupides que les émissions musicales – je ne les regarde pas.

1 Regarde l'image B. Pour chaque catégorie d'émission, donne le titre:

a d'une émission britannique.
   Exemple: le journal télévisé – *News at Ten*

b d'une émission dans le programme de télé (**A**).
   Exemple: le journal télévisé – *Flash infos*

2 Lis le programme (A). Écoute (1–6) et complète chaque phrase avec la bonne émission.

Exemple: **1** À 19h05 sur TF1, il y a le jeu …
Une famille en or.

Regular (or '12-hour clock')	24-hour clock
à six heures (du soir)	à dix-huit heures
à neuf heures et demie (du soir)	à vingt et une heures trente
à deux heures et quart (de l'après-midi)	à quatorze heures quinze
à sept heures moins dix (du matin)	à six heures cinquante

3 Écoute 1–3. Note les réponses aux questions a–d.

Exemple: **1a** C'est un documentaire sur la musique.

a Qu'est-ce que c'est comme émission?
b C'est quel jour?
c C'est sur quelle chaîne?
d C'est à quelle heure?

4 À deux. A pense à une émission britannique. B pose les questions a–d de l'activité 3 pour la trouver. (B↔A)

Exemple: **A** Qu'est-ce que c'est comme émission?
B C'est un jeu.
A C'est quel jour? **B** C'est le samedi.

5a Recopie la liste suivante. Écoute la conversation et numérote les expressions dans l'ordre.

Je voudrais voir ...   Ce serait plus amusant.
J'ai envie de voir ...   Je l'ai déjà vu.
Si on regardait ...?   parce que
Tu ne préférerais pas ...?   car

5b Réécoute. En te référant au programme A, page 92, note:

a *What programme does Julie want to watch?*
b *What about her brother/mother/father?*
c *What do they end up watching?*

5c Discutez à trois et mettez-vous d'accord sur votre émission. Mentionnez: • *the programme* • *the channel* • *the time* • *why you want to watch it.*

Exemple: J'ai envie de voir Les Simpson à 18h25...

6 Lis le texte d'Oscar (C), page 92. Réponds en anglais.

a *How often does he usually watch TV? When? Where?*
b *What sort of programmes does he think are best?*
c *Which are worst?*
d *Which is the best channel for films? And for documentaries?*
e *What does he think is wrong with TF1?*

GRAMMAIRE

Comparisons

To compare, use **plus**, **moins** or **aussi**.

Exceptions: **bon - meilleur** *Les films sont meilleurs que les séries.* Films are better than series.

To say the most or the least, put **le**, **la** or **les** before **plus** or **moins** + adjective:

le plus souvent – most often
le moins drôle – the least funny

Exception: **les meilleurs** *jeux* – **the best** gameshows
See page 203–204 for more information.

7 Trouve les exemples du comparatif et du superlatif dans le texte C, page 92, et traduis-les.

Exemple: Le plus souvent – *most often*

STRATÉGIES

When reading, note useful phrases you can adapt and use in your own writing.

8 Note et adapte cinq phrases utiles dans le texte C, page 92.

Exemple: **La meilleure chaîne pour** les films, **c'est** Canal Plus → **La meilleure chaîne pour** les séries, **c'est** Channel 5.

À vous!

9 With a partner write a scene for a French soap where a family or group of friends are arguing about which TV programme to watch. Use the TV guide on page 92, for programme details.

10 Imagine a French exchange student is coming to stay with you. Write an email explaining how often, when and where you usually watch TV. Say what TV programmes are on the evening they arrive. Include: name, category and brief description of programme; time and channel it is on; your opinion of it.

Exemple: Lundi soir, à mon avis, une des meilleures émissions, c'est *EastEnders*. C'est à 20 heures sur BBC1. C'est un feuilleton anglais. C'est l'histoire de...

3B Comment parler «musique»

G Les pronoms compléments d'objet direct et indirect **V** Opinions sur la musique et les chanteurs
S Les synonymes

A Sondage: Les jeunes et la musique

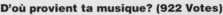

Quel est ton style de musique préféré? (944 Votes)

Rap/RnB (466) ■■■■■■ 49,4%
Pop/Rock (196) ■■■ 20,8%
Hard Rock/Metal (78) ■■ 8,3%
Techno (60) ■ 6,4%
Variétés françaises (52) ■ 5,5%
Reggae (32) ■ 3,4%
Variétés étrangères (24) ■ 2,5%
Electro (22) ■ 2,3%
Disco (8) | 0,8%
Classique (6) | 0,6%

D'où provient ta musique? (922 Votes)

de téléchargements gratuits (422) ■■■ 45,8%
d'achats de CD/DVD (234) ■■ 25,4%
d'échanges avec les amis (210) ■■ 22,7%
d'enregistrements radio/TV (36) ■ 3,9%
de téléchargements payants (20) | 2,2%

Tu écoutes ta musique avec... (912 Votes)

un lecteur mp3 standard? (564) ■■■■ 61,8%
un iPod? (244) ■■ 26,8%
ton téléphone? (104) ■ 11,4%

Sondage auprès de jeunes de 12 à 25 ans

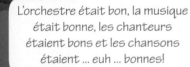

B L'orchestre était bon, la musique était bonne, les chanteurs étaient bons et les chansons étaient ... euh ... bonnes!

D J'aime beaucoup la musique rock parce que ça m'éclate! Mon groupe préféré, c'est le groupe de rock français Les Hushpuppies. Mon frère les adore aussi – ils sont vraiment super. Je vais leur envoyer un email parce qu'on veut savoir s'ils ont un fan club. Par contre, je n'aime pas du tout la techno parce que c'est trop répétitif. Ça m'énerve.

Sam

C Pour moi, la meilleure musique, c'est le rap. C'est génial. J'adore ça parce que ça me donne envie de danser. Le meilleur rappeur français, c'est Rohff. Je l'adore. Je vais à tous ses concerts. Ma copine et moi, nous lui avons écrit et il nous a envoyé une photo de lui. J'ai horreur de la musique classique parce que c'est monotone. Ça m'endort.

Cyrielle

E Moi, j'adore le reggae. Ça me détend et ça me met de bonne humeur. C'est très rythmé. C'est très agréable à écouter. Mon chanteur préféré, c'est Charly B. Il chante en français et en anglais. J'ai tous ses CD – je les adore! – et j'ai un poster de lui dans ma chambre. Je n'aime pas beaucoup le hard rock ni le métal parce que la musique est trop rapide et violente. Ça me donne mal à la tête.

Magali

1 📖 Lis le sondage A, page 94, et trouve l'équivalent en français.

- **a** *classical music*
- **b** *free downloads*
- **c** *recordings*
- **d** *swapping with friends*

2a 🎤 Écoute les réponses de Karima et de Nico au sondage. Qui aime le plus la musique?

2b 🎤 🗣 Réécoute et prends des notes. Ensuite, avec un(e) partenaire, jouez les rôles de Nico et de Karima et recréez les interviews en utilisant vos notes.

3 🎤 Lis Cyrielle, Sam et Magali (C, D, E), page 94. Complète les phrases.

Exemple: **a** *...it makes her want to dance.*

- **a** *Cyrielle likes rap music because...*
- **b** *She and her friend...*
- **c** *She thinks classical music...*
- **d** *Sam wants to know...*
- **e** *He thinks techno music ...*
- **f** *Magali likes reggae because...*
- **g** *She thinks metal music...*

4 ✏️ La musique a quel effet? Dans les bulles, page 94, trouve des expressions pour continuer les listes.

Exemple:

Effet positif	Effet négatif
ça me donne envie de danser	ça m'endort

Direct object pronouns

What are these? See page 79.

me*	me	nous	us
te*	you	vous	you
le*	him, it (masc.)	les	them
la*	her, it (fem.)		

> *m', t* and *l'* before a vowel

Exemple: La musique de Charly B? Je l'adore. Ça me détend.
Charly B's music? I love **it**. It relaxes **me**.

Indirect object pronouns

These pronouns are used instead of direct object pronouns when the verb is followed by **a preposition** (usually *à*): parler *à*, donner *à*, demander *à*, etc.

me/m'	to me	nous	to us
te/t'	to you	vous	to you
lui	to him, it (masc.)	leur	to them
lui	to her, it (fem.)		

Exemple: *On **lui** écrit souvent.* We often write **to him** (or **her**).

5 ✏️ Trouve les phrases avec des pronoms compléments d'objet dans les bulles, page 94. Donne l'équivalent en anglais.

Exemple: Je **l'**adore parce que ça **me** donne envie de danser. – *I love **it** because it makes **me** want to dance.*

6 ✏️ Tu aimes les styles de musique du sondage (A), page 94? Pourquoi? Ils ont quel effet sur toi? Écris une ou deux phrases pour chaque style.

Exemple: J'aime beaucoup le classique parce que ça me détend. Mon compositeur préféré, c'est Mozart.

Synonyms

Try to use a range of vocabulary to make what you write or say more colourful and interesting. Why not keep a note of possible variations in your vocabulary notebook?

e.g. ennuyeux – monotone, répétitif, ...

7 📖 Dans les bulles, page 94, trouve les synonymes des expressions suivantes:

- **a** je déteste
- **b** c'est relaxant
- **c** ça me fait dormir
- **d** c'est ennuyeux

8 📖 ✏️ Lis la bulle B, page 94. Trouve des synonymes pour le mot «bon». Écris cinq phrases similaires mais avec des adjectifs différents.

Exemple: **1** L'orchestre était génial, la musique était sensationnelle ...

À VOUS!

9 ✏️ 🗣 Organise your own music survey.

- Draw up a questionnaire.
  Exemple: Pour toi, quel est le meilleur groupe?
- Ask your classmates the questions and record the answers.
- Present your findings to the class. Compare with the findings of the French survey.

10 ✏️ Write a message for a French Internet forum about your favourite band or singer. Include a profile of the band/singer (name, appearance, etc), explain the type of music and why you like them. Say what you do to support them (download songs, go to gigs, buy CDs, put posters in your room, etc.)

Exemple: Pour moi, le meilleur groupe, c'est Sensorium. Ce sont cinq jeunes Écossais qui jouent du rap très....

(G) Qui, que, dont, celui　(V) Décrire les films/les romans　(S) Varier les structures quand on écrit

Club cinéma: les films à ne pas rater

Nos 18 ans | de Frédéric Berthe, France

C'est l'histoire d'un groupe de copains et copines qui se préparent à passer le bac*. Ça se passe à Bordeaux dans les années 90. Ça commence mal! Lucas décide d'engueuler* son prof de philo, Monsieur Martineau, pensant ne jamais le revoir. Mais cette année, c'est Martineau qui fait passer les oraux* du bac. Il y a aussi Sarah qui a des problèmes avec son petit ami. Et Clémence recherche celui qui l'a fait craquer* dans une soirée et dont elle ne sait rien.

Cette comédie est charmante. La musique (The Cure, Téléphone, etc.) est géniale. Les acteurs sont tous superbes, surtout Michel Blanc qui joue le rôle du professeur impitoyable. Ceci est un excellent film que tout le monde voudra voir!

*passer le bac – *to take the baccalauréat (end-of-school) exam*
engueuler – *to sound off at*
les oraux – *oral exams*
celui qui l'a fait craquer – *the guy she fell for*

Les Aristochats
de Walt Disney, États-Unis

250 artistes ont collaboré à ce film, [1] est le plus swing des films de Disney. L'histoire se passe [2] Paris [3] 1910. L'histoire a du charme: une vieille dame riche [4] laisser tout son argent à ses chats. Edgar, le valet, décide de [5] noyer* pour récupérer l'héritage. Un grand film, plein d'action, [6] une belle histoire d'amour.

*to drown

Cyrano de Bergerac
de Jean-Paul Rappenau, France

Ce film est un classique historique, tiré* d'une pièce de théâtre* en vers classique. Gérard Depardieu est un acteur incomparable et le film est plein d'aventure et de vie. C'est l'histoire de Cyrano qui est laid. Il aime secrètement sa belle cousine Roxane qui préfère un jeune soldat. C'est un film assez surprenant*, mais aussi très intéressant.

*tiré de – *based on*
une pièce de théâtre – *a play*
surprenant – *surprising*

La Fiancée de Frankenstein
de Kenneth Brannagh, Grande-Bretagne

Pour ceux qui aiment le frisson*! Ce film est la suite* de la célèbre histoire de Frankenstein. Cette fois, le créateur du monstre est obligé de lui fabriquer une fiancée. La star du film, c'est Robert de Niro qui joue admirablement le rôle du monstre de Frankenstein. À ne pas manquer!

*aimer le frisson – *to like being scared*
la suite – *follow-up*

unfilmdescience-fictionunfilmd'horreurunfilmhistoriqueunfilmd'amourunecomédieunfilmd'aventureundessinaniméunfilmpolicier

1a (📖) Sépare les mots et écris les huit genres de film.
Exemple: **1** un film de science-fiction

1b (✏️) Suggère des films pour chaque genre.
Exemple: un film de science-fiction – *Star Wars*

2 Recopie la grille et puis écoute (1–4). On a posé la question: "Tu as vu quel film récemment?" Pour chaque personne, prends des notes.

Type of film	Liked?	Plot	Actors
Film d'amour	oui	intéressant	un peu décevants

3a Lis la critique des *Aristochats*, page 96. Choisis parmi les mots suivants pour compléter le texte.

à avec en la les qui que veut

Exemple: [1] qui

3b Écoute pour vérifier.

4 Lis les autres critiques de film, page 96. Choisis le film que tu préfères et résume-le en anglais.

GRAMMAIRE

Qui or *que?*

Use *qui* and *que* (= who, which, that) to link phrases and avoid repetition.

See *Grammaire active*, page 103.

5a Trouve des exemples de «qui» et «que» dans les critiques. Traduis ces phrases en anglais.

Exemple: C'est l'histoire de Cyrano qui est laid. – *It's the story of Cyrano who is ugly.*

5b Complète les phrases avec «qui» ou «que». Explique pourquoi à ton partenaire en anglais.

Exemple: **a** que; *The noun to be replaced (l'actrice) is the object of the verb (je préfère).*

a Audrey Tautou est l'actrice … je préfère.
b C'est une histoire … parle de racisme.
c Au Gaumont, il y a un film … a gagné des Oscars.
d La critique … je viens de lire n'est pas très bonne.
e Le film … tu vas voir demain est très drôle.

6 Trouve un exemple de «celui» et de «ceux» dans les critiques, page 96. Ça veut dire quoi?

---

7 Écoute. Ferme ton livre et écoute la critique de *Nos 18 ans*. Quand tu entends le bip, c'est à toi de dire le mot qui suit.

STRATÉGIES

To make your writing more sophisticated, use not only a variety of adjectives but also a variety of structures.

Exemple:

NOT: *J'aime ce film. J'aime l'histoire. J'aime les acteurs. J'aime la musique*

BUT: *J'adore ce film parce que je trouve les acteurs super et la musique est émouvante. L'histoire me plaît beaucoup aussi.*

8a À deux, trouvez d'autres structures pour dire les phrases.

Exemple: **a** À mon avis, l'histoire est émouvante.

a Je trouve l'histoire émouvante.
b J'aime bien l'histoire de Dracula.
c Le cinéma, ça ne m'intéresse pas.
d Je regarde des DVD pour me détendre.
e Si on allait voir un dessin animé?

8b Relis les critiques de film et note six structures utiles que tu pourrais adapter plus tard.

À VOUS!

9 In groups of three or four, discuss a film you have all seen. You could talk and make notes about the type of film; what the story is about, when and where it takes place; what you thought of the plot/actors/special effects and your opinion of the film generally. Then write a summary of what everyone thought.

Exemple: Nous avons vu le film *Le Monde de Narnia*. C'est l'histoire de … À notre avis, le meilleur acteur était … etc

10 Write an email recommending a good book (fiction) you have read to a French friend who is learning English. Say when and where it is set, what it is about and who the main characters are. Don't forget to say why you liked it. Use some of the constructions from activity 8a.

Exemple: Je peux te recommander le roman *Brick Lane* de Monica Ali. Ça se passe à Londres …

G Le comparatif, le superlatif; le possessif **V** Les loisirs

S Ne pas s'éloigner du sujet; traduire les terminaisons de mots

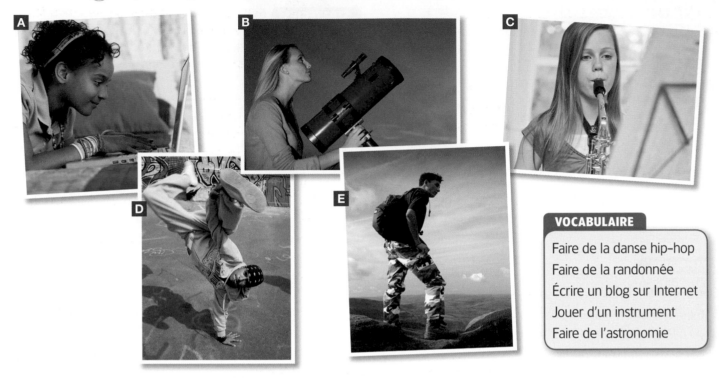

VOCABULAIRE

Faire de la danse hip-hop

Faire de la randonnée

Écrire un blog sur Internet

Jouer d'un instrument

Faire de l'astronomie

Forum-Internet

Lili, Chambéry:

Je ne pars pas pendant les grandes vacances cette année. La télé, ça m'ennuie et je voudrais trouver un nouveau passe-temps pour m'amuser. Alors, répondez le plus vite possible à mes questions! J'attends vos suggestions.

1 Quel est ton passe-temps préféré?
2 Tu le pratiques où? quand?
3 Quel matériel faut-il?
4 Quels sont les avantages et les inconvénients?

Kenny, Dax:

Moi non plus, je ne pars jamais pendant les vacances, mais il y a beaucoup de passe-temps que tu pourrais faire. Le mien, c'est la randonnée. Je la pratique parce que j'adore le plein air et aussi pour faire un peu d'exercice. Quand il fait beau, je prends un bus et je vais à la campagne. J'ai toujours une bonne carte avec moi afin de ne pas me perdre, et il faut aussi de solides chaussures de marche comme les miennes. J'ai des Berghaus parce qu'elles protègent mieux. Les avantages? L'exercice, c'est bon pour la santé, ça ne coûte pas cher et on est dans la nature! Et en marchant, on a une sensation de liberté. Un seul inconvénient: quand il pleut, c'est moins agréable.

Samira, Paris:

Mon passe-temps préféré, c'est jouer de la guitare. Ma sœur joue aussi et je joue beaucoup moins bien qu'elle mais ça m'amuse! J'ai appris toute seule avec un DVD. J'apprends en jouant. Je joue le soir dans ma chambre. J'apprends plus facilement comme ça. Il faut une guitare (au début, ma sœur m'a prêté la sienne) mais comme la guitare est un instrument populaire, on peut facilement acheter un instrument d'occasion*. Une guitare, c'est pas cher, c'est portable et on peut jouer seul ou avec des amis. Mais attention! C'est assez difficile si tu n'as pas l'oreille musicale et ça fait mal aux doigts.

* second-hand

1 📖 Lis le message de Lili. Explique en anglais ce qu'elle demande. Traduis ses questions en anglais.

2 📖 Trouve le nom des passe-temps sur les photos. *Exemple*: **A** Écrire un blog sur Internet

3 📖 🎤 Lis et écoute Kenny, page 98. Ensuite écoute les questions a–f. Réponds aux questions en anglais.

4 🖊 Recopie les trois phrases où Kenny, page 98, donne ses raisons et traduis-les en anglais.

5 📖 Lis le message de Samira, page 98. Comment dit-elle ...?

a *I taught myself*
c *if you are not musical*
b *my sister lent me hers*

GRAMMAIRE

Comparing adverbs

You can compare adverbs in the same way as adjectives using *plus/moins/aussi... que...*

Elle lit plus rapidement que moi. – She reads more quickly than I do

C'est lui qui chante le plus fort. – He sings the loudest.

Exception: *bon – mieux/le mieux*

*Tu chantes **mieux** que moi, mais c'est Léa qui chante **le mieux**.*

6 📖 Trouve des exemples du comparatif/superlatif dans les trois messages, page 98, et traduis-les.

Exemple: Lili écrit: Répondez le plus vite possible – *Reply as quickly as possible.*

GRAMMAIRE

Possessive pronouns

	masc. sing.	fem. sing.	masc. pl.	fem. pl.
à moi (mine)	*le mien*	*la mienne*	*les miens*	*les miennes*
à toi (yours)	*le tien*	*la tienne*	*les tiens*	*les tiennes*
à lui/à elle (his/hers)	*le sien*	*la sienne*	*les siens*	*les siennes*

Can you find any examples in the texts on page 98?

7 👤👤 À deux. Jeu de rôle: A pose les questions de Lili, B est Kenny et répond. Ensuite, B pose les questions et A répond pour Samira.

8 👤🖊 À deux. Dictée! A lit trois phrases dans les messages du Forum, page 98, à B. B les écrit, sans regarder le livre. (B↔A). Vérifiez que vous n'avez pas fait d'erreurs.

9 🎤🖊 Écoute les interviews (1–3) et prends des notes pour répondre aux questions de Lili, page 98. Ensuite, écris leurs suggestions.

Exemple: Mon passe-temps préféré, c'est l'astronomie ...

À vous!

10 👤👤 Write a speech bubble (50 words) for one of the people in the photos on page 98. Do NOT write the name of the activity. Swap with a partner who must read it and guess which person is speaking.

Exemple: Je fais ce passe-temps pour m'amuser avec mes copains. C'est une activité que j'adore parce que ...

11 🖊 Write your own reply to Lili persuading her of the advantages of one of your interests. Be sure to include answers to all of her questions.

G Le passé composé ou l'imparfait? **V** Les loisirs du présent et du passé **P** Verbes à l'imparfait

S Utiliser un dictionnaire quand on lit et écrit

1 Écouter des cassettes sur un baladeur

2 Acheter des DVD ou des disques Blu-ray

3 Avoir la télé avec peu de chaînes

4 Jouer à des jeux électroniques simples comme Pacman et Tetris

5 Écouter de la musique sur son MP3 ou iPod

6 Écrire une lettre à une copine

7 Avoir la télé numérique, câblée ou par satellite

8 Regarder des cassettes vidéo sur un magnétoscope

9 Envoyer un SMS à un copain

10 Aller au petit cinéma du coin

11 Jouer à des jeux électroniques sophistiqués, même sur son portable

12 Voir un film dans un cinéma multiplex

1 Les deux photos représentent quelles activités?

2a Les activités 1–12 sont du présent ou du passé? Écris des phrases au présent ou à l'imparfait.

Exemple: Dans les années 80	Aujourd'hui
On écoutait des cassettes.	On achète des DVD ou des disques Blu-ray.

2b Écoute pour vérifier.

2c À deux. Tu as déjà fait les activités 1–12? A pose les questions, B répond. (B↔A)

Exemple: **A** Est-ce que tu as écouté des cassettes?
B Non, je n'ai jamais écouté de cassettes. /Oui, j'ai écouté des cassettes.

GRAMMAIRE

Perfect tense

Perfect = completed action in the past

Imperfect = continuous action or description in the past

See *Grammaire active*, page 103.

3a Recopie en mettant les verbes à l'infinitif à l'imparfait ou au passé composé.

Exemple: Quand j'étais jeune ...

Quand j' **[être]** jeune, on n'**[avoir]** pas la télévision. Le soir, je **[faire]** mes devoirs et j'**[aider]** ma mère à la cuisine ou nous **[jouer]** aux cartes. Tous les samedis, on **[aller]** danser. Le jour de mes 16 ans, je **[aller]** à un bal. C'est ce soir-là que j' **[rencontrer]** mon futur mari! On **[sortir]** ensemble tous les week-ends. Le jour de mes 18 ans, on **[se marier]**. Il **[faire]** beau ce jour-là.

Les nouvelles technologies

Dans les années 80, c'était la mode du magnétoscope. Maintenant, les cassettes vidéo sont démodées: elles ont fait place aux DVD et aux disques Blu-ray.

Les films sortent de plus en plus rapidement en DVD et on peut voir les titres les plus récents presque immédiatement, sans aller au cinéma, même sur son ordinateur portable. Notre façon de vivre a été radicalement changée par Internet: c'est là qu'on fait ses achats ou qu'on communique par la messagerie instantanée.

Un inconvénient: les jeunes ne bougent plus. Ils s'allongent devant la télé ou ils s'adonnent à des jeux vidéo de plus en plus violents. Alors, pour ou contre la technologie moderne?

3b Traduis ton paragraphe de l'activité 3a en anglais.

STRATÉGIES

The endings of imperfect tense verbs all **sound** the same except for the *nous* and *vous* forms, even though the spellings are different. It makes life a bit easier!

4 Écoute (a–l). Imparfait (i) ou passé composé (pc)?

Exemple: **a** *pc*

STRATÉGIES

Dictionary do's and don't's
Reading? Only use a dictionary to look up a word when you really need to. Try to guess the meaning first.

Looking up verbs
In the dictionary, verbs are listed in the infinitive form (typical endings: *-er*, *-ir*, *-re*). So work out what the infinitive is and look that up, e.g.

ils ne bougent plus - look up ***bouger***

Reflexive verbs are listed under the first letter of the main verb.

So look up *s'allonger* under **A**, not **S**.

5 Lis le texte «Les nouvelles technologies», sans dictionnaire. Ensuite, écoute et réponds aux questions (1-6).

Exemple: **1** Les magnétoscopes étaient populaires dans les années 80.

STRATÉGIES

Writing? You can get help with different parts of the verb and tenses in the **verb tables** in the middle or at the end of most dictionaries.

À VOUS!

6 Make up a true/false puzzle. Write a list of statements about what you did in your free time when you were at primary school – nine true, three false. Swap with a partner who guesses which are the three false statements.

Exemple: J'avais un vélo rouge et je faisais du vélo tous les week-ends.

Je suis tombé de mon vélo et je me suis cassé le bras.

7 Fast forward 20 years! How would you describe what you do now in your free time? Write a description (100 words) using the imperfect tense for regular activities and the perfect tense for one-off events.

Exemple: Quand j'avais 16 ans, ma passion, c'était la musique hip-hop. J'écoutais mon iPod nano le plus souvent possible. Les meilleurs chanteurs étaient … Je suis allé à un concert …

PRONOUNS

There are many different types of pronoun. All are used in place of other words, to avoid repetition.

Teste ton vocabulaire!

1 Que fait-on d'un disque Blu-ray?
 a On le regarde.
 b On le mange.

2 Que fait-on d'un roman?
 a On le met.
 b On le lit.

3 Que fait-on des chaussures de sport?
 a On les met.
 b On les boit.

4 Que fait-on d'une sono?
 a On la chante.
 b On l'écoute.

1 Read the quiz above. Find the three object pronouns to complete the grid. (Then do the quiz.)

me*	me	nous	us
te*	you	vous	you
?*	him, it (masc.)	?	them
?*	her, it (fem.)		

* m', t' or l' before words that start with a vowel

DIRECT OBJECT PRONOUNS

Direct object pronouns replace a word that is the object of the verb. They usually go before the verb.

Je l'adore. Je les écoute.

In verb + infinitive structures, the **pronouns** go before the infinitive:

On va les regarder.   *Tu veux le lire?*

Preceding direct object: in the perfect tense, object pronouns usually come before the part of *avoir* or *être* and **the past participle must agree with it**:

La musique? Je l'ai adorée.
Ses chansons? Je ne les ai pas écoutées.

2 Rewrite the following sentences replacing the underlined words with direct object pronouns. (Make past participles agree with feminine and/or plural nouns where necessary. If you're unsure about the gender of any of the nouns, check them in the dictionary.)

Exemple: **a** Je ne les aime pas beaucoup.

 a Je n'aime pas beaucoup les jeux.
 b Mon père regarde toujours les infos.
 c J'adore la musique classique.
 d Tu connais ce film?
 e On va regarder ces DVD.
 f Tu as vu cette actrice française?
 g J'ai lu tous les livres de Harry Potter.

INDIRECT OBJECT PRONOUNS

These replace a word that is the object of the verb and which is linked to the verb by a preposition, usually *à*, e.g. *parler à, donner à, jouer à.*

me*	to me	nous	to us
te*	to you	vous	to you
lui	to him, it (masc.)	leur	to them
lui	to her, it (fem.)		

The position of these pronouns is the same as for direct object pronouns (see left).

*Elle ne **me** répond pas. Je vais **lui** donner un billet. Je **leur** ai téléphoné.*

3 Compare the direct and indirect object pronouns. Only three are different – which are they?

4 Rewrite the following sentences replacing the underlined words with indirect object pronouns.

Exemple: **a** Je lui expliquerai le problème.

 a J'expliquerai le problème à Valérie.
 b Il va dire à Max et Joe de venir.
 c On a montré au prof le roman français.
 d Tu as envoyé une invitation à ses parents?
 e Elle téléphone souvent à Anna et moi.

STRATÉGIES

In a positive command, the **pronoun** comes after the verb:

*Regarde-**le/la**!*   *Donne-**lui** le journal.*

More than one pronoun in the same sentence?

Learn the order – it's a bit like the layout on a football pitch!

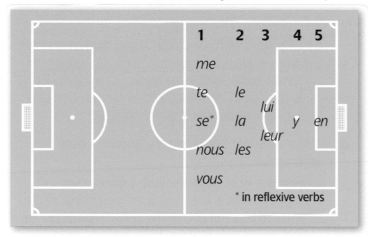

	1	2	3	4	5
	me				
	te	le			
	se*	la	lui	y	en
			leur		
	nous	les			
	vous				

* in reflexive verbs

5 Rearrange the words and write out the sentences. Then translate them into English.

Exemple: **a** Elle me le donne. *She gives it to me.*

a Elle donne me le
b Je en parlerai lui.
c Tu dis demain me le?
d On la demandée leur a
e Ils envoyer vont te l'
f Qui raconter va le nous?

RELATIVE PRONOUNS

Qui/que (who/which) are called relative pronouns because they relate two parts of a sentence together.

- *qui = when noun to be replaced is the **subject** of the <u>verb</u>:*

  Il y a aussi Sarah. **Sarah** <u>a</u> *des problèmes.*
  There is also Sarah. Sarah has problems.

  Il y a aussi Sarah **qui** <u>a</u> *des problèmes.*
  There is also Sarah who has problems.

- *que = when noun to be replaced is the **object** of the <u>verb</u>:*

  Ceci est un excellent film. Tout le monde <u>voudra voir ce film</u>!
  This is an excellent film. Everyone will want to see this film!

  Ceci est un excellent film **que** *tout le monde <u>voudra voir</u>!*
  This is an excellent film which everyone will want to see.

NB *dont* = of/about which *or* whom, whose
un garçon dont elle ne sait rien – a boy about whom she knows nothing

6 Write out the sentences, adding in *qui* or *que*.

Exemple: **a** qui

a C'est un livre ... a une très belle histoire.
b Tu n'as pas aimé le film ... je t'ai recommandé?
c Voici les DVD ... tu m'as demandés.
d J'adore l'acteur ... joue dans cette émission.
e Ali a trouvé le portable ... j'avais perdu.

PERFECT OR IMPERFECT?

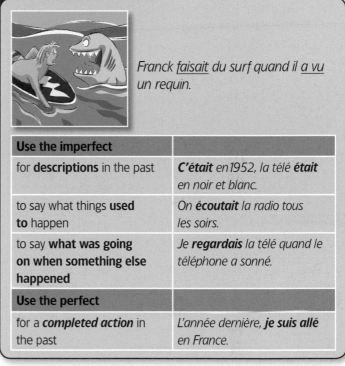

Franck <u>faisait</u> du surf quand il <u>a vu</u> un requin.

Use the imperfect	
for **descriptions** in the past	*C'était en1952, la télé **était** en noir et blanc.*
to say what things **used to** happen	*On **écoutait** la radio tous les soirs.*
to say **what was going on when something else happened**	*Je **regardais** la télé quand le téléphone a sonné.*
Use the perfect	
for a **completed action** in the past	*L'année dernière, **je suis allé** en France.*

8 Read Juliette's blog about her trip to Paris. Change the infinitives into perfect or imperfect tense verbs.

Exemple: Hier matin, on a fait ...

Hier matin, on **[faire]** du shopping aux Galeries Lafayette. Quand on **[être]** petits, ma mère nous **[amener]** dans ce grand magasin tous les ans. Hier, on **[acheter]** des souvenirs. Ma mère **[trouver]** un très joli sac. L'après-midi, nous **[faire]** une promenade en bateau sur la Seine parce qu'il **[faire]** beau temps. Les monuments parisiens **[être]** très beaux vus du bateau. Le soir, on **[aller]** au cinéma. J' **[aimer]** le film. C' **[être]** un film de science-fiction et les effets spéciaux **[être]** géniaux.

9 Describe a day trip (real or invented). Write about 120 words. Say what you did and what it was like, using a mix of perfect and imperfect tense verbs.

 **Stratégies**

In this unit, you've learnt how to...

À l'écrit

1 Use a variety of different structures.

❏ Test yourself! How many different ways can you think of to express the following ideas? Work with a partner, taking turns to come up with a different structure. The winner is the last one to make a suggestion!

  a *J'aime la musique.*
  b *Le film était nul.*
  c *On regarde le documentaire sur TF1?*

❏ Write a paragraph about a film or TV programme you like. Say what you like about it: the story? the humour? the drama? the actors? the music? the special effects? the costumes? Use at least five different structures to say what you like.

2 Make the most of synonyms.

❏ Choose a verb from the list to replace *faire* in these phrases.

  a *faire un film*
  b *faire une fête*
  c *faire du judo*
  d *faire des photos*
  e *faire un poème*

  > *donner*
  > *tourner*
  > *écrire*
  > *pratiquer*
  > *prendre*

❏ Listen to the interview and note synonyms for the following expressions.

  a *je trouve que*   **d** *si on compare avec*
  b *c'est fantastique*   **e** *selon moi*
  c *simple*

3 Keep to the point.

❏ Read this title and paragraph. Are there any sentences you think do not keep to the point? If not, why not? What do you think could replace those sentences?

Les films de Harry Potter

J'adore tous les films de Harry Potter. Pour moi, le meilleur, c'est le dernier qui est super. L'acteur qui joue le mieux, selon moi, c'est Rupert Grint. Il est super dans le rôle de Ron Weasley. J'ai un copain qui a les cheveux roux comme lui. J'aime moins Daniel Radcliffe, qui, pour moi, n'est pas un très bon acteur. Mon acteur préféré, c'est Johnny Depp, mais il n'est pas dans les films de Harry Potter. Il est très beau.

❏ Write your own paragraph about the Harry Potter films (or any other series of films you have seen, James Bond, etc.) Write about 70 words, keeping to the point. Then swap with a partner. Can s/he spot any sentences that are off topic?

4 Use a dictionary or reference book to check verb tenses.

❏ Find out what page the verb tables are on in your dictionary. Are they at the beginning, in the middle or at the end of the book? Which tenses are listed? Which of the following are listed: *aller, avoir, être, dire, savoir, venir, vouloir*? Why do you think these verbs have been chosen?

Lecture

1 Avoid relying too much on a dictionary.

❏ Explain to your partner three ways to guess words you have not met before when reading.

❏ Test yourself. Turn to *Lecture*, page 182. How many of the new words can you work out without using a dictionary?

2 Note useful expressions to adapt and use in your own writing.

❏ Adapt the following sentences to talk about yourself.

  a Les émissions que j'aime le plus, ce sont les émissions musicales.

  b On reçoit six chaînes de télé et ma préférée, c'est France 3.

  c Je regarde régulièrement les documentaires parce que c'est très éducatif.

  d Mes parents me laissent regarder ce que je veux.

3 Convert common word endings from French to English.

❏ Use the tips on page 99 to convert these words from French to English.
  a *radicalement*   **d** *informant*
  b *une vallée*   **e** *facilement*
  c *circulaire*   **f** *nucléaire*

3B Scénario

À l'écrit

Fais la critique d'un livre, d'un film ou d'une émission de télévision

1   Your task is to write a review of a film, book or TV programme that you have enjoyed to post on a website for French teenagers learning English.

First of all, make notes about:
- the type of film/book/programme.
- what the story is about.
- when and where it takes place.
- what you thought of the plot/actors/special effects.
- what you thought of the film overall.

2   Then develop your notes into a review:
- write an introduction and a conclusion.
- make it as interesting and colourful as possible to encourage your reader to be as enthusiastic as you!
- use a variety of structures. (Look back over any useful expressions you have noted from your reading. Are there any you could adapt here?)
- think of appropriate synonyms.
- stick to the point.
- when talking about the past, make sure you use the perfect and imperfect tenses correctly (see *Grammaire active*, page 103). Use the verb tables in your dictionary if necessary.

À l'oral

Crée un club pour ados

Work in groups of three or four to draw up a plan for a new club or meeting place for young people in your area. You could discuss:
- what sort of place is best.
- opening times.
- the activities on offer. (Consider the advantages and disadvantages of each.)
- the times various sessions are on.

Then make a radio ad to promote the club and its programme of activities, including all the details above. Record it on OxBox.

Exemple: Le Club Ados est un nouveau centre culturel pour les adolescents de 15 à 18 ans. C'est un club qui est ouvert de sept heures et quart à onze heures tous les soirs en semaine, et toute la journée le week-end et pendant les vacances scolaires. Il y a des activités pour tout le monde! Par exemple, le lundi à sept heures, il y a un film étranger suivi d'une discussion, le mardi ...

Comment être un téléspectateur futé

J'ai envie de/Je voudrais voir...	I'd like to see...
les meilleures/pires émissions	the best/worst programmes
Qu'est-ce que c'est comme émission?	What sort of programme is it?
Si on regardait ...?	How about watching ...?
C'est à quelle heure?	What time is it on?
C'est quel jour?	What day is it on?
C'est le samedi.	It's on Saturdays.
C'est sur quelle chaîne?	What channel is it on?
C'est sur France 3.	It's on France 3.

le documentaire *nm*	documentary
l'émission (de télé) *nf*	(TV) programme
l'émission jeunesse *nf*	children's programme
l'émission musicale/sportive *nf*	music/sports programme
l'émission de téléréalité *nf*	reality TV programme
le feuilleton *nm*	soap
les infos/le journal télévisé *nf pl/nm*	news
le jeu *nm*	game show
le programme *nm*	list of what's on TV

Comment parler « musique »

Quel est ton style de musique préféré?	What is your favourite type of music?
Tu écoutes ta musique avec un lecteur MP3 ou un iPod?	Do you listen to your music with an MP3 player or an iPod?
D'où provient ta musique?	Where does your music come from?

la musique classique *nf*	classical music
le disco/le pop	disco music/pop
le hard rock/le métal/le rap/le rock *nm*	hard rock/heavy metal/rap/rock
l'échange avec amis *nm*	swap with friends
l'enregistrement *nm*	recording
le téléchargement gratuit *nm*	free download
le téléchargement payant *nm*	paid-for download

Ça me détend	It relaxes me
Ça me donne envie de danser	It makes me feel like dancing
Ça m'énerve	It gets on my nerves
Ça me met de bonne humeur	It puts me in a good mood
C'est ennuyeux/monotone	It's boring/monotonous
C'est (trop) répétitif/rapide/violent	It's (too) repetitive/fast/violent

Comment donner ton opinion sur un film

Ça se passe à Bordeaux dans les années 90.	It takes place in Bordeaux in the 1990s.
C'est un film à ne pas rater.	It's a film not to be missed.
C'est l'histoire de ...	It's the story of...
C'est quel genre de film?	What sort of film is it?

Les acteurs sont tous superbes.	The actors are all superb.
La musique est géniale.	The music is brilliant.
Tu as vu quel film récemment?	What film have you seen recently?

la comédie *nf*	comedy, drama
le dessin animé *nm*	cartoon
le film d'aventure/d'action *nm*	adventure/action film
le film policier *nm*	detective film
le film de science-fiction *nm*	science fiction film

amusant(e)/impressionnant(e) *adj*	entertaining/impressive
drôle/génial(e) *adj*	funny/brilliant
décevant(e)/nul(le) *adj*	disappointing/rubbish

Comment choisir une nouvelle activité de loisir

Je voudrais trouver un nouveau passe-temps.	I'd like to find a new hobby.
Tu pourrais ...	You could...
écrire un blog sur Internet	write a blog on the Internet
faire de l'astronomie	take up astronomy
faire de la danse hiphop	do break dancing
faire de la randonnée	go hiking
jouer d'un instrument	play an instrument

Quel est ton passe-temps préféré?	What is your favourite hobby?
Quel matériel faut-il?	What equipment do you need?
Quels sont les avantages et les inconvénients?	What are the advantages and disadvantages?
Tu le pratiques où? quand?	Where do you do it? when?

afin de + *infinitive*/pour + *infinitive*	in order to
le mien, la mienne, les miens, les miennes	mine

Comment comparer des loisirs: passé/présent

Les films sortent de plus en plus rapidement en DVD.	Films come out more and more quickly on DVD.
Maintenant, on écoute de la musique sur son MP3 ou iPod.	Now people listen to music on an MP3 player or iPod.
On écoutait des cassettes sur un baladeur.	People used to listen to cassettes on a Walkman.
avoir la télé numérique, câblée ou par satellite/avec peu de chaînes	to have digital, cable or satellite TV/TV with few channels
aller au petit cinéma du coin	to go to the little local cinema
envoyer un SMS à un copain	to text a friend
jouer aux jeux électroniques	to play electronic games,
regarder les cassettes vidéo sur un magnétoscope	to watch videos on a video player
dans les années 80	in the 1980s

4A Voyages et vacances

Sais-tu comment...

- ☐ comparer différents climats?
- ☐ choisir une destination sympa?
- ☐ réserver et se plaindre?
- ☐ profiter au max de ton échange?
- ☐ raconter un voyage?

Scénario

- **Tu gagnes au Loto! Tu pars où?**
- **Ton séjour: succès ou désastre?**

Si tu gagnais au Loto, que ferais-tu?

Stratégies

À l'écoute

When listening, how do you ...
- tell a question from a statement?
- recognise different verb tenses?
- interpret interjections such as *bof, pff, ouf*?

Lecture

When reading in French, how do you ...
- spot opposing ideas?
- interpret common prefixes?

Grammaire active

As part of your French language 'toolkit', can you...
- make comparisons?
- use a variety of question words?
- use the perfect infinitive?
- use 'si' clauses?
- find ways to vary tenses?

G Comparer **V** Décrire le climat **S** Reconnaître les oppositions

A

B

C

Les mots de la météo

Il fait   beau.
          chaud.
          gris.
          froid.
          mauvais.

Il y a   du brouillard.
          des nuages.
          de l'orage.
          du soleil.
          du vent.

Il pleut.
Il neige.
Il gèle.

Paris: bulletin météo

	Temps & Températures	Vent
dimanche	12°C	20 km/h
lundi	11°C/15°C	30 km/h
mardi	10°C/13°C	20 km/h
mercredi	7°C/11°C	10 km/h

Mégane

J'habite à Montréal, au Canada, mais l'année dernière, j'ai passé une année à Tahiti. Les deux climats sont très différents.

Au Québec, en décembre, il fait extrêmement froid et il neige souvent. Par contre, à Tahiti, c'est l'été en décembre: le soleil brille et il fait beau et chaud.

À Tahiti, il ne pleut pas souvent tandis qu'au Québec, on a plus de pluie. Mais je dirais qu'il y a autant de vent à Tahiti qu'au Québec.

1 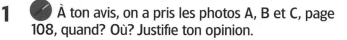 À ton avis, on a pris les photos A, B et C, page 108, quand? Où? Justifie ton opinion.

Exemple: Je pense qu'on a pris la photo A en hiver à ... parce qu'il y a ... etc.

2 Utilise «Les mots de la météo», page 108, pour décrire:

a les photos A, B et C.
b le temps chez toi aujourd'hui.

Exemple: Il fait beau et chaud. Il y a du soleil et il y a des nuages ... etc.

3a Regarde «Paris: bulletin-météo», page 108, et écoute. C'est quel jour?

3b À toi d'écrire un bulletin météo pour les autres jours. Présente-le oralement à la classe ou enregistre-le sur OxBox.

Exemple: Et maintenant le bulletin météo. Aujourd'hui, à Paris ...

4a Nabila habite à Fuveau. Arnaud habite à Chamonix. Écoute. Pour chacun, note quel temps il fait au printemps, en été, en automne, en hiver.

Exemple: Nabila: au printemps – beau, vent ...

4b À deux, utilisez vos notes pour recréer les deux interviews.

GRAMMAIRE

Comparing – a quick guide

	+ verb	+ noun	+ adjective	+ adverb
more	il pleut **plus que**...	il y a **plus** de vent **que**...	il fait **plus** chaud **que**...	il neige **plus** souvent **que**...
less	il pleut **moins que**...	il y a **moins de** vent **que**...	il fait **moins** chaud **que**...	il neige **moins** souvent **que**...
the same	il pleut **autant que**...	il y a **autant** de vent **que**...	il fait **aussi** chaud **que**...	il neige **aussi** souvent **que**...

See page 203 for further information and examples.

4c Écris un paragraphe pour comparer le climat à Fuveau et à Chamonix.

Exemple: À Chamonix, en hiver, il neige plus souvent qu'à Fuveau.

4d Tu préférerais rendre visite à Arnaud ou à Nabila? En quelle saison? Explique pourquoi.

Exemple: Je préférerais aller chez Arnaud en hiver parce que j'aime ... etc.

STRATÉGIES

Be alert when reading or listening. The following expressions indicate opposing ideas:

mais	but
tandis que	whereas
par contre	on the other hand

Find an example of each in Mégane's bubble, page 108, and translate the sentences into English.

5a Lis la bulle de Mégane, page 108, et réponds en anglais.

a *Where does she live?*
b *How does she know what the weather is like in Tahiti?*
c *What is the weather like in Quebec in December?*
d *How is it different in Tahiti?*
e *Which country gets more rain?*
f *Which country gets more wind?*

5b Ferme ton livre et écoute le texte de Mégane. Quand il y a un bip, donne le mot qui manque.

À VOUS!

6 A French partner class wants to visit your area. Write a guide to the weather where you live.

- Include details of what the weather is like in spring, summer, autumn and winter.
- Recommend a month for their visit.
- Give reasons for your suggestion.
- Mention which kind of weather and which activities you prefer and why.

7 Compare the climate in Quebec or Tahiti with your own. Research on the Internet to find out what the weather is like in different seasons and discuss with a partner.

Exemple: À Tahiti, il fait très chaud en été tandis qu'ici, il fait plus froid et ...

G Les mots interrogatifs   **V** Destinations de vacances   **S** L'intonation: question ou affirmation?

Monsieur Diallo adore voyager. Il s'intéresse à l'histoire et aux visites culturelles. Pour lui, le confort est important et un bon restaurant est essentiel.

Madame Diallo aime le soleil. Son rêve: une journée reposante à la plage ou à la piscine. Elle ne veut absolument pas faire la cuisine!

Djibril a 18 ans. C'est un vrai sportif. Il aime la nature, le plein air et l'aventure ... et aussi les boîtes de nuit.

Macky a 10 ans. Il adore les parcs d'attractions et les jeux à la plage. Il n'aime pas visiter les musées ni les monuments.

Toly a 15 ans. Ses sports préférés sont la natation et l'équitation. Elle est sociable et aime se faire des amis pendant les vacances.

1 Passez vos vacances dans un parc d'attractions! L'hôtel des Trois Hiboux***, sur le site du Parc Astérix, est situé dans un cadre exceptionnel. Le parc n'est pas loin de Paris et quand vous quittez le parc, vous trouverez à l'hôtel une salle de jeux pour les enfants, une bibliothèque et un bar avec terrasse.

Notre avis: Une idée intéressante pour des vacances originales mais la destination n'est pas recommandée pour ceux qui veulent se reposer. Il ne fait pas toujours chaud en été.

2 Village de Vacances en bord de mer Méditerranée, près de la ville de Nice

Ouvert de février à octobre. Séjour en pension complète ou demi-pension. Chambres de bon confort. Services sur place: accueil, restaurant panoramique, bar et discothèque, salon de détente, salle d'animation, clubs enfants. Piscine ouverte de mai à octobre.

Notre avis: Le village de vacances est un bon truc pour découvrir le pays et faire des activités sportives et culturelles. Le climat méditerranéen est très agréable en été.

3 **Hôtel Restaurant Brise de Mer**

dans un cadre pittoresque sur la côte ouest de l'île de Corse

Chambres tout confort (avec balcon, douche ou bain, téléphone, télévision, coffre-fort) – restaurant avec vue panoramique sur le golfe – point de départ de nombreuses excursions – activités sportives (volley, tennis, cheval) – à 150 mètres de la plage.

Notre avis: La Corse est un coin de France qui mérite une visite pour la beauté de sa nature et pour son histoire. D'habitude, en été, il fait très chaud.

4 *Camping Les Chadenèdes*

Petit camping familial à la campagne, avec piscine, proche de 3 rivières: la Beaume, le Chassezac et l'Ardèche. Idéalement situé entre le pays des Vans, connu pour ses superbes sites d'escalade, et les Gorges de l'Ardèche, le camping vous offre des vacances au soleil et en plein air.

Notre avis: L'Ardèche est une région sauvage, pour ceux qui préfèrent la nature à la ville. En plus au camping, vous vivrez en plein air. Climat agréable mais risque de pluie*.

*rain

1 📖✏️ Lis les textes sur la famille Diallo, page 110. Traduis-les en anglais et explique quelles seraient les vacances idéales de chacun.

2a 📖 Lis les annonces, page 110. Les destinations sont en France ou dans différents pays d'Europe?

2b 📖 Relis et trouve dans le texte l'équivalent en français.

  a *not recommended for those who want to rest*
  b *in a picturesque setting*
  c *which is worth a visit*
  d *full-board or half-board*
  e *you will live outdoors*

2c ✏️ Réponds.

  a Où se trouve Brise de Mer?
  b Quand est-ce que le village de vacances est ouvert?
  c Le camping est près de combien de rivières?
  d Pourquoi Toly aimerait-elle une piscine?
  e Quelles destinations ont des activités pour enfants?
  f Quelle activité sportive peut-on faire en Ardèche?

GRAMMAIRE

Question words

place	*où?*
time	*quand?, à quelle heure?*
duration	*combien de temps?*
number/cost	*combien?*
reason	*pourquoi?*
how	*comment?, de quelle manière?*
people	*qui?, qui est-ce qui?*
things	*qu'est-ce que?, qu'est-ce qui?, quoi?, quel/quelle/quels/quelles?*

3 🔊✏️ Écoute et réponds.

4 🔊✏️ Écris huit questions sur les textes, page 110. Utilise au moins cinq mots interrogatifs différents. Échange avec ton/ta partenaire qui répond.

Exemple: Où se trouve le village de vacances?

5 🔊 Écoute. Recopie et complète la grille pour chaque personne (1–6).

Exemple:

Destination	Reason
1 campsite	has 5 children/cheaper

6a 👥 À deux, discutez et choisissez la destination idéale (parmi les quatre, page 110), pour chaque membre de la famille Diallo.

Exemple:

A Je pense que Macky aimerait le village de vacances parce qu'il y a un club pour enfants et ....

6b 👥 Mettez-vous d'accord sur une des destinations pour toute la famille. Expliquez pourquoi.

Exemple:

A Le camping serait idéal pour Djibril parce qu'il aime le plein air. Par contre, son père aime ...

STRATÉGIES

Question or statement?

To tell if someone is asking a question, listen out for:
* question words: *qui? quand?* etc. These usually come at the beginning or end of the sentence.
* *est-ce que* at the start: *Est-ce qu'il y a une piscine?*
* subject pronouns that come after the verb: *Veux-tu faire du camping?*
* rising intonation (voice going up at the end of a sentence): *Il y a un bar?* ↗

7a 🔊 Écoute Djibril et sa mère. Qui préfère le village de vacances?

7b 🔊 Réécoute. Tu entends combien de questions?

À VOUS!

8 ✏️🔊 Write a survey to find out which ingredients make a perfect holiday. Use each of the question words in the grammar panel (left) at least once. Try out your questions on your classmates.

Exemple: **Qu'est-ce que** tu préfères: les activités sportives ou les activités culturelles? **Qui** serait ton compagnon de vacances idéal?

9 ✏️ Choose a destination on page 110 for your own holiday with family or friends. Explain why you chose it. Say how it compares with the other places in the ads and why it suits each member of your group.

Exemple: Au village de vacances, il y a une piscine tandis qu'à l'hôtel, il n'y a pas de piscine. Mon petit frère aimerait bien ...

4A Comment réserver et se plaindre

G L'infinitif passé **V** Réservations et plaintes **S** Les préfixes

HÔTEL DE LA PLAGE**
20 Bd de Verdun, Dieppe
40 chambres, toutes équipées d'une connexion WiFi
Bain ou douche, WC
TV couleur, Canal +, TV anglaise
Sans restaurant

A Bonjour. Je voudrais réserver une chambre, s'il vous plaît.

B Très bien. C'est pour quelles dates?

A Pour cinq nuits, du 8 au 12 avril.

B Pour combien de personnes?

A Pour deux personnes.

B Avec un grand lit ou des lits jumeaux?

A Avec des lits jumeaux.

B Très bien, il y a une chambre de libre au premier étage.

A Il y a des WC dans la chambre?

B Oui, oui, bien sûr.

A Et la chambre coûte combien?

B Alors, c'est une chambre à 72 euros la nuit.

A D'accord, je la prends. C'est au nom de Moine … m – o – i – n – e.

B C'est noté, mais je vous demanderais de nous envoyer un email ou une lettre de confirmation.

1 Lis et écoute la conversation à gauche. La réservation est possible?

2 Réécoute. Note le plus d'informations possible en anglais.
Exemple: one room, 5 nights … etc.

3 À deux. Lisez la conversation. Attention à l'intonation des questions! Ensuite, A ferme son livre et joue son rôle de mémoire. (B↔A)

4a Écoute les conversations 1–3. Recopie et complète la grille.

name	no. of people	room	no. of nights	dates	other
Martin	2	double			Suitable for wheelchair user

4b Qui ne prend pas la chambre? Pourquoi?

4c Adapte la conversation à gauche. Change les mots en jaune. Utilise les informations dans ta grille (activité 4a) et écris la conversation. Ensuite, joue la scène avec un(e) partenaire.

5 Tu vas à l'hôtel avec un ami anglais. Écoute et suis ses instructions.

6 Recopie et complète la lettre de confirmation (informations à gauche).

celinemoine16@hotmail.fr

Monsieur

Je voudrais confirmer ma réservation pour une chambre pour [1] nuits du [2] au [3] avril.

Je voudrais une chambre pour [4] personnes avec des [5], douche et [6] à [7] euros la nuit comme convenu.

Je vous prie d'agréer, Monsieur, l'expression de mes meilleurs sentiments.

Céline MOINE

7 Regarde Tom et lis sa lettre, page 113. Trouve la phrase qui correspond à chaque bulle.
Exemple: **1** l'ascenseur était en panne

Monsieur,

Après avoir passé une nuit désagréable dans votre hôtel, je vous écris pour exprimer mon insatisfaction. Nous étions au sixième étage et l'ascenseur était en panne! C'est inacceptable. Après être montés dans notre chambre, nous avons découvert que la douche ne marchait pas non plus. Le lit était inconfortable et les draps et les oreillers étaient sales – c'est inexcusable! Après avoir demandé une chambre avec vue sur la piscine, j'étais mécontent d'avoir vue sur les poubelles*!

*rubbish bins

GRAMMAIRE

Past infinitive
Past infinitives are in two parts: present infinitive of *avoir* or *être* + past participle

Present infinitive	Past infinitive
téléphoner	*avoir téléphoné*
aller	*être allé(e)(s)*

They are most commonly found after **après**:

Après avoir téléphoné à l'hôtel, j'ai envoyé une lettre de confirmation.

After phoning the hotel, I sent a letter of confirmation.

See *Grammaire active*, page 118.

8 Trouve dans la lettre à gauche des exemples d'infinitifs passés. Traduis les phrases en anglais.

Exemple: Après avoir passé une nuit désagréable ...
After having spent an unpleasant night ...

GRAMMAIRE

Prefixes
A prefix changes the meaning of a word. The following prefixes make the word mean the **opposite**:

in | **im** | **il** | **ir** (e.g. *satisfaction* > **in**satisfaction)

dé | **dés** | **dis** (e.g. *agréable* > **dés**agréable)

mal/**mé** (e.g. *content* > **mé**content)

How many other words with these prefixes can you find in the letter? What do they mean?

9 Regarde les mots a–d. Trouve leur contraire dans le dictionnaire. C'est quel préfixe? Traduis en anglais.

Exemple: actif – inactif (*active/inactive*)

a connu	**c** réparable
b obéir	**d** honnête

À VOUS!

10a A neighbour wants to go to France. Write a letter for her to reserve rooms at the Hôtel de la Plage in Dieppe. Include the following details:

- 1 double and 1 twin room for 2 adults and 2 children
- with shower and toilet
- from 7 to 14 August
- ask if there is a swimming pool
- ask how much it costs.

10b Your neighbour has now come back from holiday but it was a disaster! Write a letter of complaint saying what went wrong.

11 Write a sketch about an angry holidaymaker phoning their travel agent to complain after returning from the holiday from hell.
Before you start, make a list of problems and negative words to help you (*la douche ne marchait pas, le lit n'était pas confortable, il n'y avait pas de vue; malheureux, désagréable,* etc.). Act out your sketch and record it on OxBox. The class listen and vote for the best sketch.

Pourquoi un séjour à l'étranger?

a bien s'amuser
b apprendre l'indépendance
c améliorer son français/anglais
d se faire de nouveaux amis
e découvrir un nouveau pays
f faire des activités culturelles ou sportives

1 Lis a–f et trouve les verbes équivalents.
to discover / to learn / to improve / to have a good time

2a Écoute et note les idées a–f dans l'ordre mentionné.
Exemple: **b**, ...

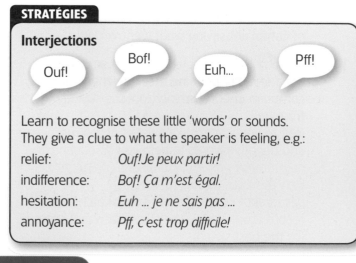

STRATÉGIES

Interjections

Ouf!   Bof!   Euh...   Pff!

Learn to recognise these little 'words' or sounds.
They give a clue to what the speaker is feeling, e.g.:

relief:	*Ouf! Je peux partir!*
indifference:	*Bof! Ça m'est égal.*
hesitation:	*Euh ... je ne sais pas ...*
annoyance:	*Pff, c'est trop difficile!*

2b Réécoute. Lève le doigt chaque fois que tu entends une interjection.

3a Pourquoi un séjour à l'étranger? Classe les idées a–f, du plus au moins important pour toi.
Exemple: e, c, ...

3b Compare avec un(e) partenaire. Discutez.
Exemple: Je pense que bien s'amuser est plus important que se faire de nouveaux amis parce que j'ai déjà des amis chez moi ...

3c À deux, ajoutez des idées à la liste.
Exemple: découvrir ce qu'on mange dans un autre pays

4 Fais le jeu-test, page 115. Ensuite, écoute pour vérifier tes réponses.

Jeu-test: Serais-tu l'invité(e) de rêve ou de cauchemar?

On te pose les questions suivantes. Qu'est-ce que tu dis?

1 Tu as oublié ton sèche-cheveux.

  A Donne-moi ton sèche-cheveux.

  B Tu pourrais me prêter un sèche-cheveux?

2 On te pose une question que tu ne comprends pas.

  A Pff, je ne comprends rien.

  B Vous pourriez répéter plus lentement, s'il vous plaît?

3 La mère de ton correspondant demande si tu voudrais du fromage.

  A Oui, s'il vous plaît. Je voudrais en goûter un petit peu, s'il vous plaît.

  B Bof, si vous voulez.

4 On te demande d'aider à faire la vaisselle.

  A Avec plaisir!

  B Pff, vous devriez acheter un lave-vaisselle!

GRAMMAIRE

The conditional

The conditional is useful for

- **polite requests:** *Tu pourrais me prêter un sèche-cheveux?* – Could you lend me a hairdryer?
- **wishes:** *Je voudrais en goûter.* – I'd like to taste some.
- **suggestions or advice:** *Vous devriez acheter un lave-vaisselle.* – You ought to buy a dishwasher.

See page 70 for how to form the conditional.

5 À deux, inventez de courts dialogues avec des phrases au conditionnel pour être poli(e).

a *You want/need: some toothpaste, a magazine, a dictionary, a brush*

b *You want to: phone your parents, have a shower, have a glass of water*

Exemple:

A Tu pourrais me prêter du dentifrice, s'il te plaît?

B Oui, bien sûr! Il y a du dentifrice dans la chambre.

6a Chaque pays a ses habitudes. Lis a–f. Vrai ou faux en France?

Exemple: **a** faux

a Il ne faut pas embrasser* les membres de la famille sur les joues*.

b Il faut dire «tu» aux parents de tes copains.

c Tu devrais dire «bonjour» quand tu entres dans un magasin.

d À table, tu peux mettre le pain directement sur la nappe*.

e Tu dois dire «Merci» pour accepter quand on t'offre un dessert.

f Tu pourrais boire du café dans un grand bol le matin.

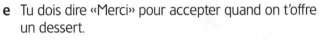

* to kiss   cheeks   tablecloth

6b Écoute et vérifie. Explique en anglais pourquoi les phrases sont fausses.

Exemple: **a** faux – it is common to kiss on the cheek ...

À vous!

7 Record a radio advert to convince French teenagers of the advantages of an exchange visit with a British partner. Use the conditional to make suggestions.

Exemple: Tu pourrais te faire de nouveaux amis, etc.

8 Write a guide with your top ten tips for French teenagers visiting British families. Think of how they should behave with their partner, other family members and new people, how to use their free time, what to do if they have problems understanding, etc. Use:

- *il faut / il ne faut pas* + infinitive
- *tu dois / tu devrais* + infinitive
- *tu peux / tu pourrais* + infinitive

Exemple: Ne sois pas timide. Il faut parler avec tous les membres de la famille, même le chien, le plus souvent possible. Tu pourrais aussi ...

G Si + conditionnel **V** Raconter un voyage **S** Le temps des verbes

Noémie, 16 ans

FORUM DES JEUNES GLOBE-TROTTERS

Mon séjour en Tunisie

Normalement, on ne part pas pendant les vacances, mais l'année dernière, je suis allée en Tunisie. C'est un pays très intéressant en Afrique du Nord. Je suis partie avec mes parents le 15 juillet. Nous sommes restés deux semaines. Nous avons pris l'avion pour Tunis.

Après être arrivés à Tunis, nous sommes allés à l'Hôtel Oasis. L'hôtel était assez vieux mais confortable. Mes parents avaient une jolie chambre avec un petit balcon avec une vue sur la vieille ville. Par contre, ma chambre n'avait ni balcon ni vue!

Il faisait beau et il y avait du soleil tous les jours. Nous avons fait beaucoup d'excursions. Nous avons visité Tunis, la médina (la vieille ville), les souks (marchés arabes) et les mosquées. C'était super mais il y avait beaucoup de monde partout. Nous avons aussi visité le musée du Bardo où il y avait des collections de mosaïques romaines. Comme je n'y connais rien, j'ai trouvé ça inintéressant. En plus, il faisait vraiment très chaud ce jour-là, c'était pénible.

Par contre, j'ai adoré l'excursion en car à Sidi Bou Saïd, un petit village bleu et blanc très pittoresque à l'est de Tunis, et la visite du site historique de Carthage. C'était passionnant. J'ai aussi aimé prendre le train pour aller à Sousse au bord de la mer.

J'ai beaucoup aimé mon séjour en Tunisie. Si je pouvais, j'y retournerais le plus vite possible. Cette année, on ne part pas, mais si c'était moins cher, on partirait tous les ans. L'année prochaine, si j'avais le choix, j'irais au Mexique!

1 À deux, lisez le texte. Discutez de ce que vous ne comprenez pas. Cherchez le minimum de mots dans le dictionnaire. Résumez le texte en exactement 30 mots.

2 Trouve et note toutes les expressions positives et toutes les expressions négatives du texte.

Exemple: **Positif** C'est un pays très intéressant
Négatif assez vieux

Sondage

a Pendant les vacances, tu es allé(e) où?

b Tu es parti(e) avec qui?

c Tu as voyagé comment?

d Tu es resté(e) combien de temps?

e Tu as dormi où?

f Quel temps faisait-il ?

g Qu'est-ce que tu as fait?

h C'était comment?

3 🎤 Écoute Noémie. Elle répond à quelles questions du sondage?

Exemple: 1 – c, ...

4 👥 À deux: A pose les questions du sondage, B joue le rôle de Noémie et répond.

5 🎤 Écoute Marie, Seb et Zoé. Résume leurs réponses aux questions du sondage en anglais.

Exemple: **Marie**: seaside, western France, ...

GRAMMAIRE

If ... then ...

For unlikely situations, use *si* + imperfect + **conditional**.

Si *j'avais le choix*, **j'irais** au Mexique.

If I could choose, I would go to Mexico.

Si c'était moins cher, on partirait tous les ans.

If it was less expensive, we would go away every year.

These examples are taken from Noémie's text. Read it through again. Can you find another example and translate it?

See also *Grammaire active*, page 119.

6 🎤 Écoute 1–8. Ils aimeraient visiter quels pays? Pourquoi? Et toi?

STRATÉGIES

Listen out for verb tenses

The tense of a verb affects meaning, so practise listening out for typical verb endings. How would you **hear** which of these had already happened?

Je visite le musée. / J'ai visité le musée. / Je visiterai le musée.

The future and conditional forms often sound very similar: *je ferai / je ferais.*

7 🎤 Écoute et choisis la bonne traduction.

a *is visiting Scotland / has visited Scotland*

b *went to Paris / is going to go to Paris*

c *has been to Italy / would like to go to Italy*

d *would like to go to Australia / has been to Australia*

8 📖 Relis le texte de Noémie. Trouve et explique pourquoi il y a des verbes:

a au présent   **c** à l'imparfait

b au passé composé   **d** au conditionnel

Exemple: Normalement, on ne part pas = *present tense because it is something that happens regularly*

STRATÉGIES

Vary your tense

To get top marks in your exam, you need to find ways to use a variety of tenses. How did Léa do this in her text? How could you create opportunities to use different tenses if you were writing about your hobbies?

Revise *Grammaire active*, page 38.

À VOUS!

9 📖 Think of someone famous and imagine where they might have gone on holiday. Put yourself in their place and write a report of the trip (+/– 150 words). Say:

- where you went and when
- who you went with
- what you did
- what the weather was like
- what you thought of it

Exemple: Je m'appelle James Bond. L'année dernière, je suis allé à ...

10 ✏️🎤 Do a personality test. Write ten questions about hypothetical situations, such as the examples given below. Write your answers to the questions on a sheet of paper. Then use the questions to interview two different people. Whose answers are closest to your own?

Exemples:

- Si tu avais le choix, tu visiterais quel pays?
- Si les voitures n'existaient pas, que ferais-tu?
- Si tu parlais au Premier Ministre, que dirais-tu?

Après avoir fait le tour du monde, le Père Noël était un peu fatigué.

PAST INFINITIVE

The **past infinitive** is most commonly used after **après** to indicate an action that occurred before the action of the main verb. But it only works when the <u>subject</u> of both verbs is the same.

<u>Max</u> a réservé la chambre puis <u>Max</u> a envoyé un email. →
Après avoir réservé la chambre, Max a envoyé un email.

After reserving (literally: having reserved) the room, Max sent an e-mail.

1 Translate the caption in the cartoon above into English.

FORMING THE PAST INFINITIVE

This infinitive is in two parts. You already know the individual parts − you just have to put them together:

the present infinitive of an auxiliary verb **+** the past participle of the main verb.

(either *avoir* or *être*)

  visiter (= *avoir* verb) > *avoir visité*
  partir (= *être* verb) > *être parti(e)(s)*
  se réveiller (= reflexive verb) > *s'être réveillé(e)(s)*

You have to follow the normal rules of agreement for the participles that follow *être*:

  *Après être montée dans le grenier, **Anne** a entendu un bruit étrange.*

  *Après être rentrés, **ils** ont défait leurs valises.*

2 Translate into English.

  a Après avoir appris le français, elle est partie habiter en France.
  b Après avoir trouvé le camping, on a monté la tente.
  c Après être arrivé à la gare, j'ai acheté mon billet.
  d Après m'être lavé, je me suis habillé.
  e Après avoir vu le film, il a quitté le cinéma.
  f Après être venus chez moi, ils sont allés chez Marie.

3 Change these infinitives to perfect infinitives.

  Exemple: **a** regarder = avoir regardé

  a regarder   **d** aller
  b parler   **e** retourner
  c voir   **f** se lever

SI* + PRESENT TENSE

To say 'if' something happens, then something else will, use a clause starting with *si*.

si clause	result clause
present	future
S'il pleut,	je resterai à la maison.
If it rains,	I shall stay at home.

*si becomes *s'* before a word starting with '**i**'.

Si on va un peu plus vite, on arrivera au fond du jardin dans deux semaines.

4 Translate the speech bubble into English.

5 Translate into French.

a If I go to France, I will buy some souvenirs.
b If you come with us, you will have a good time.
c If it is sunny, we will go to the beach.
d They will wait if your friend wants to say goodbye.
e Anna will be going skiing if it snows.
f The teacher will explain if you don't understand.

*SI** + IMPERFECT TENSE

To talk about something that is unlikely to happen, use:

si clause	**result clause**
imperfect	conditional
Si j'étais riche,	*j'achèterais une moto.*
If I were rich,	I would buy a motorbike.

si becomes **s'** before a word starting with '*i*'.

Si tu avais des lunettes, tes tableaux seraient peut-être plus réalistes!

6 Translate the speech bubble into English.

To revise the conditional, go to *Grammaire active*, page 70.

Portrait chinois

Si j'étais une couleur, je serais le rouge.

Si j'étais une ville, je serais Paris.

Si j'étais un animal, je serais un orang-outan.

Si j'étais une musique, je serais le jazz.

Si j'étais une odeur, je sentirais l'herbe après la pluie.

Si je devais choisir un pays à visiter, ce serait l'Inde.

Si je pouvais changer le monde, je donnerais à manger à tous.

7 Write your own portrait, replacing the words in red with your own ideas.

Exemple: Si j'étais une couleur, je serais le bleu pâle.

8 Rewrite the sentences changing the infinitives in brackets to the imperfect / conditional.

Exemple: Si tu mangeais, tu n'aurais pas faim.

a Si tu [manger], tu n'[avoir] pas faim.
b Si on [prendre] un taxi, on n' [arriver] pas en retard.
c Si notre équipe [gagner] le match, on [être] en demi-finale.
d S'il [faire] beau demain, je [pouvoir] porter mon short.
e Tu [pouvoir] prendre mon appareil photo si tu [vouloir] prendre des photos.
f Je [sortir] avec Lucas s'il m' [inviter].

9 What would you do in the following situations?

Exemple: **a** ... j'inventerais une bonne excuse.

a	Si tu oubliais ton devoir de maths à la maison ...
b	Si un copain t'invitait au cinéma et qu'il ne venait pas au rendez-vous ...
c	Si ton grand-père te donnait 100 euros ...
d	Si ta meilleure amie ne te parlait plus ...
e	Si tu voulais partir seul(e) en vacances avec des copains ...
f	Si tes parents te laissaient seul(e) à la maison un week-end ...

In this unit, you've learnt how to...

À l'écoute

1 **Tell a question from a statement.**

See page 111 to check the different types of question.

❏ Test yourself. Listen to these teenagers three times.

a On first listening, put up your hand every time you hear a question.

b Listen again and make a note of any question words you hear.

c Listen a third time and note any other questions you hear. Which of the types listed on page 111 are they?

2 **Recognise different verb tenses as these can affect meaning.**

❏ Which of these would help you to spot a perfect tense verb? Answer true or false.

a It's in 2 parts.

b The participle ends in *é*, *u* or *i*.

c There is always an *r* sound in the middle.

❏ Practise by noting at least two examples of each of the following tenses as you listen to Karima's blog.

a present   **d** imperfect

b future   **e** conditional

c perfect

3 **Interpret interjections such as *bof, pff, ouf*.**

These little words or sounds can provide useful clues as to how the speaker is feeling, so don't overlook them.

❏ Match interjections **a–d** with situations **1–4**.

a *euh*   **c** *pff*

b *bof*   **d** *ouf*

1 Someone's just made it to the bus stop in time.

2 Someone can't think of an answer straight away.

3 Someone is annoyed that their watch strap has broken.

4 Someone is not bothered about going on holiday.

❏ Test yourself! Listen. How do you think these speakers feel? How might this affect what they say next? When you hear the beep, suggest what the next sentence might be.

Lecture

1 **Spot opposing ideas.**

❏ Which words in the e-mail link opposing ideas?

J'habite à Villetaneuse, près de Paris. C'est un centre universitaire important mais la ville offre peu de distractions. Villetaneuse et Paris sont très différents: Paris est beau tandis que Villetaneuse est une ville industrielle laide. À Villetaneuse, il y a très peu d'espaces verts. Par contre, au nord, il y a la forêt de Montmorency où on peut respirer l'air pur.

❏ Write sentences using the words you found above to link the opposing ideas.

a *je parle français / mon copain ne parle pas de langues étrangères*

b *l'hôtel était moderne / le restaurant était traditionnel*

c *hier, il faisait froid / aujourd'hui, il fait chaud*

d *en France, on a bu du vin / ici, on boit de l'eau*

2 **Interpret common prefixes.**

❏ Which of these prefixes would make a word have the opposite meaning?

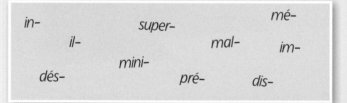

in-   super-   mé-
  il-   mal-   im-
       mini-
dés-   pré-   dis-

Give an example of each. Use a dictionary to help you.

What do you think the other prefixes mean?

❏ Give the English equivalent for each pair. Use a dictionary to help.

a *égal / inégal*

b *logique / illogique*

c *agréable / désagréable*

d *congeler / décongeler*

e *pair / impair*

4A Scénario

À l'oral

Tu gagnes au Loto! Tu pars où?
With a partner, your task is to record an interview describing the **dream holiday** you'd choose if you won the lottery.

1 Prepare by noting down a few decisions:
destination? quand? durée? compagnie? moyen de transport? hébergement? activités? climat?

2 As it's hypothetical, you will need to use the conditional. Turn to page 70 and page 210 to revise this.

3 Draw up a list of questions based on the words in red above, using the conditional. Try to vary the format of your questions (see page 111).
Exemple: Pour tes vacances de rêve, où irais-tu?

4 Take turns to interview each other. Use the questions you have prepared, but be ready to respond to anything your partner says, e.g.
– *Je partirais avec le Premier Ministre.*
– *Vraiment! Pourquoi?*
Try to make your answers as detailed as possible, giving reasons for your choices where appropriate.

À l'écrit

Ton séjour: succès ou désastre?
Write a funny story about an exchange visit you have been on (or a holiday in a hotel or on a campsite) where lots of things went wrong.

1 You need to include the good and the bad points, so think of useful phrases and write a list:

- *a famille était sympa*
- *on est allés à la plage*
- *c'était génial*

- *je n'ai pas aimé la nourriture*
- *on a fait de longues promenades*
- *c'était trop ennuyeux*

2 Use link words to express opposing ideas.
Exemple: Pierre adore la musique classique tandis que moi, je préfère le rap.

3 You will need to use:
– the perfect tense to say what you did: *j'ai joué aux boules, je suis allé au château …*
– the imperfect for descriptions and opinions:
il y avait des nuages, c'était intéressant, …
Try to bring in other tenses too, e.g. by comparing with what you normally do (present tense) or what you would do another time (conditional).
Exemple: Le matin, on a bu du chocolat chaud dans un grand bol. Par contre, chez moi, je ne prends pas de petit déjeuner. (present tense)
Si je retournais en France, je serais moins timide! (conditional)

4 Post the finished stories on the school website, if possible, for others to read.

La famille Dupont était très gentille, mais j'ai trouvé leur chien beaucoup trop affectueux!

Comment comparer différents climats

le bulletin-météo *nm*	*weather report*
Il fait beau.	*The weather's fine.*
Il fait chaud/froid.	*It's hot/cold.*
Il fait gris.	*It's grey/overcast.*
Il fait mauvais.	*The weather's bad.*
Il y a du brouillard/des nuages.	*It's foggy/cloudy.*
Il y a de l'orage.	*It's stormy.*
Il y a du soleil.	*It's sunny.*
Il y a du vent.	*It's windy.*
Il gèle./Il neige.	*It's freezing./It's snowing.*
Il pleut.	*It's raining.*
par contre	*on the other hand*
tandis que	*whereas*
Il fait plus chaud qu'en France.	*It's warmer than in France.*
Il neige moins souvent.	*It snows less often.*
Il fait aussi froid qu'ici.	*It's as cold as here.*

Comment choisir une destination sympa

le camping *nm*	*campsite*
la chambre *nf*	*room*
la douche *nf*	*shower*
l'escalade *nf*	*rock-climbing*
l'île *nf*	*island*
le musée *nm*	*museum*
la natation *nf*	*swimming*
le parc d'attractions *nm*	*theme park*
la piscine *nf*	*swimming pool*
la plage *nf*	*beach*
le séjour *nm*	*stay*
le village de vacances *nm*	*holiday village*
demi-pension/pension complète	*half-board/full-board*
en plein air	*in the open air, outdoors*
à quelle heure?	*at what time?*
combien?	*how much?/how many?*
comment?/de quelle manière?	*how?/in what way?*
où?	*where?*
pourquoi?	*why?*
quand?	*when?*
qui?	*who?*
quoi? / quel/quelle/quels/quelles?	*what?/which?*

Comment réserver et se plaindre

Je voudrais réserver une chambre.	*I'd like to reserve a room.*
pour cinq nuits, du 8 au 12 avril	*for five nights, from the 8th to the 12th April*
avec des lits jumeaux/un grand lit	*with twin beds/a double bed*
au premier étage	*on the first floor*
avec une connexion Wi-Fi	*with Wi-Fi connection*

La chambre coûte combien?	*How much does the room cost?*
C'est une chambre à 72 euros la nuit.	*It's a 72-euro-a-night room.*
envoyer un email ou une lettre de confirmation	*to send an e-mail or letter of confirmation*
L'ascenseur est en panne.	*The lift is out of order.*
La douche ne marche pas.	*The shower doesn't work.*
Le lit est inconfortable.	*The bed is uncomfortable.*
Les draps et les oreillers sont sales.	*The sheets and the pillows are dirty.*
On n'a pas de balcon/de vue sur la piscine.	*We haven't got a balcony / a view of the swimming pool.*

Comment profiter au max de ton échange

améliorer son français	*to improve one's French*
apprendre l'indépendance	*to learn to be independent*
bien s'amuser	*to have a good time*
découvrir un nouveau pays	*to discover a new country*
faire des activités culturelles ou sportives	*to do cultural or sporting activities*
se faire de nouveaux amis	*to make new friends*
embrasser sur les joues/faire la bise	*to kiss on both cheeks*
il faut/il ne faut pas + *inf*	*you should/shouldn't*
tu dois/tu devrais	*you must/you ought to*
tu peux/tu pourrais	*you can/you could*
Tu pourrais me prêter un sèche-cheveux?	*Could you lend me a hairdryer?*
Vous pourriez répéter plus lentement?	*Could you repeat that more slowly?*
Je voudrais en goûter un petit peu.	*I'd like to taste a little bit.*

Comment raconter un voyage

Je suis allé(e) en Tunisie.	*I went to Tunisia.*
Je suis parti(e) avec mes parents.	*I went with my parents.*
On a pris l'avion/le car.	*We went by plane/coach.*
Tu es restée combien de temps?	*How long did you stay?*
Je suis resté(e) deux semaines.	*I stayed for two weeks.*
Tu as dormi où?	*Where did you sleep?*
Dans un hôtel/un camping / une auberge de jeunesse.	*In a hotel/at a campsite / at a youth hostel.*
Quel temps faisait-il?	*What was the weather like?*
Il faisait beau et il y avait du soleil tous les jours.	*The weather was nice and it was sunny every day.*
Qu'est-ce que tu as fait?	*What did you do?*
J'ai fait des excursions.	*I went on excursions.*
C'était comment?	*What was it like?*
C'était super/pas mal.	*It was great/not bad.*
Si je pouvais, j'y retournerais.	*If I could, I would go back there.*

Sais-tu comment ...

- ❑ exprimer tes soucis pour la planète?
- ❑ être écolo?
- ❑ faire de l'écotourisme?
- ❑ parler de la vie dans un autre pays?
- ❑ étudier le monde francophone?

Scénario

- Tu es un bon citoyen/une bonne citoyenne du monde?
- Écris une publicité pour des vacances vertes.

Tu es un bon citoyen/une bonne citoyenne du monde?

Stratégies

Lecture

When reading, how do you...
- decode unfamiliar vocabulary?
- avoid word for word translations?
- deal with false friends?
- get the maximum marks for each question?

À l'écoute

When listening, how do you...
- get the most out of listening more than once?
- use reported speech in your answers?
- get the maximum marks for each question?

Grammaire active

As part of your French language 'toolkit', can you...
- use conjunctions?
- use *depuis* + the imperfect tense?
- recognise and use the subjunctive?

V L'environnement: problèmes   **S** Deviner les mots inconnus

G Identifier le type de mot qui manque dans une phrase

Projet écolo au collège André Malraux

Pour moi, le plus grand problème environnemental, c'est l'énergie. J'ai peur des effets du réchauffement climatique, mais je voudrais continuer à chauffer ma maison, à prendre l'avion pour aller en vacances et à acheter de nouveaux vêtements de temps en temps. Est-ce qu'on peut faire tout cela avec les énergies renouvelables?
J'en doute!

Saïd

La disparition des forêts m'inquiète beaucoup. Nos forêts sont importantes pour des raisons écologiques, pour sauvegarder la biodiversité de notre planète. Mais j'ai lu que 80% de nos forêts originelles ont déjà disparu. Nous devons absolument agir, sinon il y aura une crise pour les générations futures. Oui, la bonne santé de nos forêts est vitale.

Louisa

Les mers et les océans constituent plus de 70% de la superficie terrestre, mais nous ne les protégeons pas. Qu'est-ce qui provoque la pollution marine? L'un des problèmes c'est la surpêche, les grands bateaux de pêche industrielle qui ne respectent pas les limites imposées. Puis il y a la chasse aux baleines, qui est interdite, mais qui ne s'arrête pas. Oui, il faut absolument prendre des mesures pour protéger notre écosystème marin.

Thomas

1a 🖊 **Recopie et choisis un mot de la poubelle pour finir chaque phrase.**

Exemple: **a 3**

a Mettre vos déchets à la ...
b Ne pas gaspiller ...
c Respecter la ...
d Toujours éteindre les ...
e Recycler vos journaux et vos ...
f Triez vos ...

1 déchets
2 nature
3 canettes alu
4 l'eau
5 poubelle
6 lumières

1b 🖊 **Traduis les six phrases en anglais.**

Exemple: **a** *Put your rubbish in the bin.*

STRATÉGIES

When you first look at an unknown text which might be difficult to read, get all the help you can! Start by looking at the pictures, title and introduction and see if you can work out roughly what the text is going to be about.

2a Lis l'article, puis relie chaque photo au texte approprié.

2b Traduis le titre de l'article, page 124, en anglais. Il y a un mot inconnu? Peux-tu deviner?

3 À deux. Choisissez un paragraphe et relisez-le. A explique à B en anglais ce qu'il/elle a compris. (B↔A) Pour finir, comparez vos idées avec une autre paire.

4a Relis le paragraphe de Louisa et écris six mots que tu ne connais pas, mais qui ressemblent à des mots anglais.

Exemple: écologiques

4b Travaillez en groupe. Chacun choisit un paragraphe et fait une liste des mots qui sont faciles à deviner. Puis, comparez vos listes.

4c Recopie et remplis la grille.

Mot du texte	Mot de la même famille	Traduction
chauffer	chaud	to heat
le réchauffement climatique	chaud	
renouvelables		
agir	action	
terrestre		

4d Peux-tu deviner la traduction anglaise pour chaque mot souligné?

a La disparition des forêts m'inquiète beaucoup.
b Qu'est-ce qui provoque la pollution marine?
c On nous dit que l'énergie nucléaire peut remplacer les autres formes d'énergie.
d Mais les déchets resteront radioactifs pendant des milliers d'années.

5 Relis tous les textes, page 124, puis complète les phrases avec tes propres mots.

Exemple: **a** *global warming*
a *Saïd says he is worried about ...*
b *But he admits that he still likes to .... and ...*
c *He's not sure we can solve this problem with ...*
d *Louisa is worried that 80% ...*
e *She thinks if we don't act now, then ...*
f *Thomas thinks we don't do enough to protect ...*
g *There is over-fishing because people don't ...*
h *Although it is banned, people still ...*

6 Un défi! Peux-tu comprendre le sens général de ce texte qui vient du site web du groupe *Les Amis de la Terre*?

Notre climat change et la montée des océans, les bouleversements* des éco-systèmes et la multiplication d'évènements climatiques extrêmes vont affecter toute l'humanité. Il est urgent d'agir!

Les Amis de la Terre

* disruptions

À VOUS!

7 Do some research into ecology in France on the internet. Choose some interesting facts and write them out as a *vrai/faux* style quiz for a partner to try. You will need to add negatives or change the statistics of some of the information to make it false. Provide answers and correct versions of the statements which are false.

Exemple: Il n'y a pas de centrales nucléaires en France. (Faux)

8 Choose an aspect of the environment which interests you and make an information leaflet on it in French. Include both facts and your own opinions (remember to justify them).

4B Comment être écolo

G Le subjonctif **V** L'environnement; solutions **S** Écouter; obtenir les meilleures notes

Il faut conserver notre énergie et trouver d'autres méthodes pour la produire.

Saïd

Nous ne devrions plus gaspiller le papier. Cela coûte cher à nos forêts.

Louisa

On doit protéger la mer, les rivières et les lacs.

Thomas

La classe de monsieur Youssef a dressé une liste de petits gestes que tout le monde peut faire pour protéger l'environnement.

1 *Il faut fermer le robinet quand on se brosse les dents.*

2 *Il est important de baisser le chauffage central.*

3 **On doit éteindre les lumières.**

4 *On devrait aller à pied où à vélo quand on peut.*

5 *Il ne faut pas laisser de déchets sur la plage.*

6 *On doit acheter des produits écolo pour faire le ménage.*

7 *Il ne faut pas trop voyager en avion.*

8 *Il faut recycler ses journaux et ses magazines.*

9 Il est important de planter des arbres.

10 *On devrait se doucher au lieu de prendre un bain.*

Lucie

Moi, j'ai deux passions: le shopping et l'environnement! Je ne crois pas qu'il soit difficile de concilier les deux. D'abord, je n'achète pas trop, et puis j'achète toujours des produits équitables* quand je peux. Chez nous, il y a un petit magasin qui vend de super produits équitables – des bijoux, par exemple – et j'y vais souvent si je veux acheter un cadeau. Je choisis toujours des produits recyclés quand c'est possible, et j'achète aussi des produits bio*. Enfin, j'évite les produits avec trop d'emballages* et je n'utilise jamais les sacs en plastique. Il faut que tout le monde fasse un effort!

> * équitable – *fairtrade*
> bio – *organic*
> les emballages – *packaging*

---

1 📖 Lis la liste et classe les suggestions en trois groupes.

  A La conservation d'énergie
  B La protection des forêts
  C La conservation de l'eau

2 📖 Lis le texte de Lucie et écris une liste en anglais des choses qu'elle fait pour concilier sa passion pour le shopping avec son désir de protéger l'environnement.

Exemple: She doesn't buy too much.

3 À deux. Discutez de ce que vous faites pour protéger l'environnement et pourquoi.

Exemple: **A** Moi, je recycle les journaux et je ferme le robinet quand je me brosse les dents. Et toi?
B Je recycle aussi, mais je ne me douche pas parce que je n'aime pas ça. Je prends un bain. Et toi?

STRATÉGIES

These expressions are useful for saying what must be done or what ought to happen. Each one is followed by a verb in the infinitive.

Il faut …
On doit …
On devrait/nous devrions …
Il est important de …
On a besoin de …

4 Écris six choses qui sont importantes pour la protection de l'environnement à ton avis. Utilise les expressions de l'encadré Stratégies et justifie ton opinion.

Exemple: Moi, je pense qu'il est important d'aller à pied quand on peut parce que c'est plus écolo.

GRAMMAIRE

The subjunctive
Certain phrases in French are followed by a special form of the verb called the subjunctive. The subjunctive is used to express something that isn't real or is desired, e.g. 'If I **were**…' in English.

There are two examples in Lucie's text: *je ne crois pas que* and *il faut que.* They are followed by verbs which look different in the subjunctive – *soit* instead of *est* and *fasse* instead of *fait* – but many subjunctive forms look similar to the ordinary form.

Je ne crois pas qu'il **soit** difficile de concilier les deux.

Il faut que tout le monde **fasse** un effort!

5a Recopie et souligne les verbes au subjonctif.
Exemple: prenne

a Il faut que je prenne une douche au lieu d'un bain.
b Je ne pense pas que les emballages soient nécessaires.
c Il faut que tout le monde soit végétarien!
d Je ne crois pas qu'on fasse assez de choses pour sauver la planète.

5b Traduis les phrases en anglais. Choisis des phrases de la case pour aider.

Exemple: **a** *Everyone should take a shower, not a bath.*

everyone should…   I don't think that…   I should…

STRATÉGIES

Listening skills
Always listen to a text once through and try to understand the gist of it before tackling the questions. It will be easier to guess unknown words if you know roughly what the passage is about. Also, look at the number of marks given for each question and be sure you write enough detail to get them all.

6a Écoute les cinq élèves. Recopie et remplis la grille.

	Es-tu un(e) bon(ne) écolo? (oui/non)	Nombre d'exemples donnés
1 Saïd	non	3
2 Louisa		
3 Thomas		
4 Audrey		
5 Ameen		

6b Réponds aux questions en anglais.
a *Name two reasons why Saïd is not very green.* (2)
b *What does Louisa do to help the environment?* (2)
c *What is Thomas' contribution?* (3)
d *What does Audrey do which is not very green?* (2)
e *What does Ameen do that is positive?* (3)

À VOUS!

7 Take it in turns to convince the class (or group) that you are environmentally aware by telling them what you do to be green and what your opinions on environmental issues are. Everyone has 90 seconds to speak, then you should vote to decide who wins.

8 Write two diary extracts – one by someone who is very environmentally aware and one by someone who doesn't care about such things. Write about 100 words each.

G Conjonctions **V** L'écotourisme **S** Éviter les traductions mot à mot

Les vacances: qu'est-ce qui est bon pour l'environnement?

a partir en avion ☐

b partir à vélo ☐

c loger dans un gîte ☐

d loger dans un hôtel de luxe ☐

e faire du camping ☐

f faire des randonnées ☐

g faire du shopping ☐

h aller dans une grande ville ☐

i jouer à la plage ☐

j aller au parc d'attractions ☐

1 Tu veux prendre des vacances vertes. Choisis les cinq meilleures activités.

Exemple: **b**

Monsieur Youssef va partir une semaine avec sa classe faire un voyage d'étude.
Il a demandé à ses élèves de faire des recherches sur l'écotourisme. Voici quelques documents présentés par Saïd et Lucie.

A L'écotourisme, c'est quoi?

C'est une forme de voyage responsable qui contribue à la protection de l'environnement.

Vous voulez passer de bonnes vacances, mais sans détruire notre monde? Vous adorez visiter la campagne et les forêts, mais vous désirez que la nature reste naturelle? Vous êtes un voyageur responsable, donc vous faites de l'écotourisme.

B Amusez-vous bien en Cévennes.

- faites une randonnée dans nos montagnes spectaculaires. Vous trouverez un vrai sentiment de liberté.
- faites du VTT dans un esprit de découverte dans notre belle région.
- faites des randonnées en compagnie des ânes* qui portent les bagages et deviennent vite copains. Ânes sellés* pour enfants de moins de 12 ans.

* ânes – *donkeys*
sellés – *saddled*

C Logement à la ferme

Sur la ferme de Ribevenes:

- camping à la ferme (6 emplacements) au bord d'une petite rivière, dans la nature, au calme.
- une salle commune avec bibliothèque.
- petit troupeau de brebis*, légumes, petits fruits (fraises, framboises), oies, poules, chien, chats.

* brebis – *sheep*

2 Choisis la bonne photo pour chaque texte.

3 📖 Relis les textes A–C, page 128. Comment dit-on en français...?

Exemple: **a** voyage responsable

a *responsible travel*
b *to destroy*
c *farm accommodation*
d *in a spirit of discovery*
e *by a little river*

Lucie

Voy... peut provoquer un tas de pro... pour l'environnement, mais l'écotourisme est beaucoup plus res...

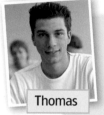
Thomas

Je crois que l'écotourisme encourage les gens à mieux apprécier la nat... Si on fait du cam... au lieu de loger dans un hô... de luxe, on montre plus de res... envers la campagne.

Louisa

Pour les vac... comme pour tellement d'autres choses, il faut que nous changions nos hab... Ça veut dire ne pas laisser ses dé... dans la nature, res... les animaux qu'on rencontre à la campagne et être sen... à son nouvel environnement.

Saïd

C'est plutôt des ran... en montagne qu'une visite dans un parc d'attractions. Il faut penser à l'en... à tout moment – pour son voy... son log... les activités qu'on choisit de fa... les sou... qu'on achète. Tout cela est important.

4a 👥📖 Lis les opinions de quatre membres de la classe. À deux. Pouvez-vous deviner les mots qui manquent?

4b 🎧 Écoute (1–4) pour vérifier.

4c ✏️ Résume l'opinion de chaque personne en anglais.

Exemple: Lucie thinks ecotourism is more responsible.

STRATÉGIES

You can't always translate a phrase word for word from English into French. You have to know the French expression which conveys the same meaning.

5 📖 Choisis la bonne traduction pour chaque phrase.

1 Vous allez faire du camping?
   a) *Are you going to the camping?*
   b) *Are you going camping?*

2 Oui, pour visiter la campagne sans la détruire.
   a) *Yes, to visit the country without destroying it.*
   b) *Yes, to visit the country without to destroy it.*

3 Moi, je préfère les vacances dans la nature.
   a) *I prefer holidays in the nature.*
   b) *I prefer holidays in a natural environment.*

À VOUS!

6 ✏️ Design an advert for *des vacances verte*s, perhaps on a farm, in the countryside or in the mountains. Use expressions from the page to help you.

7 👥 Work in pairs and discuss a holiday you plan to take after the exams. You have very different ideas and must each try to persuade the other that your plan is better! Try to use as many conjunctions as possible to make your sentences longer and more detailed.

A wants a luxury holiday – flight to somewhere hot, expensive hotel, evenings in restaurants or nightclubs.

B prefers an eco-holiday – 'green' travel, campsite or gite accommodation, sports or country activities

Exemple:

A Alors, si on partait en Thaïlande?

B Ah non, c'est très loin. Le voyage sera cher et durera longtemps et, tu sais, ce n'est pas bon pour l'environnement de faire un si long voyage en avion. Donc, je préférerais emporter nos vélos dans le train et aller peut-être en Bretagne ou en Normandie.

A Mais c'est fatigant, ton idée, et en plus ... Pourquoi pas ...?

G Depuis + imparfait   **V** La vie dans un autre pays   **S** Faux amis; regrouper les mots

La classe de Monsieur Youssef va faire un projet sur le Sénégal. Voici des textes qu'ils ont trouvés:

A

Le Sénégal: quelques chiffres

Ancienne colonie française, devenue indépendante en 1960

7 langues officielles, y compris le français, le wolof et le peul

Population: 11 millions

Capitale: Dakar

Religion: musulmane (90%), chrétienne (5%)

Espérance de vie: 56 ans (femmes), 54 ans (hommes)

Population de moins de 15 ans: 43,1%

Analphabétisme: 51,8% (hommes), 71,4% (femmes)

Scolarisation des 12-17 ans: 30%

> * analphabétisme – *illiteracy*
> scolarisation – *school attendance*

B

À la croisée des écoles Yonne-Sénégal

Notre but: donner aux enfants sénégalais la possibilité d'aller à l'école. Notre priorité, ce sont les enfants qui vivent en brousse*.

Nos deux activités principales sont l'aménagement des salles de classe et l'apport de fournitures* scolaires. Par exemple, pour la rentrée des classes cette année, l'association a offert à chaque élève d'une école située en brousse:

1 cahier

1 cahier de coloriage* pour les petits

1 ardoise*

1 crayon de papier

1 pochette de crayons de couleurs

1 stylo à bille bleu ou noir

> * en brousse – *in the bush*
> fourniture – *equipment*
> coloriage – *colouring-in*
> ardoise – *slate*

C

Une étude a montré que sur 6060 écoles élémentaires au Sénégal, 3080 (ou 59%) n'ont pas d'eau. Environ 2850 manquent de blocs sanitaires et 36% ne sont pas clôturées.* Les élèves sénégalais travaillent donc dans des conditions difficiles et un assez grand nombre doivent redoubler* ou choisissent d'abandonner leurs études.

> * clôturé – *fenced off*
> redoubler – *repeat the year*

D

48 millions d'enfants de moins de 14 ans, soit* un tiers* de la population de leur âge, "travaillent" en Afrique sub-saharienne. Et le Sénégal n'est pas une exception. Le scénario classique: un(e) marchand(e) d'esclaves* va voir une famille dans un village pauvre et promet toutes sortes d'avantages aux parents de l'enfant. Les parents lui confient leur enfant en échange de quelques billets. Ils ne le reverront jamais.

Que font ces enfants? On les voit dans les rues, vendant des beignets ou de l'eau fraîche. Quelques-uns mendient* au coin de la rue, ou sont condamnés à servir de guide à un mendiant adulte aveugle. Ce qui est sûr, c'est qu'ils ne vont plus à l'école.

> * ils mendient – *they beg*
> soit – *i.e.*
> un tiers – *a third*
> marchand d'esclaves – *slave trader*

1 📖 ✏️ **Lis le texte A, page 130, puis recopie et complète les phrases.**

Exemple: **a** *a French colony*

a *The main language spoken in Senegal is French because it used to be ...*
b *But there are seven different ...*
c *Nine out of ten people in Senegal are ...*
d *Life expectancy in Senegal is ...*
e *Over half the men and nearly three quarters of the women can't ...*
f *Only about one in three teenagers ...*

2 📖 ✏️ **Survole* les textes B–D et écris une phrase en anglais pour résumer chacun.**

> * scan

3 📖 **Relis le texte B et choisis les bons mots pour compléter les phrases.**

1 Cette association veut aider les
   a) parents   **b)** familles   **c)** élèves au Sénégal
2 On veut surtout aider les enfants dans les
   a) régions rurales   **b)** grandes villes   **c)** villages
3 On s'occupe des
   a) salaires des profs   **b)** bâtiments scolaires
   c) uniformes scolaires
4 On envoie   **a)** des vêtements
   b) du matériel scolaire   **c)** des professeurs

4 ✏️ **Relis le texte C et note trois choses en anglais que beaucoup d'écoles au Sénégal n'ont pas.**

5 📖 **Lis texte D et décide si les phrases sont vraies (V), fausses (F) ou pas mentionnées (?).**

Exemple: **a** F

a *Children under the age of 14 are not allowed to work in Sénégal.*
b *Some parents sell their children.*
c *The government tries to monitor those who try to buy and sell children.*
d *Most children who are sold never see their parents again.*
e *Most beggars are children who have been bought and sold.*
f *They go to school when they are not begging.*

GRAMMAIRE

***Depuis* + imperfect**

Use *depuis* + the imperfect tense to say how long something **had been** happening.

L'enfant mendiait depuis l'âge de dix ans. *The child **had been** begging since the age of 10.*

See page 23 for how to use *depuis* + present tense to say how long something **has been** happening.

6 📖 🗣️ **Lis les questions préparées par Monsieur Youssef. Puis écoute ses élèves qui en discutent (1–6). Qui répond à chaque question?**

Exemple: **a** 3

a Peut-on dire que la population sénégalaise a un bon niveau d'éducation?
b Croyez-vous que la population soit en bonne santé?
c Quels problèmes existent dans les écoles au Sénégal?
d Quel rôle joue l'association «À la croisée des Écoles Yonne-Sénégal»?
e Qu'est-ce qui montre que les élèves ont des difficultés à l'école?
f Que savez-vous sur le travail des enfants au Sénégal?

À VOUS!

7 👥 **Work in pairs. One person asks the questions from activity 6 and the other replies. To prepare, re-read texts A–D, page 130, and re-listen to activity 6. Try to include one or two extra questions.**

8 ✏️ **Write about 150 words comparing your life with the life of someone about your age in Senegal. Use these phrases as a starting point:**

Au Sénégal, la vie est plus ...   Par exemple ...
On a moins de ... là-bas   J'imagine que ...
Les ados au Sénégal ...   mais nous, par contre, ...

G L'environnement   **V** Maximiser tes notes à l'examen   **S** Interrogatifs

Il ne manque pas d'initiatives écolo au Sénégal. Notre reporter, Bernard Goba, nous a envoyé trois reportages très différents, mais qui ont tous pour thème l'importance de protéger la planète.

A

Sénégal: produire local et consommer local

Acheter des produits locaux, c'est bon pour l'environnement et ça encourage l'agriculture locale. Voilà pourquoi on a installé des kiosques pour vendre du riz partout dans la Vallée du Fleuve, au nord du Sénégal. Ce sont surtout les femmes de la région qui ont organisé cette initiative. Elles veulent créer des emplois, surtout pour les jeunes. "Vous voyez", explique Madame Badiane, "il y a chez nous des jeunes qui ont perdu l'espoir*. Nous, on leur offre une autre possibilité. On va travailler ensemble et créer notre propre entreprise."

* lost hope

B

Portable et environnement: Le Sénégal donne l'exemple

On lance une campagne de récupération des vieux portables au Sénégal. Pourquoi? Pour protéger l'environnement. Un opérateur de téléphonie mobile pour la région de l'Afrique de l'Ouest organise cette initiative. Cette campagne aura deux phases. La première consiste à "convaincre les populations de ne pas jeter leurs vieux portables dans la nature" et la deuxième à "indiquer les centres de recyclage". Il y en aura dans toutes les régions du Sénégal.

C

De l'eau pour la population rurale.

L'objectif d'un nouveau projet au nord-ouest du Sénégal est d'améliorer* la santé et la qualité de vie des populations rurales. Comment? En leur donnant un meilleur accès à l'eau potable. Et cela en utilisant les énergies renouvelables. 10 villages des régions de St Louis et de Louga seront équipés d'une pompe à eau éolienne* ou solaire, selon le choix du village. Il faut que l'eau soit destinée à l'usage de toute la communauté. Les habitants des villages vont contribuer financièrement au projet.

* améliorer – *to improve*
   éolienne – *wind-power*

1a Relie les photos aux textes.

1b Lis les trois titres, puis travaille avec un partenaire pour deviner le sujet de chacun. Écris des idées en anglais.

Exemple: Text A might be about producing food locally.

Use vocabulary clues for matching questions. In activity 2, the verbs *boire* and *faire la lessive* link with the idea of *eau potable* (drinking water) in the text. Try using this approach with other words you don't understand.

2 Choisis la citation appropriée pour chaque texte, page 132.

1 Maintenant on peut boire, faire la lessive et faire la cuisine beaucoup plus facilement.

2 J'espère travailler comme producteur ou vendeur et donc gagner de l'argent.

3 J'allais jeter mon portable, mais c'est mieux de le recycler.

3 Relis le texte A et réponds aux questions en anglais.

  a *Give two reasons why the women have decided to grow and sell rice locally.*
  b *Name two things they hope to achieve through this project.*

4 Relis le texte B, puis décide si les phrases sont vraies (**V**) ou fausses (**F**).

  a Cette campagne est nouvelle.
  b C'est l'idée du gouvernement.
  c Il s'agit de protéger l'environnement.

In listening exercises, be especially careful to answer the question precisely, rather than just noting down what you hear. Which question words are used in the questions? Are you asked to give more than one detail?

5a Lis les questions. Recopie les mots en gras et traduis-les en anglais.

Exemple: **quelle date** – *what date*

  a On parle de **quelle date**?
  b **Comment** décrit-on cette région?
  c **Qu'est-ce qu'**on a fait ce jour-là?
  d Il s'agit de **combien** d'arbres?
  e Pour **quels produits** le jatropha est-il utile?

5b Relis les questions. Pour quelle question y a-t-il plus d'un renseignement à noter? Pourquoi?

5c Écoute le reportage sur la journée de l'arbre à Diourbel au Sénégal et réponds aux questions de l'activité 5a.

À VOUS!

6 Prepare a PowerPoint® presentation on an aspect of life in a French-speaking country or area. Research some facts and statistics on the internet and choose some pictures to illustrate your presentation. Include your opinion on what it would be like to live there. Deliver your presentation in front of the class.

Possible countries: la Martinique, le Cameroun, la Côte d'Ivoire, le Canada, l'Algérie, le Tchad, le Luxembourg, Monaco, le Bénin, le Togo, l'Île Maurice

Possible topics: la musique, le sport, la cuisine, la francophonie, la peinture, les personnes célèbres

7 Write a report in French on your research, explaining why you chose the topic and giving facts and examples, and adding illustrations such as photos, drawings or maps. Try to write around 300 words.

CONJUNCTIONS

Remember to use conjunctions to add variety to your sentences.

1a Unjumble the letters to form conjunctions, then match them to the translations in the box.

Exemple: **a** mais – *but*

a s a m i

b c n o d

c s p i u

d a r c

e m m o e c

because   so   as   but   then

2 Fill the gaps with a conjunction from the box below.

Exemple: **a** mais

a Prendre l'avion c'est rapide, ... ça coûte cher à l'environnement.

b Les visiteurs contribuent à l'économie d'une région, ... on veut les encourager.

c Les touristes laissent leurs déchets partout ... ils salissent nos plages.

d ..., il y en a quelques-uns qui sont plus responsables.

e Un hôtel? Non merci, je préfère un camping ... un gîte rural.

f On peut visiter une région ... la détruire.

et   ou   donc   mais   cependant   sans

3 Match the two parts of each sentence.

Exemple: **1c**

1 La plage est belle, mais ...
2 Il faut protéger les pandas parce qu'ils ...
3 On peut voyager en bus ou ...
4 C'est une région où ...
5 J'aime voyager en avion, cependant ...
6 J'essaie d'aller partout à pied, parce que ...

a on peut se détendre.
b c'est mieux pour l'environnement.
c l'eau est polluée.
d sont rares.
e je ne le fais pas souvent.
f à vélo.

4 Copy each sentence beginning and complete it in your own words.

a Je voudrais être écolo, cependant ...
b Je devrais prendre les transports en commun au lieu de ...
c Je devrais acheter plus de produits équitables, mais ...
d Je pourrais manger bio et ...
e Je sais qu'il faudrait aller à pied ou ...
f Mais je suis paresseux/paresseuse et donc ...

DEPUIS

Remember that *depuis* is used with the present tense to translate the idea of how long you **have been** doing something:

*J'**apprends** le français **depuis** cinq ans.* I **have been** learning French **for** five years.

So, it's logical to use *depuis* plus the imperfect tense to say how long you **had been** doing something:

*L'eau **manquait depuis** des années dans cette région avant la construction du puits.* Water **had been lacking for** years in this area before the well was built.

5a Which of these sentences describe how long something had been going on? For each sentence, explain why.

a L'école se trouvait dans la brousse au milieu du Sénégal.

b Les 230 enfants travaillaient depuis tôt le matin.

c Comme souvent au Sénégal, il n'y avait pas de robinet dans l'école.

d Les écoliers avaient soif depuis longtemps.

e Un petit groupe est allé au puits, chercher de l'eau.

f Les autres attendaient avec patience.

g Le prof aussi avait envie de boire depuis au moins une heure.

h Les écoliers sont enfin revenus et ont distribué l'eau à tout le monde.

5b Which of these sentences will need *depuis* + the present tense? And which will need *depuis* + the imperfect? Write P (present) or I (imperfect).

Exemple: **a** P

a I have been recycling for months.

b He had been waiting for the bus for twenty minutes.

c We had been going to the gym for months.

d We have been watching the series since January.

e They had been watching the film for 20 minutes.

5c Now translate the sentences into French.

THE SUBJUNCTIVE

After certain phrases in French you have to use the subjunctive.

These include phrases expressing emotion, such as: *préférer que, regretter que, avoir peur que, être content que.*

The subjunctive is also needed after *il faut que* and after expressions of doubt such as *je ne crois pas que, je doute que* and *je ne suis pas sûr que.*

Exemples:

Il faut qu'on soit à l'heure. We have to be on time.

Je regrette qu'il ne fasse pas beau aujourd'hui. I'm sorry the weather isn't nice today.

Je ne crois pas que ce soit une bonne idée. I don't think that's a good idea.

6a Copy out each sentence, underlining the phrase which needs the subjunctive and circling the verb which is in the subjunctive.

Exemple: **a** Je préfère que tout(soit)recyclé.

a Je préfère que tout soit recyclé.

b Oui, il faut qu'on emporte tout au centre de recyclage.

c Je regrette qu'on continue comme ça!

d Je ne crois pas qu'on fasse assez d'efforts pour l'environnement.

e Nous, on a peur qu'on ne respecte pas les limites concernant la surpêche.

f Je suis content que tant de gens écrivent au ministre.

g Je ne suis pas sûr qu'on sauvegarde la biodiversité.

6b Translate the sentences into English.

FORMATION OF THE SUBJUNCTIVE

To form the subjunctive of regular verbs, take the 3rd person plural form of the present tense, remove the *−ent* and add the endings *−e, −es, −e, −ions, −iez, −ent.*

Exemples:

aimer → *aiment* → *j'aime*

écrire → *écrivent* → *nous écrivions*

lire → *lisent* → *il lise*

Some common verbs have irregular subjunctive forms. Learn the *je* form and you can usually add the same endings as above, but check in a verb table for a few which vary.

Exemples:

être → *je sois*	*avoir* → *j'aie*
aller → *j'aille*	*faire* → *je fasse*
pouvoir → *je puisse*	

7a Each of these sentences needs the subjunctive. Copy them out and choose the correct form of the verb.

Exemple: **a** ce soit

a Je ne crois pas que (c'est/ce soit) dangereux.

b Il a peur qu'on ne (prenne/prend) pas l'environnement au sérieux.

c Il faut qu'on (fasse/fait) un effort.

d Il préfère qu'on (écrit/écrive) tout de suite.

e Je regrette que l'enfant ne (comprends/comprenne) pas.

f Il faut que nous (allons/allions) tout de suite à la déchetterie.

7b Explain to a partner why the subjunctive is needed in each of these sentences above.

Exemple: **a** − after *je ne crois pas que*

4B Stratégies

In this unit, you've learnt how to...

Lecture

1 Decode new words, by linking them to English words or to other French words you know, or by guessing from the context.

❏ Say what English word each underlined word reminds you of.

a *Nous, on va <u>installer</u> des <u>panneaux</u> solaires.*
b *Et moi, j'achète des produits <u>équitables</u>.*
c *Comment <u>protéger</u> nos <u>forêts</u>?*

❏ Write a French word which is from the same family as the underlined word.

a *Tu es <u>écolo</u>?*
b *J'ai <u>planté</u> quelques arbres.*
c *Dans la campagne, j'ai un sentiment de <u>liberté</u>.*

❏ Guess what the underlined word might mean in this context.

a *Je ferme toujours <u>le robinet</u> quand je me brosse les dents.*
b *Comme ça, je ne <u>gaspille</u> pas d'eau.*
c *Passez vos vacances en <u>pleine nature</u>.*
d *Nous devrons faire tout ce qui est possible pour <u>sauvegarder</u> la nature.*
e *Nos actions <u>provoquent</u> des conséquences catastrophiques.*
f *Par exemple, <u>la montée</u> des océans <u>menace</u> beaucoup de pays.*

2 Watch out for *faux amis*.

❏ Copy and complete the sentences.

a *Une réunion* is a ... not a reunion.
b *Une annonce* is an ... not an announcement.
c *Blessé* means ... not blessed.
d *Large* means ... not large.
e *Sympa* means ... not sympathetic.
f *Rester* means to ... not to rest.
g *Une batterie* is a ... as well as a battery.
h *Une pile* is a ... as well as a pile.

3 Avoid word-for-word translations.

❏ Remind a partner how to say 'I'm going camping' in French, and how it differs from the English version. Then work together to translate these phrases into French.

to ski – to play football – to play the piano – to go sailing.

4 Get the maximum marks in reading exercises.

❏ Remind a partner why it's important to look at the number of marks allocated per question in a reading exercise.

❏ Remember too that grammar can help you. Match these sentence halves, even though you haven't seen the text to which they refer!

1 *L'écotourisme encourage les gens à ...*
2 *Voyager loin ...*
3 *En plus, les touristes ...*
4 *Donc, il ...*

a *faut changer nos habitudes*
b *laissent leurs déchets partout*
c *apprécier la nature*
d *peut provoquer des problèmes pour l'environnement.*

À l'écoute

1 Get the maximum marks for a listening exercise.

❏ Write out the English for each of these question words.

a *Comment?*
b *Pourquoi?*
c *À quelle heure?*
d *Quand?*
e *Combien de...?*
f *Où?*
g *Qui?*
h *Qu'est-ce que...?*

2 Listen to the extract, then explain what example each person gives to explain whether they are an ecotourist.

1 *Amélie ...*
2 *Laurent ...*
3 *Simon et Florian ...*
4 *Adèle ...*
5 *Tahar ...*

À l'oral

Tu es un bon citoyen/une bonne citoyenne du monde?

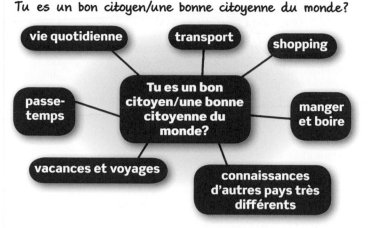

- vie quotidienne
- transport
- shopping
- passe-temps
- **Tu es un bon citoyen/une bonne citoyenne du monde?**
- manger et boire
- vacances et voyages
- connaissances d'autres pays très différents

You are going to give a talk about whether you think you are a good global citizen for this year's Mr/Ms Green World competition.

1   Plan what you could say for each of the ideas on the spider diagram above and jot down key words – not full sentences!

2   Give your presentation. Use your notes to help you explain and justify your attitude on each point, giving examples. Then sum up and say how good a global citizen you are. Try to speak for two minutes.

3   Work in groups of 5–6. Listen to everyone's presentations, and then decide on a mark out of ten for each one. Who is the best global citizen and winner of this year's Mr/Ms Green World competition?

À l'écrit

Écris un dépliant publicitaire pour des vacances style écotourisme.

You are going to write a publicity leaflet advertising an ecotourism holiday in a French-speaking country.

1   Choose what kind of holiday to write about.

2   Do some research about ecotourism projects of this type on the internet and at your local travel agent's so that you will be able to make your leaflet as realistic as possible.

3   Write the text for your leaflet (around 300 words). Remember to mention:

- the location and surroundings
- the accommodation offered
- meals
- the activities on offer
- the advantages of this kind of holiday.

Comment exprimer tes soucis pour notre planète

la canette alu *nf*	aluminium can
la chasse aux baleines *nf*	whale-hunting
la crise *nf*	crisis
les déchets *nm pl*	rubbish
la disparition *nf*	disappearance
la lumière *nf*	light
la poubelle *nf*	dustbin
le réchauffement climatique *nm*	global warming
la surpêche *nf*	overfishing
agir *v*	to act
chauffer *v*	to heat
disparaître *v*	to disappear
éteindre *v*	to put out
gaspiller *v*	to waste
protéger *v*	to protect
provoquer *v*	to cause
recycler *v*	to recycle
respecter *v*	to respect
sauvegarder *v*	to save
trier *v*	to sort (out)
renouvelable *adj*	renewable

Comment être écolo

les emballages *nm pl*	packaging
le jardinage *nm*	gardening
les petits gestes *nm pl*	small actions
baisser le chauffage	to turn the heating down
faire un effort	to make an effort
fermer le robinet	to turn off the tap
mettre un pull	to put on a jumper
produire *v*	to produce
sauver *v*	to save
utiliser *v*	to use
bio *adj*	organic
équitable *adj*	fair-trade
recyclé(e) *adj*	recycled
végétarien/végétarienne *adj*	vegetarian
au lieu de	instead of

Comment faire de l'écotourisme

les bagages *nm pl*	luggage
la découverte *nf*	discovery
l'écotourisme *nm*	ecotourism
le gîte *nm*	country holiday home/gite
la liberté *nf*	freedom
la randonnée *nf*	walk
le sentiment de liberté *nm*	feeling of freedom
le voyage d'étude *nm*	study trip
apprécier *v*	to appreciate

détruire *v*	to destroy
loger *v*	to stay (in a hotel, etc.)
provoquer *v*	to cause
responsable *adj*	responsible
sensible *adj*	sensitive

Comment parler de la vie dans un autre pays

l'eau fraîche *nf*	fresh water
l'esclave *nm/nf*	slave
les fournitures scolaires *nf pl*	school equipment
la langue officielle *nf*	official language
la santé *nf*	health
confier *v*	to entrust
manquer *v*	to lack
mendier *v*	to beg
redoubler *v*	to retake (the school year)
savoir (lire) *v*	to know (how to read)
ancien/ancienne *adj*	former
aveugle *adj*	blind
chrétien/chrétienne *adj*	Christian
musulman(e) *adj*	muslim
pauvre *adj*	poor
sénégalais(e) *adj*	senegalese

Comment étudier le monde francophone

la communauté *nf*	community
l'eau potable *nf*	drinking water
l'espoir *nm*	hope
l'initiative *nf*	initiative
les produits locaux *nm pl*	local products
le puits *nm*	well
convaincre *v*	to convince
créer une entreprise/des emplois	to set up a business/ create jobs
encourager *v*	to encourage
financer *v*	to finance
installer *v*	to install
travailler ensemble *v*	to work together
francophone *adj*	French-speaking
meilleur(e) *adj*	better
accès à	access to

Sais-tu comment...

- ❏ parler de tes matières préférées?
- ❏ parler de ton école?
- ❏ décrire ta journée à l'école?
- ❏ faire fortune quand tu es à l'école?
- ❏ combiner l'école et le boulot?

Lycée Jules Verne

Peux-tu faire le plan de ton lycée idéal?

Scénario

- **Petit boulot ou pas?**
- **Crée le lycée de l'an 2020**

Stratégies

À l'écoute

When listening, how do you...
- predict what you are going to hear?
- make sensible guesses?
- remember sound–spelling rules?
- extract the necessary information?

À l'oral

When speaking French, how do you:
- guess what you will be asked?
- re–use words from the question in your answer?
- turn statements into questions?
- give detailed answers?

Grammaire active

As part of your French 'toolkit', can you...
- use the passive voice?
- remember the differences between tenses?
- use the perfect and imperfect tenses?
- use the simple future and future tenses?

V Les matières **G** Adjectifs **S** Deviner les réponses

A

Thomas Lemaire

Salut! Je m'appelle **[1]**. Je vais au lycée Victor Hugo à **[2]**. Ma matière préférée c'est **[3]** car je suis très fort en sport. J'en fais deux heures par semaine. Mon sport préféré est le **[4]**. J'aime aussi le **[5]**, l'histoire-géo et la **[6]**. Je n'aime ni les **[7]** ni l'anglais car je les trouve inutiles. Je suis relativement faible en **[8]**. Je trouve que c'est **[9]** et le prof n'est pas **[10]**.

B Thomas Lemaire, Lycée Victor Hugo, Rennes. Classe de seconde

	LUNDI	MARDI	MERCREDI	JEUDI	VENDREDI	SAMEDI
8.30–9.30	histoire-géo	physique-chimie	physique-chimie	informatique	anglais	français
9.30–10.30	anglais	maths	maths	ECJS (éducation civique, juridique et sociale)	physique-chimie	anglais
10.30–11.00	RÉCRÉATION					
11.00–12.00	sciences économiques et sociales	atelier artistique	français	atelier artistique	maths	histoire-géo
12.00–14.00	DÉJEUNER					
14.00–15.00	français	histoire-géo		maths	français	
15.00–16.00	SVT (sciences de la vie et de la terre)	sciences économiques et sociales		EPS (éducation physique, et sportive)	espagnol	
16.00–17.00	permanence	permanence		EPS	Création-design	

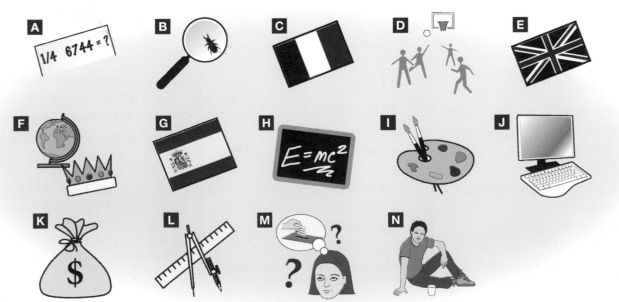

A 1/4 6744 = ?

B

C

D

E

F

G

H E=mc²

I

J

K $

L

M ?

N

1a 📖 Regarde l'emploi du temps de Thomas, page 140. Note les 14 matières illustrées.

Exemple: **a** maths

1b 📖 Lis l'emploi du temps et trouve l'équivalent en français.

a free period **c** ICT
b PSHE **d** life sciences

2 ✏️ Compare le texte B, page 140 avec ton propre emploi du temps. Note les matières que tu as en commun avec Thomas, et les matières différentes.

Exemple: J'ai maths. Thomas aussi a maths, etc. Thomas fait de l'espagnol. Moi, je n'en fais pas.

STRATÉGIES

A key listening skill is prediction – guessing from context and your own experience what someone is likely to say. Use the information on the page opposite and your own predictions to help you.

3a 📖 Lis le texte A, page 140. Remplace [1]–[10] par le bon mot. Écoute pour vérifier.

Exemple: [1] Thomas

---

français sympa Thomas rugby création-design
difficile Rennes les maths sciences l'EPS

3b 📖✏️ Fais une liste des adjectifs que Thomas emploie pour décrire ses matières. Attention aux terminaisons! Ajoute trois adjectifs positifs et trois adjectifs négatifs. Cherche-les dans le dictionnaire si nécessaire.

Exemple: préférée – *favorite*

4 🎧 Écoute. Thomas fait un sondage pour découvrir les matières les plus populaires (1-4). Copie et complète la grille.

Ami(e)s	Aime	N'aime pas	Pourquoi
Aurélie			
			très utile
		ni les langues ni les maths	
Kim			forte en langues, mais...

5 ✏️ Fais une liste des matières que tu étudies. Note si tu aimes la matière ou pas et donne une raison.

Exemple: J'aime bien l'atelier artistique, surtout faire des portraits. Je crois que c'est ma matière préférée, parce que...

6 👥 À deux. Parlez de vos matières. Prenez des notes et comparez vos opinions.

Exemple: **A** Je déteste l'histoire-géo parce que j'ai toujours de mauvaises notes.
B J'aime l'histoire-géo, car je trouve le travail facile.

7 🎧 Écoute le reportage sur les différents aspects de la vie au lycée. Note ce que les lycéens n'aiment pas.

À vous!

8 🧭 Post a message of about 150 words on a French forum explaining the differences between a French school day and your school day. Consult the timetable on page 140 for ideas. Say which system you prefer and why.

Exemple: En France, on doit venir au lycée le samedi matin. Moi, je ne dois pas venir au lycée le samedi matin. Je préfère avoir un week-end de deux jours.

9 👥 Conduct a survey in French on your classmates' views of the subjects they study and their opinions on the school day. In each case ask for reasons, positive or negative. Note down your conclusions.

Exemple:
- La matière la plus populaire, c'est ... parce que ...
- Les matières les moins populaires sont ... parce que ...
- Ils travaillent en moyenne ... heures par jour.
- Les lycéens trouvent la journée scolaire trop longue/courte, etc.

V Mon lycée   **P** Les verbes au pluriel   **G** Les structures comparatives
S Répondre aux questions avec les mêmes mots

Je m'appelle Matthew. Je suis en Year 11 (en seconde) à Malvern High School. J'étudie neuf matières et en général je les aime bien. Cependant j'ai toujours trouvé les maths plus difficiles que les autres matières et mes devoirs de maths me prennent beaucoup de temps.

Malvern est un lycée moderne avec mille cinq cents élèves âgés de 11 à 18 ans. Il est plus moderne que mon ancienne école et j'aime bien travailler dans des bâtiments modernes. Il y a beaucoup de salles de classe bien sûr, un grand hall, un CDI (centre de documentation et d'information), une cantine, des laboratoires, un gymnase et une piscine.

Les cours commencent à neuf heures moins le quart. Nous avons deux heures de cours, une récré et puis encore deux heures de cours. Tous les cours durent une heure et je trouve ça trop long. Le déjeuner est à une heure et demie et on mange à la cantine. Le prix des repas a augmenté et je trouve ça injuste parce qu'on n'a pas le droit de sortir du lycée pour manger ailleurs.

Le dernier cours commence à deux heures trente et finit à trois heures trente. Après ça il y a beaucoup de clubs pour les élèves. Si on aime le sport, il y a des clubs de foot, tennis, rugby, etc. Moi, j'aime aller au club de foot parce que le foot est ma passion: j'ai toujours trouvé ça moins difficile que les autres sports. Pour les élèves qui aiment la musique, il y a un orchestre, une chorale et un club de jazz.

Les systèmes scolaires		
En France	**Âge**	**En Grande-Bretagne**
Collège		
la sixième	11–12	an / year 7
la cinquième	12–13	an / year 8
la quatrième	13–14	an / year 9
la troisième	14–15	an / year 10
Lycée		
la seconde	15–16	an / year 11
la première	16–17	an / year 12
la terminale	17–18	an / year 13

GRAMMAIRE

Comparisons
Remember that you make comparisons in French by adding *plus* or *moins* before the adjective and using *que* to mean than:

L'anglais est <u>plus</u> facile <u>que</u> l'histoire-géo.
English is easier than history/geography.
See page 109.

1 Trouve toutes les comparaisons dans le texte de Matthew. Ensuite, essaie de trouver d'autres comparaisons dans ta vie scolaire.

Exemple: les maths – plus difficiles que les autres matières

STRATÉGIES

Always read the questions before you listen, and make predictions based on these about what you expect to hear.

When listening, check what you hear against your predictions.

After listening, check your answers against the questions. Do they make sense?

STRATÉGIES

When answering questions, remember you can often reuse the verb in the same form it appears in the question.

Q: *La pause **est** à quelle heure?* **A:** *La pause est à …*
In fact, to avoid repeating *La pause*, you can replace it with a pronoun: ***Elle** est à …*

Remember that the *tu* form in a question becomes the *je* form in the answer.

2a Lis les questions et les réponses possibles. Essaie de deviner ce que Sophie va dire – a), b) ou c).

1 *Sophie is:*
   a *14*   **b** *16*   **c** *17 years old.*

2 *She is studying:*
   a *9*   **b** *10*   **c** *16 subjects.*

3 *Lessons begin at:*
   a *8.00 am*   **b** *8.30 am*   **c** *9.00 am.*

4 *For lunch she usually eats:*
   a *meat and salad*   **b** *soup and a roll*
   c *a sandwich.*

5 *Lessons finish at:*
   a *5 pm*   **b** *3.15 pm*   **c** *4.30 pm.*

6 *There are:*
   a *700*   **b** *800*   **c** *900 students in her school.*

7 *The buildings are:*
   a *modern*   **b** *old*   **c** *futuristic.*

8 *Next year the school is getting:*
   a *a swimming pool*   **b** *a gymnasium*
   c *new science labs.*

9 *She goes to a club for:*
   a *dance lessons*   **b** *swimming*   **c** *drama.*

10 *She enjoys school because:*
   a *she meets up with friends*
   b *it's boring at home*
   c *she likes sitting exams.*

2b Écoute pour vérifier. As-tu bien deviné?

9–10 bonnes réponses: tu es télépathe!
7–8 réponses: un bon essai!
1–6 réponses: pas de chance!

3 Réécoute Sophie. Note les différences entre la vie scolaire de Matthew, page 142, et celle de Sophie.

4 À deux. Posez les questions a–g pour votre lycée et répondez. (B↔A)

Exemple: **A** Combien de matières étudies-tu?
B J'étudie dix matières.

   a Combien de matières étudies-tu?
   b Quelle est ta matière préférée?
   c Est-ce que tu aimes (la géo)?
   d À quelle heure finissent les cours?
   e Il est comment, ton lycée?
   f Quels clubs y-a-t-il?
   g Tu trouves les repas à la cantine chers?

5 Écris une phrase pour comparer les groupes d'images.

Exemple: **a** Je trouve le français plus difficile que

l'anglais.

6 Écoute Philippe. Note:

   a son âge   **e** son déjeuner
   b sa matière préférée   **f** l'heure de fin
   c l'heure du premier cours   des cours
   d l'heure de la pause   **g** les clubs qu'il aime.

À VOUS!

7 In groups, prepare a FAQ page for a web guide to your school. Write the questions and answers for French visitors.

Exemple: **Q:** Il y a combien d'élèves?
R: Il y a neuf cents élèves.

8 Describe your ideal school: the buildings, the timetable, the clubs, etc. Aim to give a presentation lasting two to three minutes.

Exemple: Il y aurait une piscine … les cours commenceraient à …

(V) Les avantages et les inconvénients des systèmes scolaires de différents pays

(S) Reconnaître les pronoms réfléchis pour mieux comprendre (G) Les verbes pronominaux

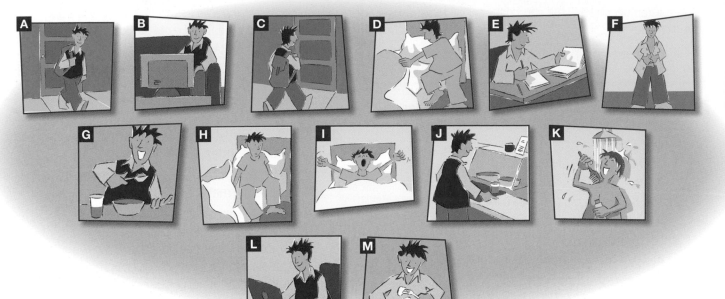

1 🎧 Écoute Mattéo décrire sa journée scolaire et note l'heure pour chaque image.

Exemple: **a** 8h 00

REFLEXIVE VERBS

Remember that reflexive verbs have an extra pronoun. The question form will be different from your answer:

*À quelle heure tu **te** lèves? Je **me** lève à 7h 25.*

Since most verb endings are silent in French, you will have to listen for the reflexive pronoun: J*e **me** lav(e). Tu **te** lav(es)*. When using reflexives in the perfect tense to talk about past events, use *être* and make the past participle agree with the subject: *Les jeunes filles sont part**ies**.*

2 👤👤 À deux. Demandez les horaires d'une journée scolaire et de samedi dernier. Notez les réponses en utilisant chaque image (A–M). (B↔A)

Exemple: **A** À quelle heure tu te réveilles normalement?

B Je me réveille à sept heures et quart.

A À quelle heure tu t'es réveillé(e) samedi dernier?

B Je me suis réveillé(e) à midi.

3 Décris la journée de samedi dernier de ton partenaire.

Exemple: Adam s'est réveillé à onze heures et demie mais il ne s'est douché qu'à une heure ...

4 Copie et remplis la grille.

je me suis réveillé	je me suis réveillée
tu	tu
il	elle

nous	nous
vous	vous
ils	elles

5 Écoute et lis le texte de Mariam qui habite au Burkina Faso.

Ma mère me réveille à 6h 00. Je prends mon petit déjeuner avec ma sœur et puis je m'habille. Dans mon école, on ne porte pas d'uniforme. Je quitte la maison à 6h 30 pour aller à l'école et il fait toujours nuit. Ça me prend cinquante minutes pour arriver à l'école. Si nous arrivons à l'heure, nous aidons à balayer* les salles de classe et à puiser* l'eau pour la cuisine de midi. Hier j'étais en retard, car ma mère ne m'a pas réveillée comme d'habitude.

Les cours commencent à 7h 30 et souvent on a EPS dans la cour de l'école. À midi, on mange du riz gras gombo à la cantine. Entre midi et trois heures, il n'y a pas cours. Si on habite près de l'école, on rentre mais je reste et je m'assieds à l'ombre* avec mes copines et on bavarde* ou, quelquefois, on fait la sieste.

À 17h 00, les cours s'arrêtent et nous rentrons. Quand j'arrive à la maison, j'aide maman à faire la cuisine. Puis je me lave et j'aide maman à balayer la maison. Je bavarde avec ma mère et de temps en temps, on rend visite aux voisins. Hier soir, nous avons rendu visite aux voisins qui habitent à côté de chez nous.

* balayer – *to sweep*
puiser – *to draw water*
à l'ombre – *in the shade*
bavarder – *to chat*

6 Relis le texte de Mariam et trouve l'équivalent en français de:

Exemple: **a** il fait toujours nuit

a *it is still dark*
b *we help to sweep*
c *the school yard*
d *between midday and three o'clock*
e *I sit in the shade*
f *we have a siesta*
g *I help mum to cook*
h *we sometimes visit our neighbours*

7a Complète les phrases sur la journée de Mariam. Note ses réponses.

Exemple: **a** Elle se réveille à 6h 00.

a Elle se réveille à ...
b Elle quitte la maison à ...
c Elle arrive à l'école à ...
d Elle commence ses cours à ...
e Elle déjeune à ...
f Elle finit ses cours à ...

7b Écoute Hannah et réponds aux questions de l'activité 7a. Réécris les phrases qui racontent la journée des deux filles.

Exemple: **a** Elle se réveille à 7h 00.

À VOUS!

8 Where would you prefer to go to school? Make a list of the things that are most important for you. Write these in a grid and see whether Hannah (activity 7b), Mariam (text above) or Mattéo (activity 1) gets the most ticks. Have a class discussion and decide which country is the most popular.

	Hannah Angleterre	Mariam Burkina Faso, Afrique	Mattéo France
habiter dans un pays chaud		✓	
avoir un conseil d'étudiants	✓		

9 Now make a recording in French of your own experiences of school life using the OxBox software. How do they compare with those in other countries? Discuss the advantages and disadvantages of the different systems. If you've been on an exchange visit abroad, include details of this or similar experiences.

V Gagner de l'argent   **S** N'écouter que les informations nécessaires   **G** Identifier les verbes au passé

 **A** Je reçois de l'argent de poche de mes parents

 **B** Je fais du babysitting

 C Je m'occupe de mon petit frère

 **D** Je lave des voitures

 **E** Je travaille dans un magasin

 F Je distribue des journaux

 G J'ai un petit boulot dans un hôtel

 **H** Mes grands-parents me donnent de l'argent de poche

STRATÉGIES

When listening, don't be put off by details you don't need. In this exercise first match the pictures to the sentences. On the next listening note down how much money each person gets and any other details you understand.

1 Écoute et relie les dessins (a–h) aux ados (1–8). Combien gagnent-ils? As-tu d'autres informations?

Exemple: **a6** Il reçoit €30 par mois, il doit aider à la maison.

STRATÉGIES

When speaking, give as much detail as possible. This is good practice for your speaking exam. You can do this by giving your opinions and saying why you hold them, or by giving examples to illustrate what you are saying.

2 À deux. Que faites-vous pour gagner de l'argent? Posez des questions. (B↔A)

Exemple: **A** Tu as/reçois de l'argent de poche? De qui?
B Mes grands-parents me donnent €30 par mois.
A Tu as un petit boulot? Combien d'argent gagnes-tu?
B Je suis vendeur/vendeuse dans un supermarché.

3 Lis les bulles, à droite, et trouve l'équivalent en français.

Exemple: **a** des jeunes

a *young people*	**f** *every Saturday*
b *from the age of 16*	**g** *lots of people*
c *early*	**h** *I get (money)*
d *channel (TV)*	**i** *I used to work*
e *that can be boring*	**j** *time passed quickly*

C'est difficile de trouver un petit boulot?

C'est difficile de trouver un emploi parce que beaucoup d'entreprises veulent des jeunes de 16 ans minimum. C'est pourquoi je distribue des journaux. Ce n'est pas très bien payé mais pour le moment ça va.

Max

Je suis serveuse dans un café. Je travaille tous les samedis de 10 heures jusqu'à 18 heures. En général j'aime le travail mais quelquefois s'il y a beaucoup de monde c'est très fatigant. Je reçois €30 par samedi.

Yasmine

Je fais du baby-sitting pour les copains de ma mère. Quand les enfants vont tôt au lit, je peux passer la soirée à regarder la télé ou aller sur Internet. Quelquefois il y a des gens qui n'ont pas beaucoup de chaînes de télé et ça peut être ennuyeux.

Aline

J'avais un petit boulot dans un supermarché le dimanche. Je travaillais de 9h 30 à 1h 30 et je trouvais le travail relativement intéressant. Les clients étaient généralement sympa et le temps passait vite.

Romain

4 📖 Relis les bulles, page 146. Qui:

Exemple: **a** Max

- **a** a eu des difficultés à trouver un emploi?
- **b** travaille tous les samedis?
- **c** ne travaille plus le dimanche?
- **d** travaille pour les amis de sa mère?
- **e** n'est pas bien payé?
- **f** aime surfer sur Internet?

5 📖 Remplace [1]–[8] par le bon mot.

Exemple: **[1]** semaine

Je gagne €30 par **[1]** en faisant du baby-sitting pour mes **[2]**. Je travaille **[3]** le samedi de huit heures jusqu'à minuit ou quelquefois jusqu'à une heure. D'abord je **[4]** avec les deux enfants et on regarde la télé **[5]**. Quand ils se **[6]** je surfe sur Internet ou je regarde la télé. Si je m'endors, je me **[7]** tout de suite quand j'entends **[8]** dans la porte!

> la clé   joue   réveille   couchent   ensemble   semaine   voisins   d'habitude

6a 📖 Lis le texte de Daniel et note tous les verbes au passé composé et tous les verbes à l'imparfait.

Exemple: passé composé – j'ai eu; imparfait – j'avais

6b ✏️ Traduis tous les verbes en anglais.

Exemple: j'ai eu – *I have had*; j'avais – *I was*

7 👥✏️ À deux. Faites une liste de ce qui est nécessaire quand on veut créer une petite entreprise. Considérez le marché, le produit, la concurrence, le site web et la publicité.

GRAMMAIRE

Remember the rules for which past tense to use.

Use the perfect for one-off past events: *Mon frère a construit un site web.*

Use the imperfect for things that used to happen or were happening: *Je distribuais des journaux.*

Quand j'avais treize ans, je distribuais des journaux aux personnes âgées dans mon quartier tous les matins. Je ne gagnais que vingt euros par semaine et je n'aimais pas me lever tôt, surtout en hiver quand il pleuvait et il faisait noir. Ça m'a fait réfléchir à d'autres moyens de gagner de l'argent.

J'ai des petits pieds et j'ai toujours eu des difficultés à trouver des baskets à la mode. J'ai donc fait des recherches sur Internet et j'ai trouvé une entreprise italienne qui produisait exactement ce que je voulais. Après m'être acheté des baskets, j'ai commencé à me demander s'il y aurait un marché pour ces baskets. J'ai écrit à l'entreprise (ils ne savaient pas que je n'avais que seize ans) et une réunion a été organisée. Mon frère aîné, qui travaille dans l'informatique, m'a créé un site web, et à la réunion je l'ai fait voir aux employés. Ils ont été impressionnés et ils ont décidé de me permettre

de vendre les baskets à partir de mon site.

Le premier mois, j'en ai vendu quinze paires et après ça, les ventes ont augmenté chaque mois. Je vends maintenant à peu près cent paires par mois! Je paie mon copain qui m'aide à expédier les baskets à mes clients. Je n'ai pas besoin d'argent de poche et j'espère vendre des chaussures pour de vrai un jour.

Daniel

À VOUS!

8 👥✏️ Think up an original way of making money along the lines of projects in *Dragon's Den*. Write down your ideas, including how much money you need to set up your business.

9 👥🗣️ Prepare a presentation to convince other students that it's worth investing in your project. Listen to the presentations from other members of the class. Everyone must vote for the best idea.

5A Comment combiner l'école et le boulot

Ⓥ Les avantages et les inconvénients d'un petit boulot Ⓢ Donner des réponses détaillées Ⓖ Le passif

C'est possible de faire son travail scolaire et d'avoir aussi un petit boulot?

A
Ma fille aime beaucoup son job au supermarché où elle a beaucoup de copains. Elle y travaille tous les samedis de neuf heures à dix-huit heures et aussi le mardi et le jeudi soir pendant quatre heures. Je trouve ça trop parce qu'elle n'a pas le temps de faire son travail scolaire et elle est toujours fatiguée. Ses devoirs sont trop vite faits ou ne sont pas faits du tout. Elle est toujours de mauvaise humeur et elle trouve mon avis ridicule. Mais en tant qu'adulte, je sais qu'il faut réussir aux examens pour avoir un travail intéressant et bien payé un jour. Si elle travaillait moins au supermarché, je n'aurais pas de problèmes avec son job.

Mme Boudry

B Mon fils distribue des journaux tous les jours. Il doit se lever à six heures pour être prêt à l'heure et aller chercher les journaux. Il rentre vers sept heures et demie et en principe il a assez de temps pour prendre une douche et quitter la maison à huit heures pour prendre le bus et aller au lycée.
Je ne sais pas quoi penser. D'un côté il gagne de l'argent et comprend la valeur de l'argent, d'un autre côté il me semble qu'il se fatigue. En hiver c'est pire parce qu'il fait toujours noir quand il quitte la maison et il fait mauvais. Peut-être que ce serait mieux s'il ne distribuait des journaux que le week-end, comme ça il aurait plus de temps pour faire ses devoirs. Je n'ai pas été content de son travail scolaire cette année. Le travail a été trop vite fait et il n'a pas eu de bonnes notes.

M. Thierry

1 📖 Lis l'opinion des deux parents et trouve l'équivalent en français.

Exemple: **a** tous les samedis

a *every Saturday*
b *her homework is done quickly*
c *she finds my opinion ridiculous*
d *you need to do well in exams*
e *if she did less hours...*
f *he has to get up*
g *in theory he has enough time*
h *on the one hand he is earning money*
i *in winter it's worse*
j *if he only delivered papers at the weekend*
k *I haven't been happy*
l *the work was done quickly*

2 👥 🕐 À deux. Écrivez une liste d'avantages et d'inconvénients pour les ados ci-dessus. Pensez aux horaires de travail, à l'argent gagné, au temps pour les devoirs, à l'expérience que cela apporte.

3 📖 Trouve la fin pour chaque phrase a–g et traduis-les.

Exemple: **a3** I find it difficult to have the time to do my homework and my part-time job.

a Je trouve difficile d'	1 on a le reste de la semaine pour faire le travail scolaire.
b Si on travaille le samedi,	2 ont besoin de beaucoup de sommeil.
c Les ados sont fatigués et	3 avoir le temps de faire mes devoirs et mon petit boulot.
d J'ai des difficultés à m'endormir	4 le soir donc je veux faire la grasse matinée le week-end.
e J'aime bien gagner de l'argent pour	5 si je travaille bien à l'école
f Mes parents me donnent de l'argent	6 parce qu'il est paresseux.
g Mon ami n'a pas de travail	7 m'acheter des habits.

C

Mélissa travaille dans une agence immobilière le samedi. Elle discute des caractéristiques d'une maison et d'un appartement avec son collègue.

Luc: On a cette nouvelle maison aujourd'hui. C'est une maison moderne avec quatre chambres, un grand jardin et un garage.
Mélissa: Tu penses qu'elle aura du succès auprès de nos clients?
Luc: Oui, je crois que cette maison sera vite vendue.
Mélissa: Et puis elle est dans un quartier recherché et elle est bien équipée.

Mélissa: Je n'ai pas vu le descriptif.
Luc: C'est un appartement avec deux chambres au deuxième étage. Deux couples l'ont déjà vu.
Mélissa: Ah bon, est-ce que l'appartement a été vendu?
Luc: Non, pas encore.

GRAMMAIRE

The passive
In a passive sentence, the subject of the verb has something done to it, rather than performing an action itself. The passive is often used when you don't know who did something:

Un homme a acheté l'appartement. A man bought the apartment.

L'appartement a été acheté. The apartment has been bought.

It is formed with the correct part of *être* + past participle. See *Grammaire active*, page 150.

4 📖 Recherche tous les verbes au passif dans les les textes A, B et C. Traduis-les.
Exemple: Texte A: Ses devoirs sont trop vite faits – *Her homework is done too quickly.*

5a 🎤 Écoute Marion. Note son opinion et l'opinion de sa mère.

5b 🗣️🗣️ Jeu de rôle: **B** est Marion et **A** est sa mère. **A** s'oppose au petit boulot de Marion et **B** se défend. (**B**↔**A**)
Exemple: **A** Marion, tu reviens trop tard quand tu fais du babysitting.
B Le samedi, oui mais le mardi je rentre vers dix heures.

6 🗣️🗣️ Fais un sondage dans ta classe. Où et quand travaillent les autres élèves? Combien gagnent-ils? Est-ce qu'il y a des inconvénients dans leurs petits boulots?

7 🗣️🎤 Écoute ces jeunes parler de leurs petits boulots (1–4). À deux, proposez des solutions à leurs problèmes.
Exemple: **1** Tu pourrais aider ta mère à la maison et trouver un petit boulot, par exemple, dans un supermarché.

À VOUS!

8 🌐 Choose the part-time job that you find the most interesting. Write a list of the advantages of this job and give a 90-second presentation to the class. Vote to decide which job wins.

9 ✏️ Write an article for a teen magazine. Give your readers advice on how best to combine paid work with school work. Try to include examples of part-time jobs from your classmates in the article.

THE PASSIVE VOICE

Use the passive voice to place more emphasis on the action, rather than the subject of the verb:
Mon ancien lycée a été fermé. My old school has been closed.
It can be used when we do not know who is performing the action:
Mon argent de poche a été volé. My pocket money has been stolen.

1 Read the following pairs of sentences. Which of each pair uses the passive?

Exemple: **1a**

1. a The TV was sold.
   b My dad sold the TV.
2. a The mayor opened the new swimming pool.
   b A new swimming pool will be opened.
3. a I finished the book.
   b The book was finished.
4. a My bike was found last night.
   b A friend found my bike.

FORMING THE PASSIVE

Use the appropriate tense of *être* plus the past participle of the verb of action.
The past participle must agree with the subject.

Present passive: *Les étudiants en difficulté sont assistés par des bourses.* Students in difficulty are helped by grants.

Perfect passive
La maison a été vendue. The house has been sold.
Note that the past participle adds –e to agree with la maison.

Future passive
L'appartement sera fini. The flat will be finished.
La piscine sera finie. The swimming pool will be finished.

2 Now translate each passive sentence from activity 1 into French.

Exemple: **1a** La télé a été vendue.

AVOIDING THE PASSIVE

Use *on* when it's not clear who performed the action

On a vendu la maison. The house was sold. (Literally 'one/someone sold the house'.)

On ouvrira la nouvelle piscine. The new swimming pool will be opened.

Give the verb a subject

Ces décisions sont prises par le directeur. These decisions are taken by the headteacher →
Le directeur prend ces décisions. The headteacher takes these decisions.

3 Write these sentences in French avoiding the passive.

Exemple: **a** On a vendu l'appartement.

a The flat was sold.
b The money was stolen.
c I was given a job.
d The supermarket was opened.
e The house is finished.

Review of tenses

Past, present, future	
1 Use a verb in the present tense:	– to say what happens now/regularly.
	– to say what is happening as you speak.
2 Use a verb in the imperfect tense:	– to describe something in the past.
	– to say what used to happen regularly.
3 Use a verb in the perfect tense:	– to say what happened (as in a sequence of events) in the past.
4 Use *aller* + infinitive:	– to say what you're more or less sure is going to happen soon.
5 Use a verb in the future tense:	– to anticipate what will happen at some point and say how things will be.

L'histoire d'Hugo

4 Read "l'histoire d'Hugo" on page 150 and find a sentence to illustrate each tense from the table.

Exemple: a–4

a **L'année prochaine, je vais** retourner à Paris pour aller à l'université.

b **Quand je serai adulte, j'habiterai** en ville, pas à la campagne!

c **Depuis, j'habite** dans un petit village à la campagne. Je n'aime pas habiter ici parce qu'il n'y a rien d'intéressant à faire pour les jeunes.

d **Quand j'étais petit, j'habitais** à Paris et j'adorais ma ville!

e **J'ai déménagé** l'année dernière parce que mes parents ont changé de travail.

5a Copy out the sentences in order to reconstruct Hugo's story. Match the pictures 1–5 to the sentences.

5b Use the phrases in bold and adapt sentences a–e to make them true for you.

TYPICAL VERB FORMS AND ENDINGS

Recognising typical verb endings can help you understand when an action takes place.

When the verb has one part:	
Present	*je parle*
Imperfect	*je parlais*
Future	*je parlerai*

When the verb has two parts:	
Perfect	avoir/être + past participle: *j'ai parlé, je suis allé*
Future	aller + infinitive: *je vais parler*

Typical verb endings				
Present	je	*-e/s/x*	nous	*-ons*
	tu	*-es/s/x*	vous	*-ez*
	il/elle/on	*-e/d/t*	ils/elles	*-ent/ont*
Imperfect	je	*-ais*	nous	*-ions*
	tu	*-ais*	vous	*-iez*
	il/elle/on	*-ait*	ils/elles	*-aient*
Future	je	*-(i/e)rai*	nous	*-(i/e)rons*
	tu	*-(i/e)ras*	vous	*-(i/e)rez*
	il/elle/on	*-(i/e)ra*	ils/elles	*-(i/e)ront*

6 Match each verb below with one of the tenses in the table on page 150.

Exemple: allais – *imperfect*

allais vas habitait parleront aimiez peux prendras changerez ira part allions voyageaient aimons partirons prenez décidais habiterai prennent

STRATÉGIES

Knowing when something takes place helps you make sense of what you hear. Listen out for clues such as time phrases, tenses and typical verb endings.

7 Listen. What tense is used in each sentence?

Exemple: **1** – present

8a Listen to the questions and work out which tense is used.

STRATÉGIES

Always try and use a variety of tenses when answering a question. For example:

Est-ce que tu connais Paris?

Grade C — *Oui, je connais Paris./Non, je ne connais pas Paris.*

Grade C-B — *Oui, je connais un peu Paris. J'y suis allé(e) avec l'école en 2004. C'était super!*

Grade A/A* — *Non, je ne connais pas Paris, je n'y suis jamais allé(e). Par contre, j'ai visité la vallée de la Loire et c'était super! J'irai peut-être à Paris quand je serai à l'université!*

8b Listen again and reply using *oui* and the correct tense.

Exemple: **1** – Oui, j'habitais en ville quand j'avais 10 ans.

9a Read the questions and listen to the model answers. Identify the different tenses used.

a C'est comment, là où tu habites?

b Comment est-ce que tu vas de chez toi au collège?

9b Answer these questions for yourself using at least three tenses.

 5A Stratégies

In this unit, you've learnt how to...

À l'écoute

1 Listen out for word endings. The final letter or letter group are often silent in French.

❏ Which of these words have silent endings? Write them out and underline the letters you think are NOT sounded.

a *deux*
b *finis*
c *commençons*
d *et*
e *mangé*

f *lait*
g *écoutez*
h *poissons*
i *se terminent*
j *je vends*

❏ Listen to check your answers. What is the general rule for letters which are not pronounced at the ends of words?

2 Remember the one letter that is never pronounced at the beginning of French words.

❏ Listen and note down the words you hear.

3 Pronounce words with 'qu' as 'k' as in 'key'.

❏ Try saying the following words and then listen to check your pronunciation.

a *qui*
b *qu'est-ce que*
c *quand*

d *que*
e *quel*

À l'oral

1 Form questions without using question words.

❏ Turn these statements into questions using intonation only.

a *Tu aimes les maths.*
b *Tu as un petit boulot.*
c *Tu reçois de l'argent de poche.*
d *C'est bien, ton lycée.*
e *Tu étudies dix matières.*
f *Tu te réveilles à 6h 30.*

❏ Now turn the same statements into questions by inverting the verb.

2 Ask questions in French. Translate the following questions, practise and record them.

❏ Try to get the information if you cannot ask exactly the same question, ask a similar one which will give you the same information, e.g.

Original question: What do you do after school?
You could ask instead: Do you play football after school?

a Do you get up early?
b What do you buy with your money?
c Do you like your school uniform?
d Is your job well paid?
e Do you get a lot of homework?
f How do you get to school?
g What do you do after school?
h Do you eat lunch in the canteen?

❏ To answer the questions think ahead to words you are likely to need.

In one minute write down as many words as you can about school. Try to beat your partner.

❏ Revise vocabulary by sorting it into similar themes.

Write a grid with the following headings and then note down as many words as possible under each one.

uniforme	matières	journée scolaire	mes profs	mon argent
	les maths		sympa	

À l'oral

Petit boulot ou pas?

1. Decide whether it is a good idea to take a part-time job whilst you are studying. Extra money is always useful, but the jobs may be boring and interfere with more important commitments. In groups of four, discuss the following points:
   - What are the best ways of making money whilst studying?
   - What are the benefits other than money?
   - How much do part-time jobs disrupt school and social life?

2. As a group, decide whether you are in favour of or against part-time jobs. Make a list of arguments to support your case.

3. Take part in a class debate, presenting your case to the rest of the class, and trying to convince them of your side of the argument. Then take a vote: is your class as a whole for or against part-time jobs?

À l'écrit

Crée le lycée de l'an 2020.

1. The challenge is to create a curriculum and buildings for the school of the future. Decide on what you think your ideal school would do like, considering the following points:
   - How and where would the students learn?
   - What new subjects would they study?
   - What would the buildings look like?
   - How would students travel to and from school?

2. Prepare an illustrated leaflet designed to sell your ideas for the school of the future to a French-speaking educational official. Write 150–250 words.

Lycée Jules Verne

5A Vocabulaire

Comment parler de tes matières préférées

l'anglais *nm*	English
l'atelier artistique *nm*	art
la création-design *nf*	DT
l'ECJS (Éducation civique, juridique et sociale) *nf*	PSHE/Citizenship
l'EPS *nf*	PSHE
l'éducation physique *nf*	PE
l'espagnol *nm*	Spanish
le français *nm*	French
l'histoire-géo *nf*	history and geography
l'horaire *nm*	timetable
l'informatique *nf*	IT
les maths *nf pl*	maths
la matière *nf*	subject
la musique *nf*	music
la permanence *nf*	private study
la physique-chimie *nf*	physics and chemistry
les SVT (Sciences de la vie et de la terre) *nf pl*	science
les sciences économiques et sociales *nf pl*	social sciences
J'ai de bonnes/mauvaises notes	I get good/bad marks
Je suis avec mes amis	I am with my friends
Le prof n'est pas sympa	the teacher isn't nice
être faible en/fort en … *v*	to be bad at/good at
utile *adj*	useful

Comment parler de ton école

le bâtiment *nm*	building
le CDI *nm*	school library
la cantine *nf*	canteen
la chorale *nf*	choir
le club d'échecs *nm*	chess club
le déjeuner *nm*	lunch(time)
mon ancienne école *nf*	my former school
l'élève *nm/f*	pupil
le gymnase *nm*	gym
le laboratoire *nm*	laboratory
le lycée *nm*	secondary school
l'orchestre *nm*	orchestra
la pause/la récré *nf/nf*	break
la piscine *nf*	swimming pool
augmenter *v*	to increase, go up
injuste *adj*	unfair
ailleurs	somewhere else

Comment décrire ta journée à l'école

le cours *nm*	lesson
la cour *nf*	playground, courtyard
le voisin, la voisine *nm/f*	neighbour
les cours commencent	lessons start
les cours finissent/s'arrêtent	lessons finish
le réveil sonne	The alarm clock goes off
il fait toujours nuit	It's still dark
ça me prend 50 minutes pour y aller	It takes me 50 minutes to get there

Comment faire fortune quand tu es à l'école

l'emploi *nm*	job
l'employé(e) *nm/f*	employee, staff member
l'entreprise *nf*	firm, business
les personnes âgées *nf pl*	elderly people
le petit boulot *nm*	part-time job
la réunion *nf*	meeting
aider à la maison	to help at home
distribuer des journaux	to deliver newspapers
expédier *v*	to dispatch
faire du babysitting	to babysit
laver des voitures	to wash cars
nettoyer les chambres	to clean rooms
travailler dans un magasin	to work in a shop
Je m'occupe de mon petit frère	I look after my little brother
Ils me paient €25	They pay me €25
Il y a beaucoup de monde	There are a lot of people
bien payé *adj*	well paid
tous les samedis	every Saturday
surtout	especially

Comment combiner l'école et le boulot

le boulot *nm*	job
le descriptif *nm*	detailed description, specification
un quartier recherché *nm*	a sought-after area
les habits *nm pl*	clothes
se fatiguer *v*	to get tired
faire la grasse matinée *v*	to have a lie-in
gagner son propre argent *v*	to earn your own money
avoir du succès auprès de quelqu'un *v*	to be a hit with someone
Ses devoirs sont trop vite faits	She does her homework too quickly
Il faut réussir aux examens	You need to do well in your exams
d'un côté … d'un autre côté	on one hand… on the other hand
de mauvaise humeur	bad-tempered

5B Gagner sa vie

Sais-tu comment ...

- ☐ rêver de ton avenir?
- ☐ décrire ton stage?
- ☐ trouver un job ou un métier?
- ☐ poser ta candidature?
- ☐ briller dans un entretien?

Scénario

- **Planifie une visite de la ville de Paris.**
- **Présente-toi au jury du concours, "Euro-Apprenti".**

Paris by night: €50

Planifie une visite originale de la ville de Paris.

Stratégies

À l'écrit

In French, how do you...
- translate well, rather than word for word?
- set out formal and informal letters?
- use capital letters correctly?
- use accents correctly?

Lecture

When reading how do you...
- use context to help you understand better?
- recognise common sound spelling links?
- recognise 'false friends'?

Grammaire active

As part of your French language 'toolkit', can you...
- use the future tenses?
- use *qui* and *que*?
- use expressions with the infinitive?
- use present participles?
- use conjunctions?

5B Comment rêver de ton avenir

G Futur proche; futur simple, **V** Projets d'avenir **S** Apprendre les idiomes du français parlé

Après cinq ans de français avec monsieur Roy, la classe «Year 11» va se disperser. Leur dernière tâche? Écrire un annuaire, où tout le monde note ses projets d'avenir, ses espoirs et ses rêves. Voici deux extraits.

Projets de vacances

Cerys

Mes projets de vacances? D'abord, je vais me détendre après les examens, puis je vais faire un stage dans une agence de voyages. Après, à la mi-août, je vais partir deux semaines à Antibes dans le sud de la France où j'espère me faire bronzer et faire du shopping.

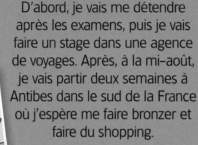

Luke

Le lendemain de mes examens, je vais descendre mon sac à dos du grenier, sortir mon vélo du garage et partir en vacances avec trois copains. Nous allons faire un petit tour des campings du Dorset, et puis prendre le ferry Poole–Cherbourg et visiter un peu la Normandie.

En septembre

J'ai déjà décidé – je vais faire un B-Tech en tourisme. Je vais donc passer encore deux ans au lycée.

Je vais retourner à l'école, où j'ai l'intention de faire mes A-Levels en maths et en sciences.

Dans deux ans

Ce n'est pas sûr. Je voudrais travailler dans le tourisme, parce que j'adore voyager et je voudrais utiliser mes langues dans mon travail. J'espère que ce sera possible.

J'aimerais étudier la médecine, puis être médecin et travailler dans un hôpital.

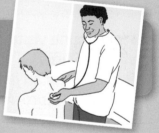

Un jour peut-être...

– Je ferai le tour du monde.
– Je parlerai couramment le français.
– Je travaillerai à l'étranger.

– J'habiterai un appartement de luxe.
– Je gagnerai un bon salaire.
– J'aurai une Ferrari rouge.

1 Lis les textes, puis écris C (Cerys), L (Luke) ou 2 (les deux). Qui va faire quoi?

Exemple: **a** L

Qui va ...

a ... partir en vacances tout de suite après les examens?
b ... travailler cet été?
c ... aller à l'étranger?
d ... aller à l'université?
e ... continuer ses études en septembre?
f ... commencer à travailler à dix-huit ans?
g ... passer des vacances actives?
h ... continuer les langues?

STRATÉGIES

Use the immediate future to say what you are going to do, e.g. *je vais continuer mes études.*

2 🎧✏️ Écoute, puis recopie et complète les phrases. Que vont faire ces autres collégiens?

Exemple: **a** Lauren va louer un appartement au bord de la mer en Bretagne.

Projets de vacances
a Lauren va louer …
b Damien et son copain vont …

En septembre
c David va …
d Yasmine va …   Elle ne va pas …

STRATÉGIES

Remember that in French, the present tense is sometimes used to refer to the future.

3 📖 Retrouve les expressions dans les textes, page 156.

Exemple: **a** J'espère me faire bronzer.

a *I'm hoping to sunbathe.*
b *I'd like to work in tourism.*
c *I intend to do A Levels.*
d *I'd like to study medicine.*

GRAMMAIRE

Future tense
Use the future tense to explain what will happen, often in a less certain or more distant future, To find out how to form the future tense, see page 210.

4a 📖 Relis les textes, page 156. Trouve quatre verbes réguliers au futur.

Exemple: je parlerai

4b ✏️ Traduis les six phrases de la section «Un jour peut-être…» en anglais. Cerys et Luke, de quoi rêvent-ils pour l'avenir?

Exemple: One day perhaps … I'll do a world tour.

4c ✏️ Imagine ton avenir! Finis les phrases avec tes propres mots.

Un jour peut-être, …

je serai …   j'habiterai …
j'aurai …   je ferai …
je travaillerai …

5a ✏️ Voici des questions que tu peux poser à un(e) partenaire. Invente des questions supplémentaires.

– Tu vas partir en vacances après les examens?
– Vas-tu travailler pendant les vacances?
– En septembre, vas-tu retourner à l'école?
– Tu vas continuer les langues?
– Est-ce que tu espères aller à l'université?
– Tu sais déjà quel métier tu choisiras?
– Tu habiteras toujours en Grande-Bretagne?
– Voyageras-tu beaucoup à l'avenir?
– Seras-tu millionnaire?
– Auras-tu …?

5b 👥 À deux. Posez les questions de l'activité 5a et notez les réponses.

STRATÉGIES

When you listen to French speakers, note ideas to make your own speech more interesting. It's also useful to record yourself and play it back to see how 'French' you sound. You can do this on the OxBox CD-ROM.

6 🎧 Écoute Claire, qui parle des projets d'avenir de son partenaire, et note des conjonctions utiles.

Exemple: après les examens, ensuite, …

7 🗣️ Explique les projets d'avenir de ton/ta partenaire à la classe.

D'abord, il/elle va …
Ensuite, au mois de septembre, il/elle va … où il/elle va …
Après, il/elle aimerait …
Et un jour peut-être, il/elle aura/habitera/fera/etc.

À vous!

8 ✏️ Write a yearbook entry in French (150 words). Take your inspiration from the following titles:

- Les vacances   • Dans deux ans
- En septembre   • Un jour peut-être

9 🗣️✏️ Where will your classmates be in 30 years and what will they be doing? Write predictions for two or three classmates. Take turns to read them out to the class, the rest of the class must guess who each prediction is for.

Exemple: Il sera professeur …

5B Comment décrire ton stage

Un groupe d'élèves du collège Henri IV à Perpignan viennent de compléter un stage d'une semaine pour faire la connaissance du monde du travail. Voici le rapport que leur conseiller d'orientation a préparé pour eux.

Collège Henri IV

Rapport sur ton stage

1 Tu as travaillé où?

2 Quelles étaient tes horaires de travail?

3 Comment était le stage?

4 Comment étaient tes collègues?

5 Qu'est-ce que tu as fait? Coche la liste!

a répondre au téléphone	☐	**i** faire des photocopies	☐
b servir les clients	☐	**j** faire du café	☐
c travailler sur l'ordinateur	☐	**k** dessiner des affiches	☐
d vendre des marchandises	☐	**l** participer aux réunions	☐
e travailler à la caisse	☐	**m** taper des lettres	☐
f faire du classement	☐	**n** discuter avec le patron	☐
g mettre le courrier à la poste	☐	**o** nettoyer des machines	☐
h observer les autres	☐	**p** autre (explique)	☐

1a Écoute un stagiaire du collège Henri IV qui parle du stage qu'il a fait. Lis ses réponses au rapport. Il a fait deux erreurs – à toi de les corriger.

1 dans une boulangerie

2 de 5h30 à 13h

3 fatigant

4 gentils

5 p (préparer du pain), o, l

1b Écoute encore trois stagiaires (1-3) et note leurs réponses au rapport.

Exemple: 1 dans une bibliothèque

STRATÉGIES

Notice how Luke starts and finishes his letter on page 159 and copy the format when you are writing informally.

158

Luc, 15 ans, a fait son stage dans un office de tourisme. Voici la lettre qu'il a écrite à son correspondant britannique pour lui expliquer ce qui s'est passé.

A

Perpignan, le 5 juin

Cher Guy,

Comme tu sais, je viens de faire un stage de deux semaines. J'ai passé la quinzaine à l'office du tourisme ici à Perpignan, et je me suis vite rendu compte qu'il y avait beaucoup de travail à faire.

B

D'abord, le matin à neuf heures, j'ai dû ranger toutes les brochures. Ensuite, j'ai observé un collègue à la réception. Entre onze heures et midi, j'ai répondu aux questions des clients, puis je suis allé déjeuner. L'après-midi, j'ai répondu au téléphone et finalement, je suis rentré chez moi.

C

Le mercredi, j'ai observé une visite organisée avec un groupe de touristes, mais j'ai aussi répondu à quelques questions, ou j'ai expliqué que j'étais en stage et que donc je ne savais pas tout. Cependant, j'ai beaucoup appris!

D

Mes collègues étaient assez sympa. J'aimais le patron, parce qu'il était accueillant et Madame Lafont, car elle m'a expliqué beaucoup de choses. J'aimais un peu moins Madame Xavier, car elle était assez effrayante!

E

J'ai appris beaucoup de choses, par exemple comment faire une visite guidée et où se trouvent les attractions principales de notre région. Mais quand on est en stage, on ne sait pas tout. J'espère y travailler encore en été … et être payé cette fois!

Écris-moi et explique-moi si toi aussi tu as déjà fini ton stage.

Amitiés

Luc

STRATÉGIES

Remember to make your writing more interesting by using the perfect **and** imperfect tenses together, adding time phrases and using conjunctions.

2a Retrouve une phrase dans le texte A avec le passé composé et l'imparfait et traduis-la en englais.

2b Note six expressions de temps dans le texte B.
Exemple: D'abord

2c Note cinq conjonctions dans le texte C.
Exemple: mais

3a Retrouve trois conjonctions dans le paragraphe D qui expliquent "pourquoi".

3b Recopie et complète chaque phrase avec tes propres mots.
  a Le travail était intéressant parce que …
  b J'aimais mes collègues car …
  c Mais je n'aimais pas mon patron car il …

STRATÉGIES

Question words such as *où*, *comment* and *quand* can also be used as conjunctions.

4 Recopie et mets un de ces mots dans chaque blanc: où, comment, pourquoi, quand, qui.
Exemple: **a** C'est le patron qui …
  a C'est le patron .... m'a montré le nouveau système.
  b J'ai dû apprendre .... trouver toutes les brochures et .... répondre aux questions des touristes.
  c Je ne comprends pas .... certains visiteurs étaient si impolis.
  d On m'a demandé .... je pourrais revenir travailler en été.

À VOUS!

5 Write a letter to a friend to explain what you did during your work experience and if you found it interesting … or not. If you have not done work experience, make something up!

6 Work in groups. One student thinks of an imaginary work experience placement and the others ask questions. You could use the five questions in the questionnaire on page 158. Whose placement is the most believable and which placement do you think is the most interesting?

G Le conditionnel   **V** Petites annonces; les métiers   **S** Quel contexte? Les sons et l'orthographe

A

Étudiants! Vous cherchez un job d'été?

Nous avons besoin de vendeurs/vendeuses de glaces ici au parc d'attractions du Futuroscope.

Rémunération: SMIC.

3 mois à partir du 15 juin

Possibilité de camping gratuit sur le site.

Envoyez votre CV et lettre de motivation à: stages@futuroscope.fr

C

Vous aimez travailler avec le public? Vous êtes responsable et vous savez cuisiner? Vous avez trois mois de libre? Si vous répondez oui, oui et trois fois oui, vous voulez certainement travailler dans un de nos restaurants. Vous serez nourri, logé et payé!

Adressez-vite votre CV et lettre de candidature à Resto-Rapide, 75019 Paris.

B

VOUS VOULEZ ...

– gagner de l'argent cet été?

– passer 2-3 mois dans le Val de Loire?

– perfectionner vos connaissances en français?

VOUS POUVEZ ...

– être libre à partir du 1 juillet?

– travailler avec nos touristes environ 40 heures par semaine?

– parler un minimum de 2 langues?

CONTACTEZ-NOUS: jobsdété@valdeloire.fr

STRATÉGIES

Guessing words from context

If you have to guess words, use the context to help you. Which four of these words would you be most likely to find in a job advert? Pay, hours, textbook, map, minimum wage, disappointed, available.

1 📖✏️ Lis les trois petites annonces et écris en anglais une phrase pour chacune qui explique de quel type de travail il s'agit.

Exemple: **A** *selling ice creams at Futuroscope.*

2 📖 Quel(s) poste(s) peuvent-ils prendre?

Exemple: **a** –**B**

a Je suis libre pour huit semaines au maximum.

b Je préfère avoir un logement gratuit.

c Je ne veux pas faire de vente.

d J'espère parler français le plus possible.

e J'aimerais travailler dans la restauration.

f Cela me plairait de travailler avec les touristes.

g Je cherche un poste à Paris si possible.

3 🎧 Écoute trois collégiens qui parlent du travail qu'ils veulent faire (1–3). Quel poste convient à chacun – A, B, C ou aucun?

Exemple: **1** – aucun

4a 🎧✏️ Écoute (1–3) et essaie d'écrire les noms des professions que tu entends. Attention aux règles d'orthographe.

1 –eur   **2** –ier   **3** –ien

4b ✏️ Écris la traduction anglaise pour chaque métier. Devine, discute avec un(e) partenaire et ... si besoin est ... cherche dans un dictionnaire.

5 Recopie avec tes propres exemples.

> À l'âge de 6 ans, je voulais être pompier ou médecin.
>
> Dans ma famille:
>
> Ma mère est femme au foyer. Mon père est ingénieur. Mon oncle est au chômage.
>
> Ma grand-mère était fleuriste
>
> Ma sœur est cuisinière.
>
> Il y a trois métiers qui m'intéressent: ...., ... et ....Je ne voudrais jamais être ....

Mon métier idéal?

Je suis fort en maths et en informatique et j'aime aussi la musique, parce que je suis créatif. J'aime travailler en équipe, mais j'aime aussi être indépendant. Je pourrais être informaticien ou programmeur, ou je pourrais être technicien du son. Ah oui, ce serait peut-être le métier pour moi. Cela m'intéresse beaucoup!

Philippe

Carine

Je suis très sportive et je fais partie de plusieurs équipes. Je n'aimerais pas passer huit heures par jour dans un bureau et je ne voudrais pas travailler seule! Mes parents disent que je serais un bon prof de sport, mais moi, je pense plutôt devenir assistante dans un centre de sport, ou peut-être physiothérapeute. Ce serait mieux pour moi, je pense.

GRAMMAIRE

Conditional

Use the conditional mood to say what 'would' happen:

J'aimerais être vétérinaire – I would like to be a vet.

Je *ne voudrais pas travailler dans un magasin* – I would not like to work in a shop.

See page 210 for how to form the conditional.

6 À deux. A choisit un métier et B doit le deviner en posant des questions mais A répondra uniquement par «oui» ou «non».

Quelques questions:

Tu travailles dans un bureau/un hôpital/en plein air etc?

Tu travailles avec les animaux/les enfants/les personnes âgées etc?

Tu portes un uniforme?

Tu travailles des heures régulières/le soir/le week-end etc?

7 Lis les textes et fais deux listes des verbes au conditionnel: verbes réguliers et verbes irréguliers.

Exemple: Verbes réguliers: je n'aimerais pas.

8a Tu aimerais quelle sorte d'emploi? Pourquoi? Écris un paragraphe au conditionnel.

Exemple: Je voudrais bien travailler dans un hôpital ou une école, parce que j'aime travailler avec les enfants de moins de cinq ans. Je porterais un uniforme si nécessaire, et je travaillerais ...

8b Demande à trois ou quatre camarades de classe de lire ton texte et de suggérer deux ou trois métiers idéaux pour toi. Ils doivent expliquer leur choix.

À VOUS!

9 Work in groups. One person suggests different jobs and the rest must say if they would like to do these jobs or not, giving their reasons.

Exemple: **A** Cuisinier!

B Ah oui! Je pourrais être cuisinier. Cela m'intéresse beaucoup.

C Je n'aimerais pas passer huit heures par jour dans une cuisine.

10 Write a personal statement, explaining what you would like to do in the future. Say what you hope to do and why you have chosen this. Mention your school achievements, personal qualities, tastes and interests.

(G) Verbe + infinitif   (V) Poser sa candidature; CV   (S) Les majuscules; les accents

Nous recherchons pour la période estivale...

Étudiants parlant deux ou trois langues et désirant travailler sur notre camping pendant au moins 8 semaines

10, Polden Lane
TAUNTON
TA6 9PZ
GB

Camping Les Pins
Chemin du Bois de la Lande
56760 Pénestin
France

Monsieur,

J'ai vu sur votre site web que vous cherchiez des assistants pour les mois de juillet et août et, comme je désire travailler en France cet été, j'ai décidé de poser ma candidature.

J'ai seize ans et mes matières préférées à l'école sont les langues — le français et l'allemand. J'espère continuer les langues et étudier le français à l'université. J'ai donc envie de parler français tout l'été. Je voudrais apprendre à parler couramment.

J'ai déjà un peu d'expérience parce que je travaille dans un salon de coiffure le samedi matin. Je fais aussi du babysitting et, si possible, je préfère travailler avec des enfants. C'est possible dans votre camping?

J'aimerais commencer à travailler le premier juillet et je dois rentrer chez moi le premier septembre. Pouvez-vous m'envoyer des renseignements supplémentaires sur les horaires, la rémunération et les conditions de travail?

Veuillez agréer, Monsieur, l'expression de mes sentiments distingués,

David Foster

1a Vrai ou faux?

Exemple: **a** F

a David habite à Pénestin.
b Il travaille dans un camping en France.
c Il ne parle pas français.
d Il est fort en langues.
e Il a un petit boulot.
f Il veut gagner de l'argent cet été.
g Il aime les enfants.
h Il est libre pour trois mois.

1b Corrige les phrases fausses.

Exemple: **a** Il habite à Taunton.

STRATÉGIES

Accents
Be careful of accents! Copy five words from the letter with the é sound. Find two words that are written with the è sound.

STRATÉGIES

Capital letters
Which of these are written with capital letters in French? Check in David's letter if you are unsure: town names; countries; months; languages; a person's name.

Answers: town names, countries, a person's name

2 📖✏️ Lis la lettre de David, page 162. Recopie et traduis les phrases ci-dessous.

Exemple: **a** une annonce

a *a job advert* – une ...
b *to apply for* – poser sa ...
c *could you send me* – ...
d *hours (of work)* – ...
e *pay* – ...
f *working conditions* – ...
g *yours faithfully* – ...

GRAMMAIRE

Expressions using the infinitive
Many phrases in the letter contain two verbs. There are different patterns:

- the first verb is followed by an infinitive: *je désire travailler* en France
- the first verb is followed by à + an infinitive: *j'aimerais commencer à travailler le premier juillet*
- the first verb is followed by de + an infinitive: *j'ai décidé de poser ma candidature*

3a ✏️ Copie et complète la grille. Regarde la lettre, page 162.

Followed by an infinitive	Followed by à + infinitive	Followed by de + infinitive
désirer	*commencer*	*décider*

---

désirer   décider   espérer   commencer   avoir envie
vouloir   apprendre   préférer   devoir   pouvoir

3b ✏️ Traduis en français.

Exemple: **a** Je désire travailler avec les animaux.

a *I'd like to work with animals.*
b *I'm hoping to study Biology at university.*
c *I'd like to learn to speak Chinese.*
d *I prefer to work in the evenings.*
e *I've decided to live in France.*
f *I must return to England in September.*

Curriculum vitae

Nom	Foster
Prénom	David
Adresse	10, Polden Lane, Taunton, TA6 9PZ, GB
Téléphone	01823 445978
E-mail	dave999@hotmail.com
Date de naissance	02 09 95
Enseignement secondaire	je prépare 10 GCSE
Langues	français (5 ans), allemand (3 ans)
Expérience	babysitting, travail temporaire dans un salon de coiffure
Centres d'interêt	musique (trombone, batterie), sport (1500m, 800m, natation, aikido)

4a ✏️ Prépare au minimum dix questions à poser à David dans une interview.

Exemples: Où habites-tu?

Quels examens passes-tu cette année?

Est-ce que tu joues d'un instrument de musique?

4b 👥 Jeu de rôle. A joue le rôle de David et B lui pose des questions. (B↔A)
B Où habites-tu? **A** J'habite à Taunton.

À VOUS!

5 👥✏️ Write a CV, following David's model. Exchange your CVs with each other, then work in pairs to conduct interviews similar to that in activity 4b. Each pupil should base their answers on the CV they have been given.

6 ✏️ You have seen an advert for an interesting holiday job in France. Write a letter of application. Use the letter on page 162 to help you.

(G) Participe présent; qui (V) Un entretien (S) Donner des exemples.

Jobs d'été Val de Loire

Nous cherchons des étudiants …

♦ qui parlent français et au moins une autre langue

♦ qui aiment le contact humain

♦ capables de créer une ambiance joyeuse pour nos touristes

♦ responsables

♦ libres au moins deux mois à partir du premier juillet

1 Copie et complète en anglais.

Exemple: **a** *two languages*

To apply for this job, you need to speak at least **a** ....
and to be able to create a happy atmosphere for **b**
.... You should get on with **c** ....be **d** .... and
must be available for **e** ....from **f** ....

GRAMMAIRE

Qui and *que*

Qui can mean 'who' or 'which'. It can be followed by a verb in
the singular or the plural, depending on who *qui* refers to:
- *Nous cherchons **des étudiants** qui **parlent** français.*
- *Nous offrons **un emploi** qui **paie** bien.*

2 Écoute la conversation et note l'ordre des
questions posées par monsieur Simon.

Exemple: **e** …

a Date de naissance
b Libre quand?
c Pourquoi ce poste?
d Âge
e Nom
f Langues
g Expérience?

3 À deux. A essaie de mémoriser les questions
a-g (voir l'encadré ci-dessous en cas de difficulté).
B prépare ses propres réponses aux questions
a-g et écrit quelques mots comme aide-mémoire.
Réécoutez l'entretien pour vous inspirer, puis jouez
l'entretien. (B⟷A)

g Pourquoi voulez-vous travailler pour nous?
f Avez-vous déjà de l'expérience? Avez-vous déjà travaillé?
e Vous serez libre à partir de quelle date?
d Vous parlez quelles langues?
c Vous avez quel âge?
b Quelle est votre date de naissance?
a Comment vous appelez-vous?

**Comment briller dans un entretien avec Jobs d'été
Val de Loire? Voici quelques questions à préparer:**

A Pourquoi voulez-vous ce poste?

B Quels sont vos atouts?

C Avez-vous déjà de l'expérience dans le tourisme?

D Comment pourriez-vous améliorer vos connaissances
de la langue française avant de nous rejoindre?

A Pourquoi voulez-vous ce poste?

4 Fais des phrases pour répondre!

Exemple: Parce que j'aimerais passer du temps en France.

Parce que j'aime …

… j'aimerais …

… je voudrais …

… je m'intéresse à …

> travailler   gagner
> perfectionner   passer
> être   avoir

> de l'argent   indépendant(e)   avec des enfants
> une nouvelle expérience
> mes connaissances de la langue française
> du temps en France

B Quels sont vos atouts?

5 Choisis des mots de l'encadré et puis donne des explications et des exemples.

Exemple: Je pense que je suis travailleur/travailleuse, parce que quand on me donne une tâche je la finis toujours.

Je suis sociable, par exemple …

> bien organisé(e)   responsable
> travailleur/travailleuse   sociable   patient(e)
> innovateur/innovatrice   créatif/créative   honnête
> fidèle   sûr(e) de moi   diplomatique
> plein/pleine d'énergie   enthousiaste   calme

C Avez-vous déjà de l'expérience dans le tourisme?

6a Recopie cette réponse et complète les blancs avec un mot de l'encadré.

Exemple: **a** travaillé

Non, mais j'ai déjà **a** ……… dans d'autres secteurs. Par **b** ………, je fais du babysitting et j'ai donc appris à être **c** ……… et à bien écouter ce qu'on me dit. En plus, j'ai travaillé l'été **d** ……… dans une petite supérette. J'ai **e** ……… servir des clients et travailler à la **f** ………, et là j'ai appris à travailler en **g** ……… avec d'autres personnes, des jeunes et des adultes.

> exemple   entreprise   dernier   équipe   boulangerie
> travaillé   dû   patron   caisse   responsable   payé

6b Écris maintenant ta propre réponse à cette question.

D Comment pourriez-vous améliorer vos connaissances de la langue française avant de nous rejoindre?

En + present participle

The construction *en* + present participle is useful for saying how you will do something :

*J'apprends le français **en allant** à mes cours de français.*

I learn French **by going** to my lessons.

See page 167 for information on forming the present participle.

7 Traduis en anglais.

Exemple: **a** *I learn French by listening to CDs.*

J'apprends le français …

a en écoutant des CD.
b en lisant *GCSE French for OCR*.
c en cherchant des mots dans le dictionnaire.
d en parlant avec l'assistante française.
e en faisant des exercices de grammaire.

STRATÉGIES

Watch out for *faux amis* – words which look like an English word, but mean something different. E.g. *réunion* (a meeting, not a reunion) and *annonce* (an advert, not an announcement). Check the meaning of these words: *sympathique, une pièce, un car, sensible, blessé*.

Look out for groups of words which are related. For example, you know *travailler*, so you can guess what someone who is *travailleur* is like. *Créer* is related to *création* and *caissier* to *caisse*. Find at least one word related to each of these: *peintre, production, paiement, nécessité, surprise*.

À VOUS!

8 Work in groups. You will need a real or imaginary job advert. You each have one minute to explain why you are the best candidate for the job. You can record your explanations on OxBox. Vote to decide who gets the job.

9 Work with a partner and practise interviews for a summer job with Val de Loire. Use and adapt the questions in activities **4–7**.

PRESENT TENSE WITH FUTURE MEANING

You can use the present tense to refer to the future if you have a time phrase to make it clear that it's happening in the future:

Je fais un stage la semaine prochaine

1 Various friends tell you what they will be doing tomorrow on their work experience. Write out what each one says.

D'abord, je ...
Moi, je ...
Nous, on ...
Et moi, je ...

IMMEDIATE FUTURE

Use the immediate future to explain what is going to happen, quite definitely and quite soon. Form the immediate future using the verb *aller* plus the infinitive of the second verb.

Je vais	*nous allons*	
tu vas	*vous allez*	
il/elle va	*ils /elles vont*	**+ infinitive**

*Après les examens, je **vais partir** tout de suite en vacances.*

*Et vous, qu'est-ce que **vous allez** faire?*

2 You and your family are planning a self-improvement summer and have made some resolutions about things you are going to do. Add five ideas to the list.

Exemple: Moi, **je vais faire** du jogging tous les matins.
Mes parents **vont lire** plus de livres.

FUTURE TENSE

Use the future tense to talk about things which will happen in a more distant or less certain future:

Regular verbs: *je travaillerai, il jouera, nous parlerons*

Irregular verbs: *j'irai, tu feras, elles auront*

See page 210 for more on how to form the future tense.

3a Translate into English:

Exemple: **a** I will work

a Je travaillerai
b Nous achèterons
c Tu verras!
d Qu'est-ce que vous ferez?
e Nous viendrons vers huit heures.
f Ce sera impossible.

3b Choose infinitives from the box and use the correct form of the future tense to complete these sentences predicting what the people in your work experience office will be doing in ten years time.

Exemple: **a** Monsieur Franc sera millionnaire.

a Monsieur Franc
b Madame Leclair
c Christine et moi, nous ...
d Monsieur Henri
e Et vous, madame Simon, vous ...

> habiter aux États-Unis   être millionaire
> faire le tour du monde   avoir dix petits-enfants
> vivre avec cent chats   travailler toujours ici
> aller sur la lune

4 Revise conjunctions by using examples from the box to join the pairs of sentences together

Exemple: **a** Tu travailles bien et tu auras du succès.

a Tu travailles bien. Tu auras du succès.
b Vous travaillez dur. Vous ne gagnez pas beaucoup d'argent.
c J'arrive au bureau. Je travaille sur l'ordinateur. Je réponds au téléphone.
d Il est très travailleur. Je ne l'aime pas trop.
e Elles arrivent en retard. Elles ont raté le bus.

> et   mais   puis   ensuite   car
> parce que   si   cependant

VERB PHRASES

When there are two verbs together, the second one is in the infinitive. There are different patterns, as the second verb can be:

1 just an infinitive: *Tu dois arriver à l'heure.*

2 *à* + infinitive: *Il apprend à faire du classement.*

3 *de* + infinitive: *Qu'est-ce que tu as décidé de faire?*

See page 209 for more information.

5 Copy the sentences, putting the right preposition in the gap. Watch out for sentences where no preposition is needed.

Exemple: **a** de

a Vous me permettez ... commencer plus tard demain?

b Tu as appris ... taper à la machine?

c Voulez-vous ... travailler jusqu'à cinq heures?

d Qu'est-ce que tu as choisi ... faire?

e Je n'aime pas ... répondre au téléphone.

f Quand avez-vous commencé ... travailler ici?

g Quand devez-vous ... commencer le matin?

h La patronne a oublié ... m'expliquer tout cela.

i J'espère ... gagner un bon salaire un jour.

THE PRESENT PARTICIPLE

The construction *en* + present participle is useful for saying how you will do something

Je fais une bonne impression en travaillant dur. I make a good impression by **working hard**.

It is formed by taking the *nous* form of the verb in the present tense, removing the '-ons' from the end and replacing it with the ending '-ant'.

6 Translate these sentences into French.

a Have you finished reading the report?

b I've forgotten to write the letter.

c Do you want to see the boss?

d She chose to finish at five o'clock

e They don't like going to meetings.

f We will start doing that tomorrow.

7 Write a suitable ending for each sentence.

Exemple: **a** Luc va perdre du poids en jouant au tennis.

a Luc va perdre du poids en ...

b Caroline va réussir aux examens en ...

c Sébastien va gagner de l'argent en ...

d Monsieur Levallet va rester en forme en ...

e Sa femme va se détendre en ...

f Et moi, j'espère apprendre la grammaire française en ...

g Julie va améliorer ses connaissances en espagnol en ...

h J'espère faire de nouvelles rencontres en ...

i Vas-tu élargir tes horizons en ... ?

QUI AND QUE

Qui and *que* mean 'who' or 'which'.

Qui is usually followed by a verb: *C'est un garçon **qui a** beaucoup de talent.*

Que is usually followed by a pronoun: *C'est un garçon **que je** n'aime pas trop.*

8 For each sentence decide whether *qui* (or *que*) means 'who' or 'which'.

a Tu as un ordinateur qui fonctionne?

b Mon patron, qui est assez sévère, ne m'aime pas.

c Les responsabilités que j'ai me fatiguent.

d Mon nouveau poste, que j'adore, est fatigant.

e Mon bureau, qui est très petit, est confortable.

f J'ai plusieurs collègues que je n'aime pas du tout!

In this unit, you've learnt how to...

À l'écrit

1 Set out letters, both formal and informal.

❑ Write out the correct way to begin and end a formal and an informal letter.

❑ Which beginning and ending would you use in each of these circumstances, formal or informal?

a A letter to thank your penfriend's parents for having you to stay.

b A letter to a small business, asking if you can work for them next summer.

c A letter to a shop, asking if your wallet has been handed in.

d A letter to a friend you met on the ferry to France.

2 Work out where to write accents.

❑ Write out three words with each of the following accented letters: *é, è, ç, ô.*

❑ Write down the words you hear, taking care to include any accents which are needed.

3 Use capital letters correctly.

❑ Which of these words are written with a capital letter in French? *juillet la france paris je un allemand (parler) espagnol vendredi.*

❑ Name three examples of words written with a capital letter in English, but not in French.

Lecture

1 Use the context of a text to help you understand it.

❑ Look at the headings to three different texts and answer the question on each.

● *Mon stage, c'était la catastrophe!*
If you see adjectives in this text which you don't understand, are they more likely to be positive or negative?

● *Je rêve d'un voyage vers l'autre bout du monde.*
What is the person who wrote this going to tell you about?

● *Damien n'est pas touché par le chômage.*
Which of these is the text more likely to be about:

a a young man who has been made redundant?

b a young man struggling to find a job?

c a young man whose job is going well?

● *Comment réparer votre ordinateur?*
Which words linked to computer do you already know? screen? keyboard? mouse? software?

❑ Translate these sentences which are taken from the texts with the titles above. Guess any words you don't know, thinking about what is likely in this context.

● *Le patron était un peu grognon et les employés étaient tous hautains.*

● *Un jour je débarquerai sûrement en Australie.*

● *Au premier entretien, Damien a pu décrocher un poste.*

● *N'oubliez pas de nettoyer votre écran et votre clavier régulièrement.*

2 Recognise common sound–spelling links.

❑ Look at the pairs of words, then listen to the recording and write down the missing word in each set.

a *enseignant, dirigeant, ...*

b *traducteur, producteur, ...*

c *mécanicien, électricien, ...*

d *actrice, traductrice, ...*

e *boucher, boulanger, ...*

f *financier, pompier, ...*

3 Recognise 'false friends'.

❑ List three false friends that you have come across in this unit.

❑ Write out the false friend in each sentence and suggest a good translation for it.

a *Tu joues de la flûte ou de la batterie?*

b *Mon père est ouvrier et il travaille dans une fabrique.*

c *En vacances, vous avez payé combien pour la location des vélos?*

d *On est allés au théâtre voir un grand spectacle.*

e *Elle a la silhouette d'un mannequin..*

5B Scénario

À l'écrit

Planifie une visite de la ville de Paris pour le concours Euro-Apprenti.

1   The next round of the competition *Euro-Apprenti* will be in Paris, where you and two others have to impress the judges by persuading tourists to pay for a day-with-a-difference in the city, which you will plan and organise. Read the task brief, then write out your plan, explaining which aspects of the job each team member will be responsible for, what exactly you will be offering the tourists and how you will organise it.

Votre tâche

Vous avez un budget de mille euros. Vous avez douze heures, de 10h à 22h. Vous devez planifier une "visite originale" de la ville de Paris et persuader les touristes de payer pour leur visite.
À décider:

- qui fera quoi?: il faut s'occuper du marketing et de la publicité, des recherches afin d'organiser quelque chose de très original, d'accompagner les touristes, de gérer le budget.

- la visite: les touristes iront où? Ils feront quoi? Ils seront accompagnés par qui?

- les finances: la visite coûtera combien? Pour combien de temps et de personnes? Vous espérez la faire combien de fois pendant la journée? Quels seront vos frais? Allez-vous tirer un bénéfice?

À l'oral

Présente-toi au jury.

1   For the second part of the competition, you have to give a presentation of about 2 minutes, outlining why you would be a worthy winner of *Euro-Apprenti*. Use the ideas in the mind map to decide what you are going to say.

infos personnelles

ambitions pour l'avenir

expérience du monde du travail/stages

Pourquoi serais-tu l'Euro-Apprenti(e) idéal(e)?

goûts et centres d'intérêt

aptitudes scolaires

qualités personnelles

langues parlées

2   Work in groups and take it in turns to listen to each other's presentations. After each one, report back and say whether you think that person would make a worthy winner.
Use the expressions below as a starting point.

Tu serais bien comme Euro-Apprenti, parce que …
J'aimais surtout le fait que tu étais …
C'était assez bien, mais tu devrais aussi expliquer que …
Je pense que tu devrais dire que …

Comment rêver de ton avenir

aller à l'étranger	to go abroad
aller à l'université	to go to university
avoir l'intention de	to intend to
continuer ses études	to continue one's studies
faire le tour du monde	to go round the world
faire un stage	to do work experience
retourner à l'école	to return to school
utiliser ses langues	to use one's languages

l'annuaire *nm*	yearbook
l'espoir *nm*	hope
les projets d'avenir *nm pl*	future plans

se détendre *v*	to relax
espérer *v*	to hope to
gagner *v*	to earn
rêver *v*	to dream

Comment décrire ton stage

faire du classement	to do the filing
se rendre compte que	to realise that
répondre au téléphone	to answer the phone
servir (les clients) *v*	(to serve) customers
travailler à la caisse	to work on the till

le collègue *nm*	colleague
le conseiller d'orientation *nm*	careers adviser
le patron/la patronne *nm nf*	boss
(participer à) une réunion	(to take part in) a meeting
(faire) un stage *nm*	(to do) work experience
le/la stagiaire *nm nf*	someone on work experience
le vendeur/la vendeuse *nm nf*	sales assistant

vendre *v*	to sell

accueillant/e *adj*	welcoming
exigeant/e *adj*	demanding
effrayant/e *adj*	frightening
gentil/gentille *adj*	kind
joyeux/joyeuse *adj*	cheerful
de mauvaise humeur	bad-tempered

Comment trouver un job ou un métier

Je cherche un poste	I am looking for a job
perfectionner ses connaissances d'une langue	to improve one's knowledge of a language
travailler en équipe/seul/e	to work in a team/ alone
le chirurgien/la chirurgienne	surgeon
l'emploi saisonnier *nm*	seasonal job
l'ingénieur/e *nm nf*	engineer
le logement gratuit *nm*	free accommodation
la lettre de motivation *nf*	letter supporting your application

l'offre d'emploi *nf*	job offer
la petite annonce *nf*	advert
la restauration *nf*	catering
le salaire *nm*	salary
le traducteur/la traductrice *nm/nf*	translator

contacter (par email) *v*	to contact (by e-mail)
se demander si *v*	to wonder whether
envoyer *v*	to send
être nourri et logé	to get board and lodging
poser sa candidature	to apply

bien rémunéré	well paid

Comment poser ta candidature

améliorer ses connaissances	to improve one's knowledge
avoir de l'expérience	to have experience
cela donne l'occasion de	it gives the opportunity to
consulter un site web	to check a website
se débrouiller (en + *language*)	to cope (in a language)
parler (espagnol) couramment	to speak (Spanish) fluently
passer l'été à/en ...	to spend the summer in...

le boulot *nm*	job
les conditions de travail *nf pl*	working conditions
l'entretien *nm*	an interview
les horaires *nm pl*	hours
les qualités *nf pl*	qualities
la rémunération *nf*	pay
la réunion *nf*	meeting
libre (à partir de + date) *adj*	free (from + date)
temporaire *adj*	temporary

Comment briller dans un entretien

la carrière *nf*	career
le métier *nm*	job, career
la tâche *nf*	task
briller *v*	to shine

aimer le contact humain	to get on well with people
être au chômage	to be unemployed

bien organisé	well organised
créatif/créative *adj*	creative
diplomatique *adj*	diplomatic
enthousiaste *adj*	enthusiastic
fidèle *adj*	loyal
honnête *adj*	honest
innovateur/innovatrice *adj*	innovative
plein/pleine d'énergie *adj*	energetic
responsable *adj*	responsible
sociable *adj*	sociable
sûr/e de soi *adj*	confident
travailleur/travailleuse *adj*	hard-working

Désirez-vous un robot pour faire toutes les tâches ménagères? Lequel? Voici nos trois robots préférés. À vous de choisir!

Le roi des robots aide à faire toutes les tâches ménagères! Ce robot n'est pas têtu, et il aime obéir. Il aime surtout sortir et donc il est toujours content de promener le chien et d'aller faire les courses. Mais il travaille aussi à la maison: il fait les lits, il met le couvert et il fait la vaisselle. Seulement, il déteste ranger. Il ne range rien!

Le roi des robots

Monsieur Tout-faire

Il s'appelle Monsieur Tout-faire parce qu'il fait tout. C'est logique! Il est un peu sensible - vous devez toujours lui dire "s'il vous plaît" et "merci bien". Mais, il aime aider et il est content de faire les courses, la lessive, et la vaisselle. Il range tous les jours, il prépare des repas délicieux, il garde les enfants et il promène le chien. Il ne cherche jamais d'excuses.

Son slogan c'est "Moi, je m'en occupe" et il fait vraiment beaucoup de choses différentes. Il est capable de nettoyer la salle de bains et il veut bien donner un coup de main pour la lessive. Il lave même la voiture et il aime bien faire la vaisselle. Il ne peut pas promener le chien et il ne fait pas les courses, mais il aime préparer des snacks et même des repas. Oscar est un robot responsable et travailleur, qui est toujours de bonne humeur.

Oscar

1 Quelles tâches fait chaque robot? Note la lettre des images pour chacun.

Exemple: Le roi des robots: **b**, **d**,

2 Comment sont les robots?

Which one...

a is a bit sensitive?
b is hard-working?
c never tries to get out of work?
d is always cheerful?
e won't do any tidying up?
f always says 'I'll do it'?
g likes to get out of the house?

3 Quel robot choisirais-tu pour t'aider chez toi? Pourquoi? Écris un paragraphe.

Exemple: Moi, je choisirais Oscar parce que je déteste nettoyer la salle de bains.

Aussi, ...

La vie quotidienne à Madagascar

Tatiana est une élève de CE2* à l'école Lavoisier de La Rochelle. Elle est arrivée dans l'école en CE1 en mars 2008.

Elle a vécu cinq ans à Madagascar. Elle est née là-bas. Elle est malgache*. Elle a répondu aux questions de ses camarades.

La classe: Où est Madagascar?

Tatiana: Madagascar est une île qui est à côté de l'Afrique. C'est une île plus grande que la France. On y parle français. La capitale s'appelle Antananarivo.

La classe: Où habitais-tu?

Tatiana: J'habitais dans la capitale.

La classe: Comment est l'île?

Tatiana: Au centre de l'île il y a des forêts, des montagnes, des déchets*. Les plages ne sont pas très belles.

La classe: Comment sont les maisons?

Tatiana: Elles sont petites et la plupart sont souvent construites en bois*.

La classe: C'était comment, chez toi?

Tatiana: On habitait une toute petite maison avec mes grands-parents. On s'entendait bien, mais eux, ils sont restés là-bas quand je suis venue en France avec mes parents et mes frères. La vie de famille est très importante à Madagascar. On mangeait toujours ensemble, par exemple, à la fin de la journée, vers six heures du soir.

La classe: Que mangent les habitants?

Tatiana: Ils mangent du riz, de la viande, du lapin, des légumes et du poisson. Ils attrapent les animaux à la main et les tuent* avec un couteau.

La classe: Est-ce que la vie était très différente?

* CE2 – *third year of primary school*
  malgache – *Madagascan*
  les déchets – *rubbish*
  en bois – *wooden*
  tuer – *to kill*

Tatiana: Ah oui! Par exemple, je n'allais pas à l'école tous les jours. Je jouais dans la rue avec les autres enfants du coin, et le soir, je rentrais chez moi, manger en famille et puis me coucher. La routine était tout à fait différente.

1 Recopie et complète le tableau.

Madagascar	
a Where is it?	
b Size	
c Language	
d Capital	
e Landscape	

2 Écris une phrase en anglais pour chaque mot: houses, family life, food, hunting, school, children.

Exemple: The houses in Madagascar are often made of ...

3 Fais des recherches sur Madagascar sur Internet ou dans une bibliothèque. Essaie de trouver:
- des images de la vie quotidienne à Madagascar.
- plus d'information sur la vie des enfants là–bas.
- la raison pour laquelle on parle français à Madagascar.

Chemin de fer = tourisme vert!

Vous adorez faire du tourisme à la montagne mais vous trouvez les routes parfois dangereuses, et souvent vraiment trop encombrées? Alors, pensez aux trains touristiques!

Ces trains roulent sur d'anciennes lignes ferroviaires qu'on restaure aujourd'hui pour le tourisme. Grâce aux* trains touristiques, on voit les paysages en toute sécurité, sans bouchons et sans polluer l'environnement!

Dans certaines régions de haute altitude, vous passerez dans des sites sauvages et magnifiques et, pour certains, inaccessibles aux autres véhicules.

Il existe une cinquantaine de ces trains dans toute la France, en montagne, mais aussi à la campagne et au bord de la mer. Sur certaines lignes, des trains ultra-modernes ont remplacé les autorails traditionnels; d'autres, comme le petit train de Corse, ont conservé leurs voitures traditionnelles, ce qui ajoute encore au charme du voyage!

* thanks to

1 Avant de lire ce texte, regarde les stratégies 1–3, page 40.

2 Lis et note:

   a trois endroits où on trouve des trains touristiques.

   b deux raisons pour prendre le train plutôt que la voiture en montagne.

   c quatre bonnes raisons pour prendre le train touristique de façon générale.

3 Réponds aux questions.

   a Est-ce que tu voudrais prendre un train touristique? Pourquoi?

   b Comment aimes-tu voyager en général? Est-ce que tu es « écolo »?

Le Nord: mythes et réalités

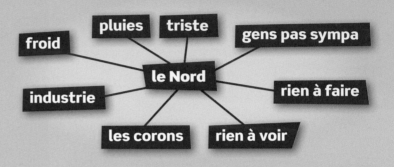

Quand on dit « le Nord » de la France, beaucoup de gens imaginent une région grise, pas intéressante, avec une population pas très agréable. Cette vision est tout à fait à l'opposé de la réalité!

Si le temps ici est assez imprévisible, il ne pleut pas en permanence! Il y a moins de soleil que dans le sud de la France mais l'air y est beaucoup plus pur.

Il y a bien sûr des traces du passé industriel de la région: les anciennes mines de charbon, et les célèbres corons, les villages de mineurs. Mais le Nord, ce n'est pas uniquement ça. C'est une région moderne et accessible, avec d'excellents moyens de transport, comme le TGV et le Tunnel sous la Manche.

Les gens du Nord, qu'on surnomme les Ch'tis, ne sont pas renfermés. Ils sont au contraire très conviviaux: ils adorent se retrouver et faire la fête. Il y a beaucoup d'associations et aussi de carnavals et autres fêtes de rue dans beaucoup de villes du Nord.

C'est une région très dynamique et le tourisme se développe. Il y a sur la côte des paysages et des plages magnifiques et il y a un grand nombre de châteaux et de vieilles villes historiques dans toute la région.

1 Lis le texte. Résume en anglais ce qu'il dit sur:
- **a** l'image typique de la région
- **b** son climat
- **c** ses habitants
- **d** sa culture et ses traditions
- **e** ses points d'intérêt touristiques

2 Refais le diagramme avec des mots du texte pour montrer la réalité de la région Nord.

Exemple: gens pas sympa → gens conviviaux

3 Fais un diagramme *Mythes et réalités* pour ta région! Discute avec un/une partenaire.

Les Jeux Olympiques Modernes

1 Où ont eu lieu* les premiers Jeux Olympiques modernes?

  a Athènes
  b Paris
  c Londres

2 Dans quel pays les JO modernes ont-ils eu lieu le plus souvent?

  a La Grèce
  b La Grande-Bretagne
  c La France

3 Quelles sont les cinq couleurs des anneaux olympiques?

  a noir, bleu, rouge, vert et jaune
  b noir, violet, rouge, vert et jaune
  c noir, blanc, rouge, vert, jaune

4 Jusqu'à quand les JO d'été et les JO d'hiver avaient lieu la même année?

  a 1924
  b 1992
  c 2004

* took place

5 Qu'est-ce qu'on a utilisé pour la première fois aux JO d'hiver en 1932?

  a le drapeau olympique
  b le podium
  c les médailles

6 Quel athlète noir a remporté quatre médailles d'or aux JO de Berlin en 1936?

  a Carl Lewis
  b Jesse Owens
  c Michael Jordan

7 Pourquoi la gymnase Nadia Comaneci est-elle devenue célèbre aux JO de 1976?

  a la sportive la plus médaillée à Montréal
  b la plus jeune participante dans l'histoire des JO
  c la première à avoir un 10/10 aux JO

8 Le rugby est-il un sport olympique?

  a Oui, depuis 1924
  b Seulement jusqu'en 1924
  c Non, il n'a jamais été un sport olympique

9 Qui était le créateur des Paralympiques?

  a un docteur anglais
  b un sportif handicapé
  c un journaliste aveugle

10 En quelle année les Paralympiques ont-ils eu lieu après les JO pour la première fois?

  a En 1948 à Londres
  b En 1960 à Rome
  c En 2008 à Pékin

1 Lis et fais le quiz. Vérifie tes réponses avec ton professeur.

2 Résume les informations et écris des phrases.
Exemple: Les premiers Jeux Olympiques modernes ont eu lieu à ...

3 Fais des recherches sur les JO modernes et prépare un mini-quiz pour ton/ta partenaire ou une classe de correspondants francophones.

4 Imagine: tu es journaliste sportif/sportive. Fais une présentation des JO.

Le Parkour, made in france

David Belle: créateur du Parkour

1 Vous avez peut-être déjà vu David Belle dans un
film d'action, comme Banlieue 13 ou Babylon AD, ou
sur Youtube ou Dailymotion: c'est l'homme qui saute de
toit en toit, qui grimpe les murs à mains et pieds nus et
5 qui défie les lois de la pesanteur*!

Né en 1973, ce Français est devenu une star
internationale quand il a créé, en 1998, une nouvelle
discipline sportive, le Parkour: c'est un sport extrême
où il faut se déplacer le plus efficacement, le plus
10 harmonieusement et le plus audacieusement possible.
Il a commencé dans sa cité de la banlieue parisienne et
est vite devenu le meilleur *traceur* (pratiquant du Parkour)
du monde. Quand il était petit, on l'appelait
Spiderman! Il faisait énormément de sport, surtout de
15 l'athlétisme et de la gymnastique. Il voulait absolument
être en excellente condition physique mais il ne savait
pas très bien pourquoi. Son père, Raymond Belle,
ancien militaire et Sapeur-Pompier à Paris, l'a inspiré.
Pour son père, le Parkour était une méthode
20 d'entraînement aux obstacles, utile en cas de problème
dans la vie. Comme son grand-père, son père et son
frère avant lui, David est alors devenu pompier mais il a
arrêté pour se consacrer au Parkour et depuis 2001,
au cinéma.

25 Le Parkour a évolué et maintenant, beaucoup de
jeunes font du Parkour Freestyle, avec des acrobaties
spectaculaires mais parfois dangereuses. David Belle
dit qu'un bon traceur doit être non seulement un
gymnase exceptionnel, avoir de bonnes cuisses et de
30 bons bras, une bonne coordination et de la
détermination mais aussi s'entraîner longtemps et
savoir à tout prix éviter les risques de blessures.

* defies the laws of gravity

1a Avant de lire, regarde l'action sur la photo. Pense à
des adverbes qui la décrivent.

Exemple: dangereusement

1b Lis. Tu trouves quels adverbes? Compare aux tiens.

2 Quelles affirmations (a–f) sont vraies? Trouve les
phrases du texte pour confirmer ou corriger.

Exemple: **a** vrai. Ligne 1: Vous avez peut-être déjà vu
David Belle [....] Babylon AD.

a David Belle does stunts in films.
b David became internationally renowned at 15 after
perfecting the sport in his Paris suburb.
c His father gave David's search for fitness a focus
and the idea of Parkour.
d For Raymond Belle, the Parkour routine was purely
utilitarian.
e Firefighting is David's full-time occupation, like
other men in his family.
f To be a good *traceur*, you need to take risks and
maybe have accidents.

La cuisine régionale

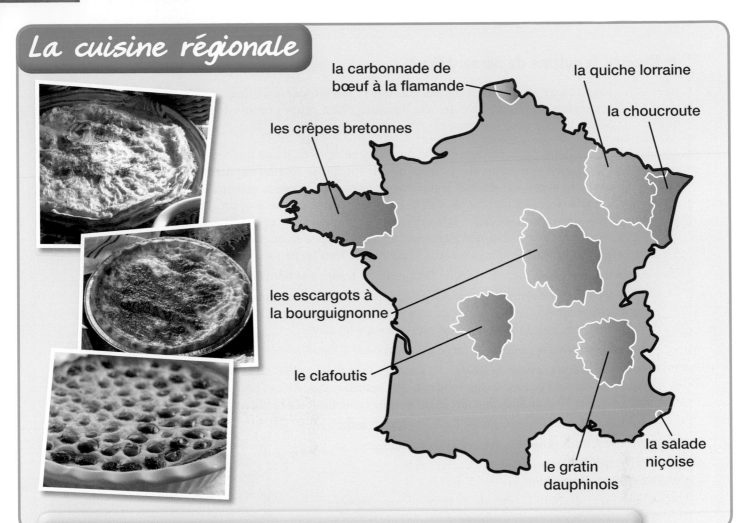

la carbonnade de bœuf à la flamande

la quiche lorraine

les crêpes bretonnes

la choucroute

les escargots à la bourguignonne

le clafoutis

le gratin dauphinois

la salade niçoise

1 C'est du bœuf et des oignons cuits avec de la bière.

2 Ce sont des escargots farcis avec du beurre, de l'ail et du persil.

3 C'est de la salade verte avec des tomates, des haricots verts, des œufs, des olives, du thon et des anchois.

4 C'est une tarte garnie d'un mélange de crème, d'œufs et de lardons (ou morceaux de jambon).

5 C'est du chou haché et fermenté dans la saumure. C'est généralement servi avec des saucisses.

6 Ce sont des fines galettes plates et rondes, faites avec de la farine, des œufs et du lait ou de l'eau. C'est souvent servi avec du sucre, du citron ou de la confiture.

7 C'est un dessert fait avec une pâte à flan et des cerises (ou autres fruits).

8 C'est fait avec des rondelles de pomme de terre, cuites au four avec du lait et du beurre, et souvent du gruyère râpé.

1 Lis et note tous les fruits et légumes.
Exemple: des oignons

2 Relie les définitions aux plats.
Exemple: le clafoutis = 7

3 Quels plats aimerais-tu goûter? Quels plats ne goûterais-tu pas? Explique pourquoi.

4 Écris un mini-guide de la cuisine régionale britannique.

▶ **Recette de cuisine, de Bernard Friot**

J'ai pu enregistrer, dans le bac à légumes de mon réfrigérateur, une conversation émouvante entre une pomme golden et une pomme de terre. Voici ce document étonnant :

«Ah, chère madame, dit la pomme golden à la pomme de terre, il faut que je vous raconte ce qui est arrivé à ma meilleure amie, une pomme de reinette que je connais depuis l'école maternelle. C'est absolument é-pou-van-ta-ble! Figurez-vous qu'on en a fait de la marmelade! Deux individus se sont emparés d'elle, un homme tout en blanc et une jeune femme avec un grand tablier bleu. La femme a pris un couteau spécial et elle a déshabillé complètement ma copine. Imaginez un peu: toute nue sur une table de cuisine! L'homme, lui, l'a découpée en quatre, comme ça, zic zac, en deux coups de couteau. Et il lui a arraché le cœur avec tous les pépins.

– Arrêtez, arrêtez, c'est horrible! s'écria la pomme de terre en se bouchant stupidement les yeux.

– Ce n'est pas fini, poursuivit la pomme golden. Ils ont jeté la malheureuse dans une casserole, avec plein d'autres copines. Ils ont ajouté un tout petit peu d'eau et, hop! Ils ont allumé le gaz. Au bout de deux minutes, avec la vapeur, c'était pire que dans un sauna.

– Oh, un sauna, dit la pomme de terre, c'est bon pour la santé.

– Eh bien, répliqua la pomme golden, je voudrais bien vous y voir! Au bout de vingt minutes environ, les copines étaient toutes fondues, une vraie bouillie. Alors l'homme a pris une cuillère en bois, il a ajouté 50 grammes de sucre et un peu de cannelle et il a bien remué le tout.

– Hm hm, murmura la pomme de terre, ça devait sentir bon!

– Oh, vous! Vous n'avez pas de cœur! s'écria, indignée, la pomme golden.»

Et elle éclata en sanglots.

«Vous savez, répondit la pomme de terre, je pourrais vous raconter des choses plus horribles encore. Figurez-vous que mon fiancé a été transformé en purée! Voilà comment ça s'est passé: un homme est venu le chercher ...»

Malheureusement, l'enregistrement s'arrête là. Une panne de courant, probablement.

Histoires pressées, Collection Zanzibar, © Éditions Milan

* émouvante – *moving*
  épouvantable – *dreadful*
  marmelade – *stewed fruit*
  se sont emparés d'elle – *seized her*
  arraché le cœur – *ripped her heart out*
  les pépins – *pips*
  la vapeur – *steam*
  une vraie bouillie – *a complete mush*
  cannelle – *cinnamon*
  éclata en sanglots – *burst out crying*
  purée – *mashed potato*
  panne de courant – *power cut*

1 Lis l'histoire et réponds en anglais.
  a *Who recorded the story heard at the bottom of the fridge?*
  b *Who's telling the story, the golden delicious apple or the potato?*
  c *What dreadful thing happened to its friend, the pippin apple?*
  d *Who are the man in white and the woman in blue?*
  e *What did the man do to the apple?*
  f *What happened to the potato's fiancé?*

2 Imagine et écris la fin de l'histoire du fiancé de la pomme de terre.
  Exemple: L'homme a épluché et coupé mon fiancé en morceaux. Il a mis les morceaux dans de l'eau très chaude...

Ça a lieu le 14 juillet. Cette fête commémore la prise de la Bastille au début de la Révolution française. Ce jour-là, on ne travaille pas. Mes parents invitent souvent des amis à manger à la maison. Cette année, on va faire un feu d'artifice en ville. Et après, on va danser au bal de rue. À Paris, il y a un important défilé militaire sur les Champs-Élysées qu'on regarde parfois à la télé.

Sabine

Nous, on décore la maison et on a un grand sapin avec des décorations et des petites lumières. Les magasins, les villes et les villages sont également décorés. Nous, on échange des cadeaux qu'on a mis près de l'arbre. On fait un grand repas: on a toujours des huîtres pour commencer. Ensuite, on mange de la dinde avec des légumes, et comme dessert, il y a une bûche au chocolat.

Anya

Cette fête a lieu une semaine après Noël. Même les petits peuvent se coucher tard ce soir-là. Le moment fort, c'est minuit! À minuit, on boit du champagne et on se dit "Bonne année!" Cette année, je suis allé faire la fête chez mon copain. Je me suis couché à deux heures du matin. C'était génial! Souvent, en cette période, on prend de bonnes résolutions pour l'année qui va venir.

Bruno

J'aime bien cette fête qui a lieu au printemps. On est catholiques, alors on va à la messe le vendredi saint et encore le dimanche. C'est une fête religieuse importante pour les chrétiens. Bien sûr, j'aime bien aussi les œufs en chocolat! Quand j'étais petit, je cherchais dans le jardin des œufs en chocolat ou des sucreries que ma mère avait cachés. Le lundi est un jour férié.

Damien

A  **B** **C** **D**

1 Lis rapidement les bulles. On parle de a ou b?
  a dates importantes dans le calendrier français
  b fêtes que les jeunes ont organisées eux-mêmes

2 Retrouve une image et un titre pour chaque bulle.

| Noël   le Nouvel An   Pâques   la Fête Nationale |

Exemple: Sabine: image **B**, la fête nationale

3 Trouve dans les bulles des mots associés:
  a au travail   **b** à la religion   **c** au sucre

4 Qu'est-ce que tu fais les jours de fête? Décris:
  a Noël
  b le Nouvel An
  c Pâques

5 Explique d'autres jours importants que tu fêtes (Diwali, la Saint-Valentin, la fête des Mères, etc.)

Spécial loisirs

Cet article est basé sur un sondage du ministère de la Culture sur les loisirs des Français de 12 à 25 ans.

A

Que font les adolescents français pendant leur temps libre? Ils aiment beaucoup sortir. Et la sortie favorite des jeunes en France est le cinéma. On aime aussi aller aux concerts rock et en discothèque. Le week-end, on va souvent dans un parc de loisirs ou à un match sportif.

Les sorties les moins populaires pour les 12–25 ans sont les spectacles de jazz, de musique classique, de danse et d'opéra. En général, les jeunes ne sortent pas seuls, ils préfèrent les sorties en groupe.

B

Et à la maison? Les ados regardent moins la télévision que les adultes. Leur média préféré, c'est les radios jeunes (NRJ, Fun Radio, Skyrock). Ils n'aiment vraiment pas lire: 52% n'ont pas lu plus de deux livres l'année dernière. Par contre, ils lisent des magazines de télé ou consacrés à la musique, au cinéma ou à la mode féminine. Et 26% lisent un journal tous les jours.

Les jeux traditionnels ne sont pas morts en France. Neuf Français sur dix jouent à des jeux de société (cartes, *Monopoly*, échecs, *Scrabble* …).

C

En France, on aime toujours le sport! Le Tour de France est la compétition sportive annuelle qui attire le plus de spectateurs et inspire beaucoup de jeunes cyclistes. Mais le football est l'activité préférée de la majorité des jeunes en France. Les Français ont été champions du monde pour la première fois en 1998 quand ils ont battu les Brésiliens.

D

Les jeux électroniques sont beaucoup plus populaires chez les garçons que chez les filles. Et ils ont de plus en plus de succès, peut-être parce que les jeux offerts aujourd'hui sont plus réalistes, intéressants et stimulants qu'ils ne l'étaient il y a quelques années.

1 Avant de lire l'article, devine si les jeunes français aiment les activités de l'encadré. Classe-les par ordre de popularité (1 = la plus populaire). Ensuite, lis pour voir si tes prédictions sont correctes.

> les discothèques   le football   la lecture   la radio
> les spectacles de danse/d'opéra   les jeux de société
> les jeux électroniques   le cinéma

2 Réponds en anglais.
  a What is the favourite outing of French teenagers?
  b Where do they like to go when they go out?
  c What do they like to read?
  d What sort of games do they choose?
  e Which is the most popular sport?
  f Who prefers electronic games? Is it the same in your country? Why do you think this is?

Es-tu accro à la télé?

1 **Chez toi, il y a un poste de télé:**

  a seulement au salon pour toute la famille. On regarde surtout les chaînes hertziennes*.

  b dans ta chambre – c'est le dernier modèle, numérique et câblé, bien sûr!

2 **Tu regardes la télé:**

  a moins de deux heures par jour, parce que tu as d'autres passe-temps.

  b plus de deux heures par jour parce que c'est ton passe-temps préféré.

3 **Tu allumes la télé:**

  a à l'heure de ton émission préférée. Tu lis le programme télé à l'avance.

  b immédiatement quand tu rentres du collège. C'est la meilleure façon de te détendre.

4 **Il y a des jeux que tu détestes sur toutes les chaînes.**

  a Tu ne regardes pas la télé. Tu lis un bon roman.

  b Tu zappes un moment et finis par regarder un jeu.

5 **Ta passion, c'est les films d'horreur. Tu préfères:**

  a aller les voir au cinéma où les effets sont plus spectaculaires.

  b les regarder à la télé parce que c'est plus confortable et moins cher.

6 **Un copain t'appelle pendant ton émission préférée.**

  a Tu éteins la télé et tu lui parles pendant une demi-heure

  b Tu ne veux pas manquer ton émission. Tu lui dis que tu le rappelleras plus tard.

7 **Il y a une émission intéressante que tu veux voir à 23h45.**

  a Tu l'enregistres sur DVD. Comme ça, tu peux le regarder le week-end.

  b C'est tard mais tu la regardes.

8 **La télé est en panne.**

  a Ce n'est pas grave. Tu fais quelque chose d'autre.

  b L'horreur! Tu vas chez ta copine regarder la sienne.

Résultats

Une majorité de a: Tu n'es pas accro à la télé. Tu la regardes mais seulement quand ça t'intéresse.

Une majorité de b: Tu es très accro à la télé. Attention, n'oublie pas tes amis, les autres passe-temps et ta santé!

* terrestrial channels

---

1 Lis le test. Sans dictionnaire, devine l'équivalent en anglais.

Exemple: **a** addicted

  a accro   **d** tu zappes

  b un poste   **e** tu éteins

  c câblé   **f** en panne

2 Fais le test et lis les résultats. Tu es d'accord?

3 Écris un paragraphe: La télé et moi.

- Note huit expressions du test que tu peux adapter.
- Écris ton paragraphe en incorporant les huit expressions.

Entre les murs

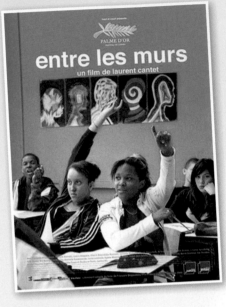

L'avis d'un adolescent:

C'est pas mal comme film. Je l'ai trouvé très réaliste. Moi aussi, je suis dans un collège difficile et je pense que le film n'est pas exagéré. Mais, à mon avis, le prof crie trop sur ses élèves. Il ne se fait pas respecter.

L'avis d'un prof:

Entre les murs est un hommage aux professeurs et à leur métier difficile. J'ai trouvé ce film très intéressant parce que les dialogues sont justes et les acteurs amateurs sont très professionnels. Allez le voir.

Ce film français a reçu la Palme d'or au Festival de Cannes, 2008.

Cette comédie dramatique se passe « entre les murs » d'un collège à Paris, dans un quartier multiculturel défavorisé. Un jeune prof de français (joué par François Bégaudeau qui est l'auteur du livre qui a inspiré le scénario) fait face à une classe particulièrement « difficile ». Les élèves sont souvent insolents mais il doit assurer la discipline.

C'est de la fiction mais c'est presque un documentaire parce que c'est tellement réaliste. Les acteurs – qui sont tous non professionnels – nous font rire, pleurer, désespérer. Ils reproduisent facilement le langage de la rue – les mots, les gestes, les vêtements. L'histoire nous fait comprendre que quand les élèves vont trop loin, cela peut avoir des conséquences très graves.

Cette confrontation constante entre un professeur et ses vingt-quatre élèves est une histoire originale et perturbante.

1 Lis la critique. Le film se passe où?

2 Sans dictionnaire, trouve l'équivalent en anglais de ces mots du texte.

Exemple: **a** disadvantaged

a défavorisé   **d** désespérer
b l'auteur   **e** l'avis
c particulièrement   **f** leur métier

3 Trouve les synonymes dans le texte.

Exemple: **a** a lieu = se passe

a a lieu   **d** ce conflit
b confronte   **e** dérangeant
c sans difficulté **f** cette profession

4 Réponds en anglais.

a *In which two ways is François Bégaudeau connected to the film?*
b *What is special about the actors?*
c *Which expressions show that the film is about conflict between the teacher and pupils?*
d *Does the teenager think the film is realistic? How can he judge this?*
e *Did the teacher enjoy the film? Why?*

Séjours en Angleterre

L'année dernière, en août, j'ai fait un séjour de trois semaines à York, en Angleterre. Je suis partie seule. J'ai pris l'avion jusqu'à Londres, et puis le train. J'étais dans une famille où il y avait une fille de mon âge, Katy. Il faisait beau et chaud presque tout le temps. On a visité la ville de York et on a fait des excursions. Mais ce que j'ai préféré, c'était buller* avec les copines de Katy. On s'est bien entendues et c'était un séjour agréable. Les Anglais sont très polis. Par contre, je n'ai pas beaucoup aimé la nourriture anglaise et je trouve que les Anglais mangent trop entre les repas*.

Léna

* buller – *to hang out*
entre les repas – *between meals*

Guillaume

Moi, j'ai fait un voyage de classe que mon prof a organisé. Je suis parti à Londres le 4 avril et j'y suis resté cinq jours. On a fait le voyage en car. C'était long et pas très confortable. On a dormi dans une auberge de jeunesse*. Le matin, on avait des cours d'anglais tandis que l'après-midi, on faisait des visites. J'ai bien aimé les visites à Big Ben, au Parlement et au Palais de Buckingham, etc. C'était très intéressant et je voudrais bien y retourner un jour. Mais il ne faisait pas beau, il faisait gris. Je pense qu'il ne fait jamais chaud en Angleterre, même en été.

* youth hostel

1 Lis rapidement les textes. Léna et Guillaume ont bien aimé leur sejour?

2 Relis et réponds en anglais pour chaque jeune.
- **a** Where did you go? When?
- **b** Who did you go with?
- **c** How did you travel?
- **d** How long did you stay?
- **e** Where did you sleep?
- **f** What did you do?
- **g** What was the weather like?
- **h** Did you enjoy your trip?

3 À ton avis, les opinions de Léna et Guillaume sur l'Angleterre et les Anglais sont-elles justifiées?

Interview avec une jeune fille au pair

Cécile est jeune fille au pair dans une famille anglaise dans un petit village à côté d'Oxford.

– Cécile, quel âge avez-vous?

– J'ai vingt et un ans.

– Et qu'est-ce que vous faites dans la vie?

– Je suis étudiante en anglais, en France, mais en ce moment, je suis jeune fille au pair dans une famille anglaise.

– Et vous êtes ici depuis combien de temps?

– Euh … je suis ici depuis huit mois maintenant.

– Qu'est-ce qui vous a donné l'idée de faire ce travail?

– Après avoir passé des vacances en Angleterre, j'ai décidé de revenir pour améliorer mon anglais.

– Et, à votre avis, quels sont les avantages et les inconvénients d'un séjour comme le vôtre?

– Je trouve que c'est le meilleur moyen de progresser dans la langue du pays. Si on vient en groupe ou avec sa famille, on parle en français tandis qu'ici je parle tout le temps en anglais. En plus, j'ai découvert une autre culture, un autre pays.

– Il y a des inconvénients?

– Euh … il faut dire, c'est du travail, ce n'est pas des vacances! Je m'occupe des trois enfants de la famille et ils ne sont pas toujours faciles. En plus, je n'ai pas beaucoup de temps libre et c'est mal payé.

– Avez-vous des conseils pour les jeunes qui pensent faire comme vous?

– Ce n'est pas pour tout le monde. Il faut aimer les enfants et les tâches ménagères. Mais ça peut être une expérience très enrichissante.

1 Lis l'interview. Comment dit-on …?

  a how long have you been here?
  b after having spent holidays in England
  c in your view
  d a trip like yours
  e it's badly paid
  f do you have any advice?
  g household chores

2 Complète les phrases.

  a Cécile is working …
  b She decided to get a job as an au pair because …
  c She feels being an au pair is better than a family holiday because …
  d She finds looking after the children …
  e The disadvantages of the job are …
  f Her advice to anyone thinking of being an au pair is …

3 Tu voudrais travailler à l'étranger? Explique les avantages et les inconvénients.

4B Lecture A

Martinique

A On apprend le recyclage en Martinique

Au collège Cassien Sainte Claire, en Martinique, on vient de faire un projet pour la protection de l'environnement. Le projet a été organisé par le directeur, Monsieur Labridy et sa collègue Madame Dol. On voulait que les enfants et les adultes du collège participent ensemble au recyclage. Alors, qu'ont-ils fait? Beaucoup de choses!

1 Lis le texte, puis recopie et remplis la grille.

Nom du collège: Collège Cassien Sainte Claire

C'est où?

Directeur?

Quelle sorte de projet?

B

A On a eu des cours sur le thème de l'environnement dans beaucoup de matières différentes, par exemple le français, l'histoire-géographie, les sciences et les arts plastiques.

B On a fait des collectes de déchets plastiques, métalliques et d'autres matières recyclables.

C On a emporté tout cela au centre de recyclage.

D On a fait des créations artistiques avec des matières recyclables, par exemple des bijoux, des chaussures, une mosaïque de la Martinique, des affiches et des poubelles de récupération.

2a Relie chaque texte à une image.

2b Comment dit-on en français?

Exemple: les arts plastiques

a *visual arts*
b *plastic rubbish*
c *reyclable materials*
d *jewellery*
e *recycling bins*

C

Le projet a été un formidable succès! Au début, une dizaine d'élèves ont participé, mais à la fin tout le monde voulait aider et il y avait une vaste opération de collecte et de tri. Des milliers de choses ont été recyclées, par exemple des canettes et des emballages. Les résultats sont visibles – l'école est plus propre! – et les enfants sont fiers de leur travail. Le prochain projet?
On va créer un jardin créole!

3 Recopie et complète les phrases en anglais.

a *The project was a great …*
b *At first, about ten pupils …*
c *But by the end, everybody …*
d *The things that were collected included …*
e *Now the school is much …*
f *The pupils are proud of …*
g *Next, they are going to …*

185

La rentrée écolo

> * CE1 – *Year 2 class, pupils aged 7*
> fournitures - *stationery supplies*
> gaspillage - *waste*

La rentrée était un peu différente cette année pour les élèves de CE1*. Leur institutrice, Mary Ann Meurin nous a expliqué qu'elle voulait **encourager une attitude responsable envers l'écologie**. D'abord, les cahiers ont des pages moins blanches, ce qui a surpris les enfants. Luc a demandé: "Ce cahier, il est vieux et déjà usé?"

Les élèves aiment le nouveau matériel écologique. Camille trouve que les stylos sont agréables pour écrire. Maintenant, **elle préfère les fournitures* écolo**. Maëlle et Guillaume expliquent: "Nous vivons sur cette planète et si elle est polluée c'est nous-mêmes que nous tuons". Cette année, ils vont essayer d'**éviter le gaspillage*** et Amaury explique que le matériel écolo est "bien parce les fournitures sont recyclables".

Les enfants ont déjà leurs propres idées sur l'écologie. Mathis et Valentin aiment la nature et pensent qu'on ne parle pas assez d'écologie à l'école. Louis et Antoine veulent protéger la planète pour les animaux. Anne-Charlotte nous explique que "si on ne protège pas la planète, la vie sur Terre sera impossible" et Luka ajoute qu'il est important de **changer nos habitudes** "si l'homme veut continuer à vivre sur terre" et que chez lui, il y a des "lumières économiques". Guillaume et Hugo expliquent qu'il est important de "fermer le robinet quand on se brosse les dents". Et Marine sait déjà qu'il est important "de **protéger la planète contre le réchauffement climatique**". Son geste écolo à elle, c'est de "ne pas allumer la lumière des toilettes quand il fait jour".

Laissons le dernier mot à Théo: "Il faut protéger la planète pour y vivre le plus longtemps possible".

1 Lis le texte, puis réponds aux questions en anglais.

   a *What was the first change the children noticed when they came back to school this year?*

   b *What did Luc wonder?*

   c *What did their teacher want to achieve?*

   d *What other new stationery items are mentioned in the second paragraph?*

   e *Name three practical things which children mentioned in the third paragraph say they do.*

2 Écris des notes en anglais pour expliquer les arguments de ces enfants.

   Exemple: **a** *Mathis and Valentin think ecology is not talked about enough at school*

a Mathis et Valentin	**d** Luka
b Louis et Antoine	**e** Marine
c Anne-Charlotte	**f** Théo

3 Recopie toutes les expressions en gras et traduis-les en anglais.

   Exemple: **encourager une attitude responsable envers l'écologie** – *to encourage a more responsible attitude towards ecology*

4 Écris deux paragraphes:

   • Explique les gestes écolo que tu fais toi-même.

   • Explique pourquoi il est important de faire des gestes écolo. Essaie de donner au moins trois raisons.

Quel type d'élève es-tu?

1 Tu as un examen dans un mois.
- **a** Tu commences à réviser tout de suite.
- **b** Tu commenceras la semaine avant l'examen, il reste beaucoup de temps!
- **c** Tu ouvriras ton cahier la veille de l'examen et tu liras autant que tu pourras!

2 Ton prof est malade mais tu dois rendre ton projet demain.
- **a** Tu le termines quand même – comme ça tu auras plus de temps pour les autres devoirs.
- **b** Tu attends le retour du prof avant de finir le travail.
- **c** Tu vas regarder la télé. Tu réfléchiras au projet quand ce sera vraiment nécessaire.

3 Il faut choisir ce que tu vas étudier en première/terminale. Comment choisis-tu tes matières?
- **a** Tu fais des recherches, tu penses aux carrières possibles et puis tu choisis la meilleure filière*.
- **b** Tu choisis selon tes préférences. Il est trop tôt pour penser à ton avenir après le lycée.
- **c** Tu demandes à tes copains ce qu'ils vont étudier et tu choisis la même filière.

4 Ton copain ne comprend pas ses devoirs de maths.
- **a** Toi, tu les comprends et tu vas l'aider.
- **b** Tu lui dis d'aller trouver le prof pour qu'il lui explique les devoirs.
- **c** Tu ne vas pas gâcher* la récré en discutant des devoirs!

5 Tu dois te préparer pour ton examen oral. Que fais-tu?
- **a** Tu commences pendant les vacances et tu t'entraînes avec ta mère/tante/copine.
- **b** Tu commenceras après les vacances, il y a plein de choses à faire pendant les vacances.
- **c** Tu apprendras les questions le week-end avant l'examen. Tu n'es jamais malade et tu auras bien le temps!

6 Tu as trouvé un petit boulot dans un supermarché le samedi. On te demande si tu peux travailler aussi le dimanche.
- **a** Tu dis non, tu n'aurais pas le temps de faire ton travail scolaire.
- **b** Tu demandes si c'est possible de travailler les deux jours seulement pendant les vacances scolaires.
- **c** Tu dis oui! Tu as toujours besoin d'argent!

> *la filière* – course of study
> *gâcher* – to spoil

1a Lis le quiz et choisis la bonne option a), b) ou c).

1b Lis le commentaire pour tes réponses.

2 Écris un paragraphe pour expliquer si tu es d'accord avec le commentaire. Tu crois être un(e) bon(ne), élève? Pourquoi? Écris environ 100 mots.

Quelles réponses as-tu choisi le plus souvent?
a Tu es très bien organisé(e) et tu sais comment combiner ton travail scolaire et le reste de ta vie.
b Tu as quelquefois le bon réflexe mais un peu plus d'organisation ne ferait pas de mal!
c Il faut essayer d'organiser ta vie et puis ton travail scolaire s'améliorera!

Le système du baccalauréat

Presque tous les élèves de terminale passent le baccalauréat quand ils ont 18 ans.

Il y a plusieurs filières du bac, dont:

- le bac scientifique, dont les matières les plus importantes sont les sciences et les maths, mais on étudie le français, une langue étrangère, la philosophie, l'histoire et la géographie aussi.

- le bac littéraire, dont les matières les plus importantes sont la philosophie, la littérature française, l'histoire, la géo et deux langues étrangères. On a aussi quelques heures de maths et de sciences par semaine.

Si on veut aller à l'université, il faut réussir son bac. Si on veut aller dans une grande école*, il faut d'abord faire deux ans de « prépa », ou classes préparatoires. Pour beaucoup de grandes écoles il faut avoir le bac scientifique.

* one of France's most prestigious universities

Une décision difficile

- **Alors, Fabienne, tu as décidé quel bac tu vas faire?**

- Euh, non. D'abord je voulais faire un bac littéraire car la philosophie est ma passion. Après mon bac, j'aimerais étudier la philosophie à l'université et je sais que ça m'intéresserait beaucoup.

- **Pourquoi, alors, tu hésites maintenant?**

- Parce que si on fait le bac scientifique on peut aller dans une grande école et ça mène certainement à une carrière bien payée.

- **C'est un choix motivé par la carrière et le salaire, alors?**

- Oui, oui, mais dans un sens, ça me semble un peu triste de choisir une série de bac pour des raisons financières.

- **Qu'en pensent tes parents?**

- Ma mère est médecin donc elle a fait un bac scientifique. Mais elle veut que je fasse ce qui me passionne.

- **Et ton père?**

- Lui, il est avocat donc il voit aussi les avantages d'un métier bien payé. Il me conseille de choisir un bac qui va mener à une bonne carrière.

- **Merci Fabienne et bon courage pour l'avenir.**

1 Lis le texte et décide si les phrases a–e sont vraies ou fausses.

  a La dernière année du lycée s'appelle la terminale.

  b Si on aime les langues, on choisira un bac littéraire.

  c La moitié des élèves français passent le bac.

  d On n'a pas besoin d'étudier une langue étrangère pour le bac.

  e Il faut avoir le bac pour étudier à l'université.

2 Lis l'interview et réponds aux questions.

  a Quel bac Fabienne veut-elle choisir?

  b Pourquoi hésite-t-elle?

  c Qu'en pensent ses parents?

3 À deux. Discutez: quel bac choisiriez-vous? Quels sont les avantages et les inconvénients du système français? Réfléchissez:

- au choix des matières
- au nombre de matières

4 Est-ce que tu penses que c'est important de prendre en compte l'aspect financier quand on choisit ce qu'on étudie? Écris un paragraphe pour expliquer ton opinion.

5B Lecture A

«Non» au travail des enfants!

A

Près de 218 millions d'enfants et d'adolescents âgés de 5 à 17 ans sont au travail dans le monde.

1 What does it say about the number of children and young people who work? Mention two things.

B

Les enfants travaillent pour deux raisons principales:
- ils sont exploités.
- ils contribuent simplement au revenu de leur famille.

2 What are the two main reasons why children have to work?

C

Ces enfants, qui sont souvent invisibles, travaillent comme employés de maison, dans des ateliers et, dans les plantations. 70 % au moins travaillent dans l'agriculture.

3 a This section mentions four areas of work for children. Which one is a French word you know?

  b Which two places are words you can guess because they are the same as the English? What does the other word mean? Guess before looking it up in a dictionary.

D

Près de 171 millions d'enfants travaillent dans des situations ou conditions dangereuses (travail dans les mines, avec des produits chimiques et des pesticides dans l'agriculture, avec des machines dangereuses, etc.).

4 a What do 171 million children do?

  b How many of the four examples can you understand?

  c Find out from a dictionary what the others mean.

E

Des millions de filles travaillent comme domestiques et employées de maison non rémunérées.

5 a What are millions of girls made to do?

  b Are they paid?

F

Exemples d'exploitation: l'esclavage, la prostitution, la participation à des conflits armés.

6 a Which of the three examples of exploitation do you understand?

  b Try to guess the rest. Then check in a dictionary.

La région de l'Asie et du Pacifique abrite le plus grand nombre d'enfants entre cinq et 14 ans qui travaillent: 127,3 millions.

Il y a 48 millions d'enfants qui travaillent en Afrique subsaharienne, et 17,4 millions en Amérique latine et aux Antilles.

Quinze pour cent des enfants de la région du Moyen-Orient et de l'Afrique du Nord travaillent. Il y a aussi 2,5 millions d'enfants qui travaillent dans les pays industrialisés.

7 Copy and complete the table showing how many children work in different parts of the world

Asia/the Pacific	127.3 million
Subsaharan Africa	a ....
b	c ....
Middle East and d	15% of all children
e	f ....

G

Voilà pourquoi on a organisé pour le 12 juin une journée mondiale contre le travail des enfants.

8 What is happening on June 12th?

Vous voulez faire du travail bénévole à l'étranger?

Le bénévolat à l'étranger est-il possible pour les jeunes? Oui, pendant les vacances scolaires! C'est une solution à la fois originale et altruiste, qui permet d'approfondir une langue étrangère. Il s'agit de vivre une expérience humaine unique et de mettre vos connaissances, vos qualités et votre temps à la disposition de structures dans le besoin. D'une durée variable (de 2 semaines à 6 mois), le tarif (qui comprend généralement le transport, l'hébergement et la nourriture) varie lui aussi selon la durée du séjour et le pays d'accueil. Vous serez généralement accueilli dans une famille.

Moi, j'ai travaillé au Maroc.

L'année dernière, après mes examens, j'ai choisi de passer un mois au Maroc, à travailler comme bénévole dans une école maternelle. J'avais travaillé toute l'année dans une boulangerie le jeudi et le vendredi soir pour payer les frais de voyage et d'hébergement au Maroc, mais je n'ai aucun regret. J'ai appris tant de choses pendant mes quatre semaines avec des orphelins qui n'ont pas eu autant de chance que moi. Maintenant, j'apprécie beaucoup plus ce que j'ai (ma fille, mon éducation, les choses matérielles). Bien sûr, j'ai des copains qui ont plus de chance que moi, mais je sais aussi qu'il y a plein d'enfants beaucoup plus malheureux que moi. Le travail même m'a beaucoup plu. J'étais assistante dans une classe primaire et j'ai fait toutes sortes de choses, par exemple, des maths, des histoires et des jeux, en français. Mon ambition maintenant, c'est de devenir institutrice et de retourner travailler dans un pays où on a vraiment besoin de moi et de mes talents.

Cécile

1 Read the text above and complete the summary sentences in English.

   a The article invites young people to do voluntary work abroad during …

   b This original idea allows you to …

   c Three things the young volunteers can offer are …

   d The project can last between … and …

   e You pay a fee, which usually covers … … and …

   f You will probably live …

2 Lis le texte, puis choisis la bonne réponse à chaque question.

   1 Comment est-ce que Cécile a payé sa visite au Maroc?

      a en faisant un petit boulot

      b en demandant de l'argent à ses parents

      c en dépensant l'argent reçu pour son anniversaire

   2 Avec qui a-t-elle travaillé au Maroc?

      a avec des enfants aisés

      b avec des enfants français

      c avec des enfants issus de milieux difficiles

   3 Comment trouvait-elle le travail qu'elle faisait?

      a difficile

      b satisfaisant

      c sans intérêt

   4 Qu'est-ce qu'elle a décidé de faire à l'avenir?

      a de retourner au Maroc

      b d'enseigner aux enfants

Exam Practice

Listening — Unit A701

- There are 40 marks in the listening exam – 20% of the total GCSE marks.
- No dictionaries are allowed but you will hear each recording twice.
- At Foundation level the test lasts for 30 minutes and at Higher 40. You will be allowed 5 minutes before the recording is played to read the question paper.
- All instructions will be given in English and there will be an example of the type of answer required.
- Each tier (Foundation or Higher) contains 5 exercises. These will become progressively more difficult. Questions at the start of the paper may require the ticking of boxes; at the end you may well need to write fuller answers, these will be in English.
- Exercises 4 and 5 at Foundation level are the same as Exercises 1 and 2 at Higher level.

Foundation tier

Most of the tasks will require you to understand single words or short phrases. In Exercises 1–3 you will normally hear only the present tense. In Exercises 4 and 5 you will need to recognise other tenses and some opinions.

Higher tier

At Higher level you will hear longer texts and you will be expected to identify specific details. You may also have to work out an answer from several pieces of information.

Practice listening questions

Foundation level

Exercise 1 Questions 1–8

You are on an exchange visit. Your partner is talking about some plans for your stay. You will hear each statement twice.

Answer each question by filling in the blanks **in English** or **in figures**.

Example: When are you going to Rouen?
Answer: Tomorrow

1	How are you travelling?	[1]
2	What will the weather be like?	[1]
3	What are you advised to wear?	[1]
4	What must you remember to take?	[1]
5	When are you visiting the cathedral?	[1]
6	Where is the museum?	[1]
7	Where will you go next?	[1]
8	At about what time will you get back?	[1]
		[8 marks]

Exercise 2 Questions 9–16

Guillaume and Aurélie are talking about their plans for the weekend.

Listen to their conversation and then answer the questions **in English**.

9	When on Saturday does Guillaume tidy his room?	[1]
10	Name one other thing he has to do.	[1]
11	Where is Aurélie going?	[1]
12	How does she get there?	[1]
13	When is Guillaume going to the sports centre?	[1]
15	What does he want to do there?	[1]
16	(a) Where does Guillaume suggest they go in evening?	[1]
	(b) At what time?	[1]
		[8 marks]

Exercise 3 Questions 17–24

Philippe lives in Montreal and talks about how he keeps fit.

Read the sentences.
Listen to Philippe and choose the correct answers.

> **Example:** Philippe is
> A 14 ☐
> B 15 ☐
> C 16 ✓

17	Philippe is fit because he	A	plays football	
		B	swims	
		C	runs	[1]
18	He does this	A	every day	
		B	three times a week	
		C	after breakfast	[1]
19	He hates	A	cabbage	
		B	peas	
		C	potatoes	[1]
20	He doesn't eat much	A	meat	
		B	fish	
		C	cheese	[1]
21	He drinks a lot of	A	cola	
		B	water	
		C	milk	[1]
22	He likes being outside when it is	A	warm	
		B	cold	
		C	windy	[1]
23	He thinks that the days in winter are	A	very boring	
		B	not long enough	
		C	dull	[1]
24	He thinks that sailing is	A	tiring	
		B	great	
		C	OK on fine days	[1]
				[8 marks]

Exercise 4 Questions 25–32

Cédric talks about his hobbies and free time.
Read the questions.

Listen to the interview and for each question choose **one** answer.

Example: Cédric has
A lots of ✓ hobbies
B some ☐
C few ☐

25	Cédric's favourite hobby is	**A** basketball **B** fishing **C** football	[1]
26	He thinks it's	**A** interesting **B** fun **C** relaxing	[1]
27	Yesterday evening he	**A** played computer games **B** did his homework **C** watched TV	[1]
28	This evening he will play tennis with a friend if	**A** his friend invites him **B** the weather is fine **C** he has no homework	[1]
29	He is allowed to watch TV	**A** as much as he wants **B** only at the weekend **C** for a limited period of time	[1]
30	Last weekend he	**A** watched a lot of TV **B** went to the theatre **C** visited his grandparents	[1]
31	He also went to a	**A** French restaurant **B** Chinese restaurant **C** Indian restaurant	[1]
32	That evening he	**A** ate only a main course **B** had a two-course meal **C** had a three-course meal	[1]

[8 marks]

Exercise 5 Questions 33–39

Sophie has just returned from a few weeks spent in Dakar, the capital of Senegal and is talking about her visit.

Read the questions.

Listen to the interview and answer the questions in English.

Example: Where is Senegal?
Answer: In West Africa

33 Why did she work in a hospital? [1]

34 What was the matter with most of the patients she saw there? [1]

35 Where did she stay at the start of her visit? [1]

36 What did she particularly like about where she stayed for most of the time? [1]

37 How far is the pink lake she visited from Dakar? [1]

38 What happens at the lake on the Dakar Rally? [1]

39 What reason does she give for not being able to sunbathe? [1]

40 Why did she particularly like buying souvenirs from the markets? [1]

[8 marks]

Higher level

Exercises 1 and 2 as for Foundation-level Exercises 4 and 5

Exercise 3 Questions 16–23

What are they are they talking about?
Read the situations:
He/she is talking about

A saving energy	**F** a visit to the cinema
B a meal out	**G** a fire
C winning the lottery	**H** recycling
D an accident	**I** a robbery
E a birthday	**J** a breakdown

Listen and, for each person, choose the right letter.

Example: Amandine	B

6	Florent	
17	Mme Legrand	
18	M. Rocard	
19	Claire	
20	Youssef	
21	Anne-Cécile	
22	David	
23	Caroline	

[8 marks]

Exercise 4 Questions 24–27

Some young people are talking about their work experience.

Listen to the young people and give **brief details in English** about:

1. what was positive for them about the experience.
2. what was negative.

Example:	Positive	Negative
Camille	colleagues helped a lot	often got home late

	Positive	Negative
24 Jonathan	.... [1]	.... [1]
25 Marie	.... [1]	.... [1]
26 Nicolas	.... [1]	.... [1]
27 Amina	.... [1]	.... [1]

[8 marks]

Exercise 5 Questions 28–35

Read the questions.

Listen to the interview with the climber Alain Robert and for each question choose **one** answer.

> **Example:** Alain Robert was
>
> **A** born in 1962 ✓
>
> **B** started climbing in 1962 ☐
>
> **C** has been famous since 1962 ☐

28 He wanted to become a climber because
   A he dreamt of being famous
   B he wanted to be like his childhood heroes
   C he was fascinated by mountains [1]

29 His parents
   A knew about his passion for climbing
   B encouraged him to climb
   C had no idea about his desire to climb [1]

30 As a child he was
   A often taken climbing
   B often left alone
   C often working [1]

31 One of his first climbs was when
   A he was ten
   B he rescued a cat
   C he had locked himself out [1]

32 At that time he lived in
   A a house
   B a block of flats
   C a chalet [1]

33 Alain Robert thinks that his sport
   A is quite safe
   B is not very risky
   C is dangerous [1]

34 As a result of his accident Alain Robert
   A suffers from dizziness
   B broke his leg
   C suffers from headaches [1]

35 In his career Alain Robert has specialised in climbing
   A mountains
   B rock faces
   C buildings [1]

[8 marks]

Speaking – Unit A702

- There are 60 marks for the speaking assessment – 30% of the total GCSE marks.
- You have to do two tasks under controlled conditions, each of which must:
  1. be on a **different topic** (see the topic areas listed with the sample tasks below) or on a topic of personal interest
  2. for a **different purpose** (presentation / role play / interview) and
  3. include some **interaction** with another speaker.
  Note that it is possible for some tasks to cover more than one topic area.
- Each task will last between 4 and 6 minutes and will be recorded; this recording can be on video.
- You are allowed to prepare for the tasks and to use a dictionary in the preparation. However, you are not allowed to use a dictionary when you are actually doing the task itself.
- You are allowed to make brief notes, up to a maximum of 40 words, or to use a picture or other visual during the task.
- The tasks are marked by your teacher and moderated by the exam board.
- Each task is marked for the following:
  1. **Communication** (the content of what you say) – 15 marks
  2. The **quality of language** (do you use a variety of vocabulary and structures? Is it accurate?) – 10 marks
  3. **Pronunciation** and **intonation** (how French do you sound?) – 5 marks

Examples of assessment tasks

Example 1: Topic Area 1 Home and Local Area – presentation
You are part of a team on a visit to your twin town / village. You are trying to persuade more young people from that town to visit your town. You give a short presentation and then answer questions. You could include the following:

- Introduce yourself briefly
- Describe your town / village (location / type of town etc.)
- Its main attractions
- Why young people should visit
- The advantages / disadvantages of living there
- Transport links
- Comparisons with other towns / areas

Example 2: Topic Area 1 Home and Local Area – role play

You have just arrived at your exchange partner's home. You are being shown around the house and are settling in after the journey. The following could form part of your conversation, though you will also have to answer some unexpected questions during the conversation:

- Comment on your partner's home and compare it to your own
- Present a gift
- Respond to questions about your family
- Talk about your journey
- Ask what you can see / do in your host's home town
- Ask about plans for your stay
- Express preferences when given a choice

Example 3: Topic Area 2 Health and Sport – interview

You have taken part in a sporting event in France / Switzerland / Belgium etc. and are being interviewed after the event. The interview could include the following and you may also have to answer some unexpected questions:

- Personal details
- Your training regime
- Why you chose this sport
- How your family / school / club has supported you
- Your experience of previous sporting competitions
- The benefit / importance of international sporting events
- The importance of diet and a healthy lifestyle

Example 4: Topic Area 3 Leisure and Entertainment – interview

You have taken part in a music tour in France / Switzerland / Belgium etc. and are being interviewed after the event. The interview could include the following and you may also have to answer some unexpected questions:

- Personal details
- Your practice regime
- Why you chose a particular instrument
- How your family /school /orchestra / band has supported you
- Your experience of previous musical events
- Plans for future tours / concerts
- The benefit / importance of international musical events

Example 5: Topic Area 3 Leisure and Entertainment / 4 Travel and the Wider World – presentation

Whilst visiting your partner school you have been asked to give a short talk and to respond to questions about an unusual festival or event from your home town / village or country. You could include the following:

- Where you are from
- Description of the event / festival
- The types of people who come
- Your personal experience of or involvement in the event / festival
- Future plans for the event / festival

- Problems / benefits associated with the event / festival
- The value of such events / festivals in general

Example 6: Topic Area 4 Travel and the Wider World – conversation

You are travelling around Europe and are staying in a youth hostel in France / Switzerland etc. and strike up a conversation with another traveller in which you compare notes. You could include the following:

- Personal information – who you are / where you are from
- How you are travelling / with whom
- Why you have come to this particular hostel / town
- What you think of it
- Where you have been / stayed / done so far
- The best / worst moment of your travels so far
- The advantages / disadvantages of travelling / youth hostelling
- Experiences of previous trips / plans for future trips

Example 7: Topic Area 5 Education and Work – role play

You have applied to do work experience in France / Switzerland etc. and have been called to interview. You should be prepared to cover the following and you may well be asked some unexpected questions:

- Personal details
- Why you want this work experience
- Why you are qualified for this work experience
- What you can offer
- Your previous experience of work
- How this work experience can benefit your long-term plans
- Your plans for the future
- Advantages / disadvantages of work experience
- Ask about practical matters

Reading – Unit A703

- There are 40 marks in the reading exam – 20% of the final GCSE marks.
- No dictionaries are allowed.
- At Foundation level the test lasts for 35 minutes and at Higher 45 minutes.
- All instructions will be given in English.
- Each tier (Foundation or Higher) contains 5 exercises. These will become progressively more difficult. Questions at the start of the paper may require the ticking of boxes; at the end you may well need to write fuller answers. When this is required answers will be in English.
- Exercises 4 and 5 at Foundation level are the same as Exercises 1 and 2 at Higher level.

Foundation tier

The first 3 exercises contain factual information and you will be required to identify and note main points. In Exercises 4 and 5 tenses other than the present will be used and you will also be expected to note some opinions as well.

Higher tier

At Higher level you will read longer texts and you will be expected to identify specific details. You will also have to be able to read for gist comprehension and will have to be able to recognise views, attitudes and emotions from what you have read. You may also have to work out an answer from several pieces of information. The final task on the Higher-tier paper is multiple choice in French.

Practice reading questions

Foundation level

Exercise 1 Part 1 Questions 1–4

You are staying with your family in a self-catering apartment in France and need to do some shopping.

> **Example:** 'I need some bread' | B |

1	'Where can we buy some meat?'		[1]
2	'Let's get some cakes'.		[1]
3	'We've run out of fruit'		[1]
4	'I've got a headache'		[1]

[4 marks]

Find the French words for each place. Choose the correct letter.

A	pharmacie	D	pâtisserie
B	boulangerie	E	librairie
C	marché	F	boucherie

Exercise 1 Part 2 Questions 5–8

Whilst staying in France you see the following signs. Do you understand what they mean?

> **Example:**
> Sortie de secours | E |

5	Piscine	[1]
6	Tirez	[1]
7	Magasin	[1]
8	Ascenseur	[1]

[4 marks]

Choose from this list. Write the correct letter.

A   Pull the door towards you
B   Lift
C   Swimmimg pool
D   You can buy something here
E   Emergency exit
F   Closed

Exercise 2 Questions 9–16

Some people are describing their jobs in a French magazine.

A   Je coupe des cheveux.
B   Ma journée commence tôt. Je dois m'occuper des animaux.
C   Chaque jour je m'occupe des gens malades.
D   Je fais beaucoup de dessins.
E   Dans mon magasin je vends de la viande.
F   Je contrôle la circulation en ville.
G   Je plante des arbres et des fleurs.
H   Je prépare les repas dans un hôtel.
I   Quand on a mal aux dents on vient me voir.
J   Je fais des interviews et j'écris des articles.
K   Les élèves ne sont pas contents quand je leur donne des devoirs.

Match the picture with the correct information:

Example: D

9

13

10

14

11

15

12  16

[8 marks]

Exercise 3 Questions 17–24

You and some friends are planning a visit to Dinan in Brittany. Before going you check the Tourist Information Office's website to find out what you can do there.

OFFICE DU TOURISME DE DINAN

Venez à Dinan, ville médiévale pittoresque en Bretagne!
Visitez son château!
Découvrez les vieilles maisons en bois!
Mangez une crêpe bretonne!
De ses remparts vous pouvez voir la rivière.

Service de l'Office du tourisme:
Réservation de billets pour excursions, spectacles et concerts
Réservation de chambres

On parle: anglais, allemand, espagnol

Heures d'ouverture:
juillet–août:
Du lundi au samedi de 9H à 19H
Les dimanches et jours fériés: de 10H à 18H
septembre–juin:
Du lundi au samedi de 9H à 18H

17 How is Dinan is described? Mention one detail.

.... [1]

18 What are you encouraged to visit in the town?

.... [1]

19 What is special about the houses? Mention one detail.

.... [1]

20 What can you eat in Dinan?

.... [1]

21 What can you see from the ramparts ?

.... [1]

22 Give one example of something you can book at the tourist office.

.... [1]

23 Name one language they can speak.

.... [1]

24 On which day is the office closed in February?

.... [1]

[8 marks]

Exercise 4 Questions 25–32

Read what Florian and Sébastien have written about their school life.

Florian
J'ai quinze ans. J'adore le collège. Normalement j'y vais à pied mais quand il pleut ma mère m'y emmène en voiture. Je n'arrive jamais en retard.
Au collège je peux porter ce que je veux.
À mon avis les maths sont importantes mais je ne trouve pas ça facile. Je préfère l'EPS. Par contre, je n'aime pas tellement les jeux de ballon.

Sébastien
J'habite près du collège. Alors je peux me réveiller tard et arriver à l'heure! On n'utilise jamais la voiture. Je dois toujours porter un pantalon noir et une veste grise – c'est pratique!
Ma matière préférée – c'est difficile à dire – mais je pense que c'est les maths. Hier je n'ai pas fait mes devoirs.
Le collège me plaît beaucoup.

For each statement tick one box (✓) for Florian or Sébastien or Both.

Example:

	Florian	Sébastien	Both
I am 15 years old	✓		

		Florian	Sébastien	Both
25	I don't have to get up early			
26	I'm always on time for school			
27	I sometimes travel to school by car			
28	I find maths difficult			
29	I wear a uniform to school			
30	I am a bit lazy			
31	Football is not one of my favourite sports			
32	I enjoy school			

[8 marks]

Exercise 5 Questions 33–40

Read Mariama's account of an audition she had last year.

Une audition inoubliable!

Je m'appelle Mariama et j'habite dans la banlieue parisienne. J'adore toutes sortes de musiques et je voudrais être chanteuse.

Un jour l'an dernier, ma mère a vu une petite annonce dans le journal. On cherchait des concurrents* pour une émission à la télévision. Le gagnant aurait un rôle dans une comédie musicale à Paris. Sans hésiter, j'ai rempli une fiche pour avoir une audition. Je m'imaginais déjà sur scène!

Le jour de mon essai est arrivé. J'ai dû attendre deux heures à peu près dans une queue d'une centaine d'autres concurrents qui espéraient comme moi être la prochaine vedette de l'émission. J'étais très nerveuse mais aussi très excitée. Pendant que j'attendais mon tour, j'ai bavardé avec quelqu'un qui organisait les auditions. Il m'a parlé des gens qui jugeaient le concours.

Mon tour est enfin venu. Je suis entrée dans la salle où étaient les juges et j'ai commencé à chanter. Tout d'un coup, j'ai oublié mes paroles et je ne savais plus quoi chanter. Je me suis arrêtée et j'ai commencé à pleurer. Je pensais que les juges allaient me parler sévèrement, mais ils ont été très gentils. Je n'ai pas réussi l'audition, mais c'était une bonne expérience quand même.

*concurrents – *competitors*

Choose and copy a word from this list to complete each sentence.

advertised	all	badly	calm	carefully
critical	excited	immediately		nervous
printed	singer	some	star	suburbs
sympathetic	well	vicinity	100	120

Example: Mariama lives in the ... suburbs ... of Paris

33 She likes .... kinds of music

34 Her mother saw something .... in the newspaper

35 It was a chance to become a ....

36 She filled in a form ....

37 On the day of the audition she was not very ....

38 She had to wait for .... minutes

39 The audition went ....

40 She found the judges very ....

[8 marks]

Higher level

Exercises 1 and 2 as for Foundation-level Exercises 4 and 5.

Exercise 3 Questions 17–22

Read this account of a family outing to Parc Astérix.

Une journée au Parc Astérix

Depuis des semaines, Magali Bréban attendait avec impatience la visite au Parc Astérix que ses parents avaient proposée pour fêter son seizième anniversaire. Le matin, ils sont partis à sept heures et demie pour arriver au parc à neuf heures, à l'heure précise de son ouverture. De cette façon, ils espéraient éviter les longues queues pour les attractions les plus populaires. Ce jour-là pourtant, ils n'ont pas eu de chance dès le début. À cause d'un accident il y avait beaucoup de circulation sur l'autoroute, alors ils ont dû prendre une route moins directe, ce qui a prolongé leur trajet d'une demi-heure.

Une fois arrivé au parc, M. Bréban a découvert qu'il avait laissé son porte-monnaie à la maison. Heureusement sa femme n'avait pas oublié le sien! Armés de leurs billets, ils se sont précipités dans le parc, mais comme prévu il y avait de longues queues partout et ils n'ont pu visiter que quelques-unes des plus grandes attractions. Magali voulait absolument essayer le Tonnerre de Zeus depuis qu'elle avait entendu dire que c'était la plus grande montagne russe* en bois d'Europe. Elle l'avait aperçue de l'autre côté du lac. Pourtant elle n'avait pas remarqué que les petits trains ne bougeaient pas – ce qui était évident quand elle est arrivée au point de départ et qu'elle a vu la grande affiche avec l'inscription «En cours de rénovation.»

*montagne russe – *switchback*

Answer the questions in **English**. You do not need to write full sentences.

Example: How did Magali feel about her trip to Parc Astérix before they went?
Answer: Excited

17 What prompted Magali's parents to plan the trip?

.... [1]

18 Why did they leave early for the park?

.... [1]

19 In what way did the accident on the motorway delay them?

.... [1]

20 How long did it take to them get to the park on that day?

.... [1]

21 In what way did her mother save the day when they arrived at the park?

.... [1]

22 (a) Why did Magali particularly want to go on the *Tonnerre de Zeus*?

.... [1]

(b) What should she have noticed?

.... [1]

(c) How did she probably feel at the end of her day?

.... [1]

[8 marks]

Exercise 4 Questions 23–26
Read this account of Gabriel's experience of a study trip.

Un stage extraordinaire!

Salut, je m'appelle Gabriel et j'habite à Genève en Suisse. Il y a trois mois, j'ai fait un stage de langue à Cologne pour perfectionner mon allemand. Je n'apprenais la langue que depuis six mois, alors j'avais peur de ne rien comprendre. En plus, c'était la première fois que je voyageais à l'étranger sans mes parents. Les premiers jours étaient vraiment durs. Je logeais chez une famille qui habitait assez loin de l'école. Il me fallait faire un trajet seul, en bus, qui durait normalement trois quarts d'heure. La famille était très sympathique mais tout était nouveau pour moi surtout la nourriture et les repas.

Cependant, le stage – ce qu'on nous a enseigné pendant les cours – était vraiment utile et pratique. Je peux communiquer maintenant avec n'importe qui et je pourrais même trouver un petit travail en Allemagne si je le voulais. C'était obligatoire de parler uniquement l'allemand, et si on parlait une autre langue on devait payer une petite amende! J'ai trouvé cette immersion totale super car je ne suis pas du tout timide, mais pour les étudiants qui manquent d'assurance c'était un cauchemar*! L'an prochain, j'irai peut-être en Espagne pour faire un stage similaire.

---

* cauchemar – *nightmare*

Answer the following questions **in English**. You do not need to write in full sentences.

> **Example:** When did Gabriel go on his trip?
> **Answer:** Three months ago

23 Why was Gabriel a little anxious about this trip before his departure?

(a) .... [1]

(b) .... [1]

24 What difficulties did he experience initially?

(a) .... [1]

(b) .... [1]

25 (a) What was he forced to do in lessons?

.... [1]

(b) What particular advantage does he personally feel he has gained from the course?

.... [1]

26 (a) What kind of students would find themselves out of pocket on the course?

.... [1]

(b) What does Gabriel plan to do next year?

.... [1]

[8 marks]

Exercise 5 Questions 27–34
Read this interview with a wildlife guide Njamela.

Alors, Njamela, vous travaillez où?
À Waza, un parc national dans l'extrême nord du Cameroun. Ce n'est pas comme les autres grandes réserves africaines du Kenya ou de l'Afrique du Sud, où on est presque certain de voir des animaux comme des lions sans faire aucun effort. Waza offre quand même une grande variété de flore et de faune, y compris des lions!

Pourquoi avez-vous choisi ce métier?
Je suis le fils du directeur. Depuis mon enfance je sors souvent avec les guides du parc, alors j'ai appris à reconnaître les cris et les traces des animaux, la variété des plantes et du terrain, etc. Bien sûr, je suis parti faire des études et voyager, mais je préfère vivre à Waza.

Parlez-moi des visiteurs qui viennent.
Je dirais que la majorité vient du Cameroun et des pays voisins, mais on en accueille aussi quelques-uns d'Europe, surtout de France. Il y en a qui sont presque des experts. Ils savent beaucoup de choses: ils ont peut-être visité des parcs ailleurs et cherchent une expérience différente. Mais il y en a beaucoup d'autres qui feraient mieux de rester chez eux. Ce sont ceux qui ne comprennent pas qu'il faut respecter les animaux. Il est tout de même évident qu'il

---

> faut s'habiller de couleurs neutres et qu'il ne faut pas pousser des cris soudains quand on prend des photos.

Choose a letter for the correct ending to each sentence.

27 À Waza on voit des lions

   A facilement
   B souvent
   C rarement   [1]

28 Njamela

   A a habité à Waza toute sa vie
   B a habité à Waza la plus grande partie de sa vie
   C habite à Waza depuis son enfance   [1]

29 Il a appris son métier

   A en faisant des sorties dans le parc
   B grâce à son père
   C en faisant des études   [1]

30 La plupart des visiteurs sont

   A français
   B africains
   C européens   [1]

31 Njamela préfère les visiteurs

   A contents
   B sérieux
   C différents   [1]

32 Une visite à Waza est

   A comme une visite dans d'autres réserves
   B très simple
   C unique   [1]

33 Selon Njamela beaucoup de visiteurs

   A dérangent des animaux
   B prennent des photos en silence
   C portent des vêtements beiges   [1]

34 Il est souvent

   A gêné par les visiteurs
   B agacé
   C surpris   [1]

                  [8 marks]

Writing – Unit A704

- There are 60 marks for the writing assessment – 30% of the total GCSE marks.
- You have to do two tasks under controlled conditions. Each task must be on a different topic (taken from the list below) and for a different purpose (e.g. letter, report, story, interview, blog entry, article, etc). You may also choose to write on a topic of personal interest. The topics are:
  - Topic Area 1 Home and Local Area
  - Topic Area 2 Health and Sport
  - Topic Area 3 Leisure and Entertainment
  - Topic Area 4 Travel and the Wider World

- Topic Area 5 Education and Work
- You are allowed to use a dictionary (including an online dictionary) in the preparation for the writing assessment and during the test itself. However, you are not allowed to use an online grammar or spell checker.
- You are also allowed to use brief notes – your teacher will explain these to you.
- If you are aiming for grades A*–C you must write 600 words across the two tasks and for grades D–G you must write 350 words.

Examples of assessment tasks

Example 1: Topic Area 1 Home and Local Area – letter
You and your family are planning to buy a second home in France. You write a letter to an estate agent explaining your requirements. The following are some ideas as to what you could include:

Grades G–E
- Who you are and why you are writing
- The location you are looking for and why
- The type of accommodation you are looking for
- When you would be able to view properties

Grades D–C
- More detailed information about the type of property you are looking for
- Why you want to live in that particular area
- Previous experience of the area

Grades B–A*
- Problems that you might encounter
- What you would not consider and why
- How you might contribute to the local community

Example 2: Topic Area 2 Health and Sport – report
You have been to the Good Food Show. You send an e-mail about it to your exchange partner or write an account of it on your blog. You could include:

Grades G–E
- Who you are
- Your favourite foods and why
- Where / when / with whom you are
- What you see / eat / buy and your opinion about it

Grades D–C
- A description of a cooking demonstration
- What you have done / bought / eaten as a result of the show
- Something unusual you saw / tasted / bought

Grades B–A*
- Your opinion of the value of such events – suggestions for improvement
- The importance of healthy eating and the dangers of poor diet
  Your opinion of celebrity chefs

Note this could also be an event to do with cars / music / gardens etc.

Example 3: Topic Area 3 Leisure and Entertainment – article
You write an article about taking part in an online chat forum discussing a book.

Grades G–E
- Some basic information such as title, genre, author
- Description of main character(s)
- Simple account of the plot
- Your opinion

Grades D–C
- More detailed descriptions of characters / plot / opinion
- Information about the author
- What you liked / disliked about it and why

Grades B–A*
- Comparison with other books by the same author
- Why reading is important
- Comparison of book with the film version

Note this could also be about a film / TV programme / concert / play etc.

Example 4: Topic Area 4 Travel and the Wider World – report
You have been to a festival (music / religious / cultural) in France / Switzerland etc. You write an account of it on your blog.

Grades G–E
- Where you are / when / why
- Description of the festival – what you can see / do
- Your accommodation – what's good / bad and why
- Your opinion of the festival – would you return?

Grades D – C
- Where you went / when / why
- What you saw / did
- The journey there / back
- The people you met

Grades B – A*
- Whether you would recommend this event to a friend
- The value of such events

Example 5: Topic Area 4 Travel and the Wider World / Topic Area 5 Education and Work – letter
You have returned from an exchange visit and are writing a letter to thank your exchange partner and his / her family.

Grades G–E
- Why you are writing
- What you liked in general about your stay
- A specific incident you liked / disliked and why
- What you have been doing since your return
- Your plans for the next few days

Grades D–C
- Your journey home
- Your definite plans for your exchange partner's return visit

Grades B–A*
- Some suggestions for his / her return visit
- What you found most useful about the exchange and why
- Your impressions of your exchange partner's school / town / home / region etc.
- The value of exchanges

Grammar Bank

1A Nouns

Nouns are words that name a person, place, animal or thing – e.g. doctor, table, brother, cat. You know a word is a noun when you can put 'the' or 'a' before it.

In French all nouns are either masculine or feminine (this is called **gender**), and the words for 'the' or 'a' can be different, depending on their **gender**.

	a	the
masculine	un	le / l'
feminine	une	la / l'
masc. & pl.	des	les
fem. & pl.	des	les

Masculine or feminine?

If you look a noun up in the dictionary, it will give the gender – *m* or *f* – after the word.

There are other clues to help you figure out the gender of nouns, e.g.:

masculine	days, months, seasons languages weights & measures words ending in –*c*, –*é*, *eau*, –*ou*
feminine	most (but not all) words ending in –*e* shops

A Spot the nouns, then write their gender.

1	Lucie	6	anglaise
2	stylo	7	cinq
3	au revoir	8	donné
4	j'habite	9	boucherie
5	grand	10	elle s'appelle

B Write the correct word for 'the' (*le, la, l'* or *les*).

1	maison *(house)*	4	frère *(brother)*
2	parc *(park)*	5	collège *(school)*
3	rues *(streets)*	6	magasins *(shops)*

C Write the correct word for 'a' (*un* or *une*).

1	appartement *(flat)*	4	ville *(town)*
2	gare *(station)*	5	musée *(museum)*
3	piscine *(swimming pool)*	6	jardin *(garden)*

Plurals

Most plural nouns end in –*s*, as in English. However, some have irregular plural endings:

Singular	Plural	Example
–al	–aux	journal / journaux
–ou	–oux	genou / genoux
–eau	–eaux	manteau / manteaux
–s	–s	bras / bras*
–x	–x	prix / prix*

* Note that these nouns don't change in the plural.

D Write the plural form of these nouns.

1	cadeau	6	chou
2	animal	7	pied
3	dos	8	gâteau
4	chien	9	cheval
5	croix	10	oiseau

1A Verbs

Verbs are words that describe an **action**. They are sometimes referred to as 'doing words' because they describe what someone or something **does** or **is doing**: I **watch** TV. You **like** school. She **is talking**.

Verbs can be **regular** (they follow a set pattern) or **irregular** (they have their own rule).

When you find a verb in the dictionary, you will always find it in its **infinitive** form. This is the original part of the verb that has not been changed in any way, and it usually translates into English as 'to ...' – e.g. *dormir* – to sleep.

All infinitive verbs in French end in **-er**, **-ir** or **-re**. Removing these endings leaves the **stem** of the verb.

A Match the following infinitives with their English meaning, then write their stem.

1	écouter	A	To live
2	travailler	B	To wait
3	finir	C	To listen
4	danser	D	To sell
5	attendre	E	To eat
6	parler	F	To dance
7	courir	G	To run
8	habiter	H	To work
9	manger	I	To speak
10	vendre	J	To finish

1A The present tense

This tense is used when describing something that someone (usually) does or is doing **now**. For example:

je regarde la télé   I watch / am watching TV

Formation

To form the present tense of **regular** verbs:

- begin with the **infinitive**
- remove the –*er*, –*ir*, or –*re* ending – you now have the **stem**
- now add the **present tense endings**. The ending you use depends on the **subject**: who or what is doing the action described.

The present tense endings for **regular** verbs are:

	-er (e.g. *parler*)	-ir (e.g. *finir*)	-re (e.g. *vendre*)
je	-e	-is	-s
tu	-es	-is	-s
il / elle / on	-e	-it	---
nous	-ons	-issons	-ons
vous	-ez	-issez	-ez
ils / elles	-ent	-issent	-ent

You can find the present tense of **irregular** verbs in the verb tables on pages 211–212. Even irregular verbs have some patterns – usually it's just the stem that is irregular, with many of the endings the same as for regular verbs.

Negative

To make verbs negative in the present tense, use:

Ne *... (verb) ...* **pas**

Je **ne** *regarde* **pas**   *Je* **n'**ai **pas**

B Complete these regular present tense verbs and translate.

Example: **1** je (parler)

je parle – I speak / am speaking

1 je (parler)
2 il (finir)
3 nous (aimer)
4 ils (attendre)
5 elle (descendre)
6 vous (continuer)
7 tu (grossir)
8 elle (vendre)
9 je (répondre)
10 nous (choisir)

C Write these regular and irregular verbs in the present tense and the negative form, then translate.

Example: **1** tu (finir)

je ne finis pas   I don't begin / am not beginning

1 tu (finir)
2 elle (aimer)
3 vous (attendre)
4 vous (croire)
5 elle (connaître)
6 nous (écrire)
7 nous (répondre)
8 vous (continuer)
9 tu (grossir)
10 il (savoir)
11 elles (devoir)
12 nous (choisir)

1A Reflexive verbs

Reflexive verbs describe actions that are usually done to oneself. Reflexive verbs add **se** before the infinitive. This is called the **reflexive pronoun**, and this changes depending on who is doing the action.

se coucher	to go to bed
je **me** *couche*	I go to bed
tu **te** *couches*	you go to bed
il / elle / on **se** *couche*	he / she / it goes to bed/we go to bed
nous **nous** *couchons*	we go to bed
vous **vous** *couchez*	you go bed
ils / elles **se** *couchent*	they go to bed

Note that, before vowels and the letter 'h', the reflexive pronouns *me, te* and *se* are abbreviated to *m', t', s'.* Other useful reflexive verbs include: *se laver* (to wash oneself), *se réveiller* (to wake up), *s'appeler* (to 'call oneself' – i.e. 'my name is ...'), *se doucher* (to shower), *s'habiller* (to get dressed).

Negative

To make reflexive verbs negative in the present tense, we use:

ne *... + reflexive pronoun + verb ...* **pas** *+ past participle*

Je **ne** *me couche pas*

A Write the correct present tense form of each reflexive verb.

1 Vous .... à quelle heure? (se doucher)
2 Nous .... vite. (se laver)
3 Je .... avant de manger. (s'habiller)
4 Mes parents .... Paul et Marie. (s'appeler)
5 Caroline .... tard le matin. (se lever)
6 Thomas .... à minuit. (se coucher)

1A Adjectives

Adjectives are words that **describe nouns**: e.g. a **black** hat. They can be used even when the noun is not present in the sentence: e.g. It's **black**.

Position

Unlike in English, most adjectives in French go **after** the noun they describe: e.g. a **black** hat = *un chapeau* **noir**.

However, a few very common adjectives come **before** the noun. These include:

petit / grand	small / big
bon / mauvais	good / bad
nouveau / ancien	new / former
jeune / vieux	young / old
beau	beautiful, nice
autre	other

A Put the adjective in the correct form and place.

Example: une maison (nouvelle) → *une nouvelle maison*

1 un crayon (bleu)
2 deux filles (bon)
3 un ballon (rouge et noir)
4 un ordinateur (grand)
5 des repas (traditionnel)
6 le livre (vieux)
7 la rue (beau)
8 le temps (bon)
9 ma sœur (grand)
10 deux chambres (double)

Formation

Adjectives change their form according to the **gender** of the noun (see **1A Nouns**), and according to their **number** – i.e. whether they are singular or plural. Noun and adjective are said to 'agree'. They must agree wherever the adjective is in the sentence:

*une chaise vert***e**   *la chaise est* **verte**

Most adjectives change their form in a regular way. To make regular adjectives agree with nouns:

- add nothing if the noun is masculine
e.g. *un chapeau noir*
- add *-e* if the noun is feminine
e.g. *une robe noire*
- add *-s* if the noun is masculine and plural
e.g. *des gants noirs*
- add *-es* if the noun is both feminine and plural
e.g. *des chaussures noires*

However, adjectives that already end in *-e* or *-s* don't add an extra *-e* or *-s* in the feminine or plural forms:

ma chambre est rouge et mes pantalons sont gris

> **ATTENTION!**
>
> Adjectives ending in the following groups of letters have a slightly different form in the feminine singular and feminine plural:
>
> | ending | change (fem.)* | example |
> |---|---|---|
> | -eux / -eur | -euse | *heureux / heureuse* |
> | -il / -el | -ille / -elle | *gentil / gentille* |
> | -ien | -ienne | *italien / italienne* |
> | -er | -ère | *cher / chère* |
> | -aux | -ausse | *faux / fausse* |
> | -f | -ve | *actif / active* |
> | -s | -sse | *gros / grosse* |
>
> *For the feminine plural form, just add an *s* to the endings.
>
> A very small number of adjectives are irregular and follow their own pattern:
>
> | masculine | masculine plural | feminine | feminine plural |
> |---|---|---|---|
> | *beau* | *beaux* | *belle* | *belles* |
> | *nouveau* | *nouveaux* | *nouvelle* | *nouvelles* |
> | *vieux* | *vieux* | *vieille* | *vieilles* |

B Decide on the correct form of the adjective in brackets.

1 Mes frères sont (actif).
2 Ma tante est assez (sportif).
3 Ma famille est (ennuyeux).
4 Voici mes sœurs. Elles sont (gentil).
5 Les (nouveau) magasins sont dans cette rue.
6 Sa chemise est (blanc).
7 Tu as mangé la (dernier) tarte aux pommes?
8 Ma cousine n'est pas (gros).
9 La réponse est (faux).
10 Mes parents sont (paresseux).

Possessive adjectives

Possessive adjectives are used to show to whom or what something belongs:

my jacket   **his** book   **their** family
ma veste   *son* livre   *leur* famille

In French there are different forms of possessive adjectives, depending on the noun they describe:

	masculine	feminine	plural
my	*mon**	*ma*	*mes*
your (sing.)	*ton**	*ta*	*tes*
his / her / its	*son**	*sa*	*ses*
our	*notre*	*notre*	*nos*
your (plural)	*votre*	*votre*	*vos*
their	*leur*	*leur*	*leurs*

* *Mon / ton / son* are also used for feminine nouns that begin with a vowel − e.g. *mon émission préférée.*

C Rewrite, choosing the correct possessive adjective.
1 Mon / mes parents sont stricts.
2 Ses / sa tante est assez jolie.
3 Dans notre / nos jardin il y a beaucoup de fleurs.
4 Leur / leurs temps est perdu.
5 Quelle est la date de ton / ta anniversaire?
6 Voici mes / ma famille.
7 Ses / son chemisier est trop grand.
8 Qui a bu ma / mon limonade?
9 Mon / ma cousine est arrivée en retard.
10 Où sont votre / vos livres?

1B Comparative and superlative adjectives

Adjectives can be used to **compare** things with each other: e.g. I'm **tall** (adjective), a giraffe is **taller** (comparative), the Eiffel Tower is **the tallest** (superlative). In French, the comparative and superlative are formed in the following way:

comparative – more	*plus*	*elle est **plus** grande*	she's taller
– less	*moins*	*elle est **moins** grande*	she's less tall
superlative – most	*la / le / les plus*	*elle est **la plus** petite*	she's the smallest
– least	*la / le / les moins*	*elle est **la moins** petite*	she's the least small

To say something is, for example, bigger or smaller than something else, we use ***plus / moins ... que*** − e.g. he is smaller than me = *il est **plus** petit **que** moi.*

To say something is, for example, as big or as small as something else, we use ***aussi ... que*** − e.g. she is as tall as her brother = *elle est **aussi** grande **que** son frère.*

ATTENTION!

The comparative and superlative of *bon* (good) is formed differently:

	comparative	superlative
bon(s) / bonne(s)	*meilleur(e)(s)* (better)	*le / la / les meilleur(e)(s)* (best)

A Translate into French.
1 My town is smaller than Lille.
2 Lille is more interesting than Calais.
3 Calais is less quiet than Nice.
4 Nice is as touristy as Marseille.
5 Marseille is the least popular city.
6 Paris is the best destination!

1B The pronoun y

y is a very common **pronoun**: a word used instead of a noun. It literally means 'there'. It always goes before all parts of the verb:

*J'adore aller au cinéma. J'**y** vais ce weekend.*
I love going to the cinema. I'm going **there** this weekend.

ATTENTION!

If the verb comes in two parts and contains an infinitive, *y* always goes **before the infinitive**:

Je vais y aller ce soir. I'm going there this evening.
*J'aime Paris. On peut **y** visiter le Louvre.*
I love Paris. You can visit the Louvre **there**.

A Re-order the sentences then translate.
1 va on y?
2 on dans ma peut au ville parc aller
3 y peux ne ce je aller pas soir
4 retourner Marc voudrait en y juin
5 dernier allé le j' suis week-end y
6 huit je arriver y vais heures vers

1B Prepositions — à

Prepositions usually indicate the **position** of places or things. The preposition *à* means 'to' or 'at'. It can also mean 'in' when referring to a town or city.

When *à* comes before *le* in a sentence, the two words combine to make *au*. When *à* meets *les* in a sentence, they combine to make *aux*:

*je vais **au** cinéma*   *tournez à gauche **aux** feux*

A Insert *à*, *au*, *à la*, *à l'* or *aux*.
1 J'habite .... Londres.
2 Ce week-end, je vais aller........... théâtre.
3 J'habite .... au bout de la rue.
4 Traversez la rue .... feux.
5 J'aime aller .... piscine.

1B Adverbs of intensity

Adverbs are used to **describe actions**. Adverbs of intensity are used to qualify or emphasise what you say. They are normally placed directly after the verb. Examples of these are:

assez	quite/enough	*réellement*	truly
très	very	*trop*	too (much)
aussi	also	*vraiment*	really
bien	well	*tellement*	so (much)

*il parle **trop***   he talks too much
*elle chante **bien***   she sings well

Note that adverbs of intensity can also be used to describe an adjective, e.g. this film is really great = *ce film est **vraiment** génial*.

A Improve these sentences by inserting an adverb of intensity.
1 J'aime le foot.
2 Londres est une ville animée.
3 Je trouve l'histoire difficile.
4 En été, il fait chaud.
5 Marc est beau.
6 La pollution est un problème.

1B The perfect tense

This tense is used to describing a **completed** action in the past. It is the most commonly used past tense.

j'ai regardé la télé   *I watched TV*

The perfect tense has two parts:

the **present tense** of either *avoir* or *être* + the **past participle** of the verb describing the event

The past participle

The past participle is usually formed as follows:

- *-er* verbs: remove *-er* and add **-é**
  e.g. *j'ai regardé un film*
- *-ir* verbs: remove the *-r*
  e.g. *j'ai fini mes devoirs*
- *-re* verbs: remove the *-re* and add **-u**

e.g. *j'ai attendu le bus*

ATTENTION!

Irregular verbs form their past participles in a different way – e.g. *boire – bu, dire – dit*. See the verb tables on pages 211–212.

Être or *avoir*?

Most verbs use *avoir* in the perfect tense – e.g. j'ai parlé.

However, thirteen verbs use *être* in the perfect tense. These verbs are very common and ten of these also form pairs of opposites.

allé	gone	*venu*	come
arrivé	arrived	*parti*	left
entré	gone in	*sorti*	gone out
monté	gone up	*descendu*	gone down
né	born	*mort*	died

and

resté stayed   *retourné* come back   *tombé* fallen

Reflexive verbs also use *être* (see **1A Reflexive verbs**) in the perfect tense. The **reflexive pronoun** goes before the part of the verb *être*:

*il **s'est** couché*
*je me **suis** réveillé*

> **ATTENTION!**
>
> With all *être* verbs in the perfect tense, the past participle agrees with the gender of the person or thing that completed the action (the subject). Add –e to the past participle, for a feminine subject; add –s if it is plural; and add –es if it is both feminine and plural:
>
> *Lucie est sorti**e**.*
> *Mes frères sont all**és** au parc.*
> *Claire et Sophie se sont couch**ées**.*

Negative

To make verbs negative in the perfect tense, we use:

***ne** ... + avoir or être ... **pas** + past participle*

*je **n'ai pas** regardé*	I didn't look
*il **ne** s'est **pas** couché*	he didn't go to bed

Note how, in reflexive verbs, *ne* goes **before** the reflexive pronoun (*me, te, se ...*).

> **B** Complete these sentences using the past participle of the verb in brackets, then translate.
> 1 Elle a .... du jogging. (faire)
> 2 Mon père n'a pas .... (comprendre)
> 3 Elles ont .... la table. (mettre)
> 4 J'ai .... une carte postale. (écrire)
> 5 As-tu .... tes devoirs? (faire)
> 6 Ma mère a .... son livre. (lire)
> 7 Nous avons .... le bus. (prendre)
> 8 Lucie a .... son amie à la gare. (voir)
> 9 Marcel a .... un sandwich. (avoir)
> 10 Je n'ai pas .... de carte de Noël. (recevoir)

> **ATTENTION!**
>
> When using reflexive verbs as imperatives, you replace the **reflexive** pronoun with an **emphatic** one (either ***toi*** or ***vous***). This is placed **after** the verb, to which it is joined by a hyphen.
>
> *assieds-**toi**!*   sit down! (sing.)
> *asseyez-**vous**!*   sit down! (plural)

> **C** Unjumble the following sentences containing reflexive verbs in the perfect tense, then translate.
> 1 mes sont se réveillés neuf parents heures à
> 2 se levés tard plus ils sont
> 3 ce je suis me à sept levée matin heures
> 4 me lavé suis je
> 5 ma s' levée tard sœur est
> 6 elle douchée s' tout suite de est
> 7 me habillé rapidement suis je
> 8 s' mon pas douché frère est ne
> 9 s' brossé dents les il est
> 10 nous couchés sommes nous vers minuit

1B Imperatives

The imperative is used to give commands, instructions or directions.

Formation

To form the imperative, use the *tu* or *vous* **form** of the verb in the present tense, but **without** the **pronouns** *tu* and *vous*. In the case of –er verbs, drop the final –s for the *tu* form.

Lis ton livre!	Read your book! (sing.)
Mangez!	Eat! (plural)
Regarde le tableau!	Look at the board!

> **A** Give the following instructions in both the *tu* and *vous* form.
> 1 Tourner à gauche.
> 2 Aller jusqu'au bout de la rue.
> 3 Traverser le pont.
> 4 Continuer tout droit.
> 5 Monter la colline.

> **B** Give the following instructions in French.
> 1 Wash the plates! (sing.)
> 2 Have a shower! (sing.)
> 3 Go to bed! (plural)
> 4 Go down the stairs! (sing.)
> 5 Hurry up! (plural)

2A Subject pronouns

A **pronoun** is a word that replaces a noun – e.g. using 'she' instead of 'my sister', or 'they' instead of 'the cats'.

Subject pronouns replace nouns that are doing an action and therefore always need a verb after them.

There are two types of subject pronoun:

- **definite pronouns** – these replace a specific noun, e.g. Thomas, I, you, it. The definite pronouns in French are: *je, tu, il, elle, nous, vous, ils* and *elles*.
- **indefinite pronouns** – these have a more general meaning. The indefinite pronouns in French are: *on* (we/you/one/people), *il* (it), *quelqu'un* (someone) and *ce* (it, as in *c'est*).

A Which subject pronoun would you use to ...
1 talk to your friend Lucie?
2 write to a company asking for a job?
3 talk to your parents?
4 write about your family?
5 describe your brother?
6 give a speech to a group of people?

B Which subject pronoun would you use in the gaps?
1 ...... habite à Barcelone. (mon copain)
2 ...... travaillent dans une banque. (Charlotte et Alain)
3 ...... sommes espagnols. (moi et toi)
4 ...... suis assez sportif. (moi)
5 ...... parle anglais en Angleterre. (en général)
6 ...... avez vos livres? (toi et toi)

2A The imperfect tense

This past tense is used when describing:

- what something **was like**
- what **used to** happen
- what **was** happen**ing**

je regardais la télé	I was watching / used to watch TV
il faisait beau	the weather was fine

Formation

To form the imperfect tense:

- find the *nous* part of the present tense verb
- take off the *-ons*
- add the **imperfect endings** to the stem

The imperfect endings are as follows:

Person	Ending	Person	Ending
je / j'	–ais	nous	–ions
tu	–ais	vous	–iez
il / elle / on	–ait	ils / elles	–aient

For example, to form the imperfect of parler in the *je* form:

nous parlons → parl → + -ais → je parlais

ATTENTION!

There is one exception! When using *être* (to be), the stem is *ét-*. The imperfect endings are the same.

| c'**était** super | it was great |
| il **était** content | he was happy |

A Change the verb in brackets into the imperfect tense, and translate.
1 Je (manger) de la salade.
2 Il (sortir) tous les week-ends.
3 Elles (avoir) besoin de pratiquer leur anglais.
4 Nous (lire) des romans.
5 Vous (avoir) raison.

6 Elle ne (boire) jamais de café.
7 Tu (écouter) de la musique rock.
8 Je (avoir) chaud.
9 On (porter) un uniforme au collège.
10 Les maisons (être) belles.

B Which tense − perfect or imperfect? Rewrite the following text, choosing one of the underlined verbs.

Le week-end dernier, j'ai décidé / je décidais d'aller en ville parce que j'avais / j'ai eu besoin de faire des courses. Je prenais / j'ai pris le train parce qu'avant, je prenais / j'ai pris le bus et la dernière fois il y avait / il y a eu un gros problème de circulation et le voyage a duré / durait deux heures. Quel désastre! Cette fois, ça a été / c'était beaucoup mieux parce qu'il n'y avait pas / il n'y a pas eu autant de gens.

2A Adverbs

An adverb describes a verb: e.g. He sang **loudly**.

In English most adverbs are formed by adding **-ly** to adjectives − e.g. loud − loud**ly**. Many French adverbs are formed in the following way:

- make the adjective **feminine**, then
- add *-ment*

masculine	feminine	adverb
sûr	sûre	sûrement
normal	normale	normalement
sérieux	sérieuse	sérieusement

ATTENTION!

There are exceptions!

- Adjectives ending in *i* or *u* stay in the masculine form:
  vrai → vraiment   poli → poliment
- Some adjectives need an **acute accent** (é) on the last *-e* when they become adverbs. This makes them easier to pronounce:
  énorme → énormément   précis → précisément
- Some very common adverbs are not formed with *-ment* at all − e.g.:

bien	well
mal	badly
mieux	better
vite	quickly
tôt	early
bientôt	soon

A Use these adjectives to form adverbs, and translate.
1 actif
2 heureux
3 direct
4 doux
5 difficile

B Rewrite the text in full with the correct adverbs in French.

Hier, j'ai dû me lever (very early) parce que je voulais (really) aller à Londres. Après le petit déjeuner, j'ai quitté la maison en fermant la porte (quietly) derrière moi.

(Unfortunately) il n'y a pas de bus à cette heure du matin, donc j'ai dû y aller à pied. Mais (luckily), j'ai vu un ami qui va souvent en ville de (very) bonne heure, et il était (extremely) content de m'accompagner à la gare en voiture. Le train était (already) arrivé. Après quelques minutes il est sorti (slowly) de la gare, et ensuite il est allé (much faster) et je savais que j'arriverais (soon) à Londres. J'étais (extremely) content, car (frequently) le train part en retard et le voyage dure (a long time).

2B Articles

Articles are the small words placed in front of nouns. In English we use either 'the' (**definite article**) or 'a' (**indefinite article**). In French both the indefinite and definite articles change according to their **gender** (see **1A Nouns**) and, in the case of the definite article, their number as well. There is also something called the **partitive article**, often used when in English we say 'some'.

The indefinite article

The word for 'a' in French is either un (masculine) or une (feminine).

un chat a cat   une table a table

A Write the correct word for 'a' for each noun.
1 pomme (f)
2 oiseau (m)
3 tableau (m)
4 sac (m)
5 cousine (f)

2B The partitive article

The words for 'some' are **du / de la / des**, depending on whether the noun is masculine, feminine or plural.

They are also used when there is no article in English – e.g. I saw snow outside– J'ai vu de la neige dehors.

The le / la part shortens to l' if the noun begins with a vowel or a silent h.

du thé	some tea
de la pizza	some pizza
des pommes	some apples
de l'eau	some water

ATTENTION!

In a **negative sentence**, du / de la / de l' and des changes to de:

je n'ai pas **de** pommes   I have no apples

A Rewrite the shopping list using the partitive (du, de la or des).
1 le lait
2 la pizza
3 les œufs
4 le beurre
5 l'eau

B Write the following in French.
1 I eat meat.
2 I drink water.
3 There is no milk.
4 I bought some tea.
5 There are some potatoes.
6 There aren't any bananas.

2B Demonstrative adjectives

Demonstrative adjectives refer to a particular place, person or thing. In English we use 'this', 'that', 'these', 'those'. In French we use ce (or cet*), cette, ces, depending on the noun.

* Cet is used for masculine nouns beginning with a vowel or a silent h.

masculine	ce livre	this / that book
	cet hôtel	this / that hotel
feminine	cette fille	this / that girl
plural	ces enfants	these / those kids

A Add a demonstrative adjective to each sentence after deciding the gender of the nouns.
1 J'aime ...... fleurs.
2 Je voudrais ...... jupe grise.
3 Je vous recommande ...... vin.
4 Devant ...... bâtiment il y a une autoroute.
5 ...... homme est le patron du café.
6 ...... enfants sont bruyants.
7 Je n'aime pas ...... hôpital.
8 ...... femme chante bien.

3A Different forms of the negative

There are different ways of forming negative sentences in French, apart from using ne...pas. They work in the same way, with the two parts placed either side of the conjugated verb:

ne ... jamais	never
ne ... plus	no longer / no more
ne ... rien	nothing
ne ... personne	no one / nobody

A Make these phrases negative using ne ... pas, ne ... jamais or ne ... plus, and translate.
1 J'ai continué à étudier.
2 Il a des devoirs le soir.
3 Je voudrais être médecin.
4 Nous avons de l'argent.
5 Ma sœur mange de la viande.

3A The pluperfect tense

This tense is used when describing what had already happened before a particular past event took place:

J'avais déjà fini mes devoirs quand j'ai allumé la télé.

Just like the perfect tense, the pluperfect has two parts:

the **imperfect tense** of either *avoir* or *être* and the **past participle** of the verb describing the event.

See **1B The perfect tense** to revise the verbs that are formed with *être* rather than *avoir*.

A Rewrite these sentences in the pluperfect tense.

1 J'aime habiter ici.
2 Il va au collège.
3 Nous jouons au foot le week-end.
4 Mon père travaille dans une banque.
5 Elle a un bébé.
6 Charlotte se lève à huit heures.

3B Emphatic pronouns

After **prepositions** such as *pour* (for), *avec* (with), *sans* (without), *chez* (at somebody's house), you need to use the following pronouns:

moi	me	*nous*	us
toi	you (sing.)	*vous*	you (plural)
lui	him	*eux*	them (masc.)
elle	her	*elles*	them (fem.)

A Translate into French.

1 at my house
2 with her
3 without us
4 for you and me
5 at their house
6 with you (plural)

3B The pronoun en

En means 'of it', 'of them', 'some' or 'any'. It comes **before** all parts of the verb.

il y en a beaucoup   there are lots of them
je n'en ai pas   I haven't any

A Re-order the sentences, then translate.

1 en il y a
2 pas a en y il n'
3 tu as est-ce en que?
4 dix en avons nous

3B Object pronouns

In French all object pronouns go **before** the conjugated verb. There are two types of object pronouns: **direct** and **indirect**.

Direct object pronouns

In English, in a sentence such as 'I like chocolate' the noun 'chocolate' is the **direct object**. We can replace the word 'chocolate' with a **pronoun** – 'I like **it**'. 'It' here is an example of a direct object pronoun.

In French the direct object pronouns are:

*me**	me	*nous*	us
*te**	you (sing.)	*vous*	you (pl.)
*le**	him / it	*les*	them
*la**	her / it		

* *Me, te, le* and *la* become *m', t', l'* before a vowel or 'h'.

J'aime le chocolat   *je l'aime*

A Place the **direct** object pronoun (using the noun in brackets) correctly in each sentence.

*Example: Nous mangeons (les frites). → Nous **les** mangeons.*

1 J'aime (le chocolat).
2 Je porte (ma jupe).
3 Nous voyons (Michelle).
4 Mon chat a bu (le lait).
5 Elle cherche (toi).
6 Ils ont trouvé (moi).

Indirect object pronouns

These are used to mean 'to' along with a pronoun:

He gave the book **to me**.
I loaned my trainers **to him**.

These pronouns are exactly the same as direct object pronouns, except for:

lui   to him / her / it
leur   to them

> **ATTENTION!**
>
> Some sentences contain both direct and indirect object pronouns:
>
> *elle me la donne*   she gives it to me
> *je le lui envoie*   I send it to him
>
> In this case, the order of object pronouns is as follows:
>
> | me te nous vous | le la les | lui leur |
> |---|---|---|

B Insert the correct indirect object pronoun.

Example: Il ..... donne des bonbons. (her) →
Il lui donne des bonbons.

1 Il ..... donne son stylo. (me)
2 Nous ..... avons acheté un cadeau. (him)
3 Elle ..... a prêté son livre. (you, sing.)
4 Je ...... ai raconté une histoire. (you, pl.)
5 Tu ...... as envoyé une lettre? (me)
6 Vous ..... avez montré vos devoirs? (us)

4A Perfect infinitives

These are verb structures used to mean 'having done'. They usually follow *après* (after):

Après avoir regardé la télé ...
After having watched TV ...
Après être arrivé en retard ...
After having arrived late ...

Just like the perfect tense, perfect infinitives have two parts:

- the **infinitive** of the auxiliary verb – either *avoir* or *être*
- the **past participle** of the verb describing the event.

*Après avoir **visité** l'église ...* Having visited the church ...

A Make the following verbs perfect infinitives, then translate.

Example: finir → après avoir fini   after having finished
1 aller   4 partir
2 regarder   5 naître
3 habiter   6 avoir

ATTENTION!

Just as past participles that use *être* in the perfect tense agree with their subjects, so does the past participle in a perfect infinitive taking *être*:

Après être entrées dans la salle, les filles ...
After having entered the room, the girls ...

B Use the perfect infinitive to compete these sentences, using the correct auxiliary verb, *avoir* or *être*.

1 Après .... (parler) avec mes parents, je pouvais sortir au cinéma.
2 Après .... (tomber) dans le lac, elle était complètement mouillée.
3 Après ....(visiter) la France, je voudrais y retourner cet été.
4 Après .... (étudier) l'allemand, il va apprendre l'italien.
5 Après .... (rester) chez toi, tu ne veux pas sortir ce soir?
6 Après .... (manger) de la viande, je ne pourrais jamais être végétarien.

5A The passive

The passive is a structure which involves actions being done **to** someone or something, and the verb appears more like an adjective:

I finished my homework – **active**
j'ai fini mes devoirs
my homework is finished – **passive**
mes devoirs sont finis

A Active or passive?
1 Lucie a fait la cuisine.
2 Le repas est préparé.
3 Il recycle beaucoup de papier.
4 Peu de plastique est recyclé.
5 Nous habitons ici depuis deux ans.
6 J'ai cassé mes lunettes.

5B Relative pronouns – qui and que

Relative pronouns relate to the person, place or thing that has just been mentioned. They mean 'who', 'which', or 'that', and are used to make sentences longer.

- *J'ai un chat qui s'appelle Cléo*
  (Here *qui* is used because it is the **subject** of the next verb.)
- *J'ai un chien que je n'aime pas*
  (Here *que* is used because it is the **object** of the next verb.)

A Choose *qui* or *que* for each sentence.
1 Je vais au collège qui / que est situé en ville.
2 J'ai acheté un chapeau qui / que j'adore.
3 C'est un genre de musique qui / que je ne connais pas.
4 Ma sœur, qui / que s'appelle Lucie, est jolie.
5 Ça c'est le problème qui / que j'ai eu.
6 J'avais mon passeport, qui / que était dans mon sac.

5B Verbs followed by an infinitive

When one verb is followed immediately by a second verb, the second verb must be in the **infinitive**.

The infinitive is used:

- After these verbs:

il faut ...	it's necessary to ...
devoir	to have to (must)
pouvoir	to be able to (can)
savoir	to know (how to)
vouloir	to want to

and also after verbs expressing likes and dislikes – *adorer, aimer, détester* and *préférer.*

- After verbs joined by *à*:

aider à	to help to
apprendre à	to learn to
commencer à	to start / begin (to)
continuer à	to continue to

- After verbs joined by *de*:

choisir de	to choose to
décider de	to decide to
essayer de	to try to
refuser de	to refuse to

A Re-order the sentences then translate.
1 faut changer il.
2 continue il étudier à l'université à.
3 dois mes je devoirs faire soir ce.
4 dentiste être voudrais je.
5 peux aider vous je?
6 décidé le sport de j'ai continuer.

B Translate.
1 I'd like to go to the theatre.
2 She began to eat.
3 I must finish my work.
4 I'm beginning to like my new job.
5 We can speak many languages.
6 It's necessary to drive.

5B The immediate future tense

This tense is used when describing what is going to happen in the near future.

Je vais regarder la télé. I'm going to watch TV.

Formation

The immediate future tense has two parts:
- the **present tense** of the verb aller, plus
- the **infinitive** of the verb*

* Including the **reflexive pronoun** if the verb is reflexive – *je vais me coucher.*

A Rewrite these sentences in the immediate future.

1 J'aime habiter ici.
2 Il va au collège.
3 Nous jouons au foot le week-end.
4 Mon père travaille dans une banque.
5 Elle a un bébé.
6 Charlotte se lève à huit heures.

5B The future tense

This tense is used when describing something that **will** happen in the future*.

Je regarderai la télé   I'll / I will watch TV

*For actions which are sure to happen, the verb *aller* + infinitive is often used instead of the future tense.

Formation

To form the future tense:
- take the **infinitive***, then
- add the **future endings**

* Except for -re **verbs**, where the final -e is dropped in the infinitive before adding the endings, and for some irregular verbs (see below).

The future endings are as follows:

person	future endings	person	future endings
je	-ai	nous	-ons
tu	-as	vous	-ez
il / elle / on	-a	ils / elles	-ont

Je mangerai un sandwich   I'll / I will eat a sandwich
Elle finira ses devoirs   She'll / she will finish her homework

A Write each verb in the future tense and then translate it.

Example: je (jouer)   *je jouerai*   *I will play*

1 je (parler)
2 nous (finir)
3 elle (aller)
4 tu (écrire)
5 vous (boire)
6 ils (retourner)
7 je (devoir)
8 elles (venir)
9 tu (apprendre)
10 je (aimer)

ATTENTION!

A few common irregular verbs use irregular stems to form the future. These verbs include:

infinitive	stem	infinitive	stem
avoir	aur-	pouvoir	pourr-
être	ser-	savoir	saur-
aller	ir-	venir	viendr-
devoir	devr-	voir	verr-
faire	fer-	vouloir	voudr-

5B The conditional tense

This tense is used when describing what **would** happen if certain conditions were fulfilled.

je regarderais la télé si j'avais le temps
I would watch TV if I had time

Formation

To form the conditional tense of regular -er and -ir verbs:
- take the **infinitive**, then
- add the **conditional endings**

For -re **verbs**, the final -e is dropped from the infinitive before adding the endings. Some verbs also have irregular stems (see below).

The conditional endings are as follows. Note that they are the same as the imperfect endings:

person	ending	person	ending
je / j'	-ais	nous	-ions
tu	-ais	vous	-iez
il / elle / on	-ait	ils / elles	-aient

je mangerais un sandwich   I would eat a sandwich
elle finirait ses devoirs   she would finish her homework
nous répondrions au téléphone   we would answer the phone

ATTENTION!

The conditional has the same irregularities as the future tense. Use the same irregular stems and add the conditional endings.

A Complete these sentences using the conditional of the verb in brackets, then translate.

1 Il .... devenir professeur plus tard. (vouloir)
2 Vous .... recycler plus. (devoir)
3 Tu .... rester à la maison? (préférer)
4 Mon copain .... travailler à la banque. (aimer)
5 Je .... content d'être riche. (être)
6 Il .... chez lui en train. (venir)

Verb Tables

Infinitive	Present		Perfect	Imperfect	Future	Present subjunctive
Regular verbs						
-er verbs parler *(to speak)*	je parle tu parles il/elle/on parle	nous parlons vous parlez ils/elles parlent	j'ai parlé	je parlais	je parlerai	je parle
-ir verbs finir *(to finish)*	je finis tu finis il/elle/on finit	nous finissons vous finissez ils/elles finissent	j'ai fini	je finissais	je finirai	je finisse
-re verbs vendre *(to sell)*	je vends tu vends il/elle/on vend	nous vendons vous vendez ils/elles vendent	j'ai vendu	je vendais	je vendrai	je vende

reflexive verbs
se coucher
(to go to bed)
	je me couche
	tu te couches
	il/elle/on se
	   couche
		nous nous
		  couchons
		vous vous
		  couchez
		ils/elles se
		  couchent
			je me suis
			  couché(e)
				je me couchais	je me coucherai	je me couche

Irregular verbs						
aller *(to go)*	je vais tu vas il/elle/on va	nous allons vous allez ils/elles vont	je suis allé(e)	j'allais	j'irai	j'aille
avoir *(to have)*	j'ai tu as il/elle/on a	nous avons vous avez ils/elles ont	j'ai eu	j'avais	j'aurai	j'aie
boire *(to drink)*	je bois tu bois il/elle/on boit	nous buvons vous buvez ils/elles boivent	j'ai bu	je buvais	je boirai	je boive

connaître
*(to know a
person/place)*
	je connais
	tu connais
	il/elle/on connaît
		nous
		  connaissons
		vous connaissez
		ils/elles
		  connaissent
			j'ai connu	je connaissais	je connaîtrai	je connaisse

devoir *(to have to)*	je dois tu dois il/elle/on doit	nous devons vous devez ils/elles doivent	j'ai dû	je devais	je devrai	je doive
dire *(to say)*	je dis tu dis il/elle/on dit	nous disons vous dites ils/elles disent	j'ai dit	je disais	je dirai	je dise
dormir *(to sleep)*	je dors tu dors il/elle/on dort	nous dormons vous dormez ils/elles dorment	j'ai dormi	je dormais	je dormirai	je dorme

Infinitive	Present		Perfect	Imperfect	Future	Present subjunctive
écrire (to write)	j'écris tu écris il/elle/on écrit	nous écrivons vous écrivez ils/elles écrivent	j'ai écrit	j'écrivais	j'écrirai	j'écrive
être (to be)	je suis tu es il/elle/on est	nous sommes vous êtes ils/elles sont	j'ai été	j'étais	je serai	je sois
faire (to do/make)	je fais tu fais il/elle/on fait	nous faisons vous faites ils/elles font	j'ai fait	je faisais	je ferai	je fasse
lire (to read)	je lis tu lis il/elle/on lit	nous lisons vous lisez ils/elles lisent	j'ai lu	je lisais	je lirai	je lise
mettre (to put/put on)	je mets tu mets il/elle/on met	nous mettons vous mettez ils/elles mettent	j'ai mis	je mettais	je mettrai	je mette
pouvoir (to be able to)	je peux tu peux il/elle/on peut	nous pouvons vous pouvez ils/elles peuvent	j'ai pu	je pouvais	je pourrai	je puisse
prendre (to take)	je prends tu prends il/elle/on prend	nous prenons vous prenez ils/elles prennent	j'ai pris	je prenais	je prendrai	je prenne
reçevoir (to receive)	je reçois tu reçois il/elle/on reçoit	nous recevons vous recevez ils/elles reçoivent	j'ai reçu	je recevais	je recevrai	je reçoive
savoir (to know a fact)	je sais tu sais il/elle/on sait	nous savons vous savez ils/elles savent	j'ai su	je savais	je saurai	je sache
sentir (to feel)	je sens tu sens il/elle/on sent	nous sentons vous sentez ils/elles sentent	j'ai senti	je sentais	je sentirai	je sente
sortir (to go out)	je sors tu sors il/elle/on sort	nous sortons vous sortez ils/elles sortent	je suis sorti(e)	je sortais	je sortirai	je sorte
venir (to come)	je viens tu viens il/elle/on vient	nous venons vous venez ils/elles viennent	je suis venu(e)	je venais	je viendrai	je vienne
voir (to see)	je vois tu vois il/elle/on voit	nous voyons vous voyez ils/elles voient	j'ai vu	je voyais	je verrai	je voie
vouloir (to want)	je veux tu veux il/elle/on veut	nous voulons vous voulez ils/elles veulent	j'ai voulu	je voulais	je voudrai	je veuille

Vocabulaire

nm masculine noun   *nf* feminine noun   *pl* plural noun   *v* verb   *adj* adjective   *pp* past participle
* Adjectives marked with an asterisk do not have a separate feminine form.

A

à peu près *about, roughly*
les **achats** *nm pl shopping, purchases*
accomplir *v to carry out*
un **accra de morue** *nm a salt-cod fritter*
d' **accord** *OK, agreed*
être d' **accord** *to agree*
l' **accueil** *nm welcome*
accueillir *v to welcome*
actuellement *at present, presently*
une **addition** *nf a bill*
un/une **ado** (short for **adolescent/adolescente**) *nm/nf teenager*
s' **adonner à** *v to devote onself to*
les **affaires** *nf pl clothes, stuff; business*
une **affiche** *n a poster*
afin de *in order to*
une **agence de voyages** *nf a travel agent*
un **agenda** *nm a diary*
une **agglomération** *nf a large urban area*
il s' **agit de** *it's a question of, to do with ...*
une **aide-ménagère** *nf a home help*
l' **ail** *nm garlic*
ailleurs *elsewhere*
avoir l' **air ...** *to look ... (e.g. tired)*
aisé/aisée *adj well off*
les **alentours** *nm pl surroundings, neighbourhood*
algérien/algérienne *adj Algerian*
l' **alimentation** *nf food (shopping)*
les **aliments complets** *nm pl wholefoods*
l' **Allemagne** *nf Germany*
allemand/allemande *adj German*
aller chercher *v to collect, fetch*
s' **allonger** *v to lie down*
allumer *v turn on (a light), light up*
alors que *while, whereas*
améliorer *v to improve*
une **amende** *nf fine*
amener *v to bring (along)*
amical/amicale *adj friendly*

l' **amitié** *nf friendship*
l' **amour** *nm love*
s' **amuser** *v to have fun*
un **an** *nm a year*
l' **analphabétisme** *nm illiteracy*
ancien/ancienne *adj (after noun) old; (before noun) former*
un **ange** *nm angel*
les **anguilles en gelée** *nf pl jellied eels*
les **animaux de compagnie** *nm pl pets*
une **année** *nf a year*
les **années cinquante** *the (19)50s*
un **anniversaire** *nm a birthday*
une **annonce** *nf (newspaper) an advertisement*
août *nm August*
un **appareil photo** *nm a camera*
un **appartement** *nm an apartment, flat*
un **appel** *nm a (telephone) call*
apporter *v to bring*
apprendre *v to learn*
appris *pp of apprendre*
s' **approcher de** *v to approach*
approfondir *v to deepen*
appuyer *v to press*
arracher *v tear off, out, down; grab*
arrêter de *v to stop, give up doing something*
s' **arrêter** *v to stop (e.g. walking)*
à l' **arrière** *at the back*
je n' **arrive plus à ...** *I can no longer manage to ...*
l' **artisanat local** *nm local crafts*
s' **asseoir** *v to sit down*
assez *quite*
assis *pp of asseoir*
être **assis/assise** *to be sitting down*
assister à *v to attend, be present at*
un **atelier** *nm a workshop, small factory*
attendre *v to wait*
attendre avec impatience *to look forward to*
attirer *v to attract, draw*

un/une **athlète** *nm/nf an athlete*
une **auberge de jeunesse** *nf a youth hostel*
auprès de *among*
aur- *future and conditional stem of* **avoir**
il y **aurait** *there would be*
aussitôt que *as soon as*
autant de *as much, as many*
l' **automne** *nm autumn*
autour de *around*
autrefois *formerly*
à l' **avant** *at the front*
avant-hier *the day before yesterday*
l' **avenir** *nm future*
aveugle *adj blind*
un **avion** *nm an aeroplane*
un **avis** *nm an opinion*
à votre (ton) **avis** *in your opinion*

avril *nm April*

B

un **bac à légumes** *nm a vegetable compartment*
se **baigner** *v to have a bath*
un **bain** *nm a bath*
baiser *v to kiss*
baisser *v to lower*
une **baleine** *nf a whale*
la **banlieue** *nf suburbs*
en **bas** *downstairs*
les **baskets** *nf pl trainers*
une **bataille** *nf a battle*
un **bâtiment** *nm a building*
une **batterie** *nf a battery; drums*
battre *v to beat*
beau/bel/belle/beaux/belles *adj beautiful, handsome*
avoir **besoin de** *v to need*
un **beau-père** *nm a stepfather*
belge *adj Belgian*
une **belle-mère** *nf a stepmother*
le **bénévolat à l'étranger** *nm overseas voluntary work*
un/une **bénévole** *nm/nf a voluntary worker*
une **bibliothèque** *nf a library, bookcase*
bien cuit/bien cuite *adj well cooked*
bien entendu *of course*

bientôt *soon*
à **bientôt!** *see you soon!*
bienvenue *welcome*
un **bifteck** *nm a (beef)steak*
un **bijou** *nm a jewel*
un **billet** *nm a ticket*
un **billet aller-retour** *nm a return ticket*
un **bloc sanitaire** *nm a toilet block*
boire *v to drink*
un **bois** *nm wood*
de/en **bois** *made out of wood*
une **boisson** *nf a drink*
une **boîte** *nf a box, can*
une **boîte de nuit** *nf a night club*
bon/bonne *adj good, right*
bon courage! *take heart!*
bon marché* *adj cheap*
le **bonheur** *nm happiness*
au **bord de la mer** *at the seaside*
bouclé/bouclée *adj curly (hair)*
se **bouger** *v to move*
un **boulot** *nm a task, job*
une **bouteille** *nf a bottle*
une **boutique** *nf a (small) shop*
un **bouton** *nm a button; a pimple, spot*
branché/branchée *adj trendy*
breton/bretonne *adj Breton*
briller *v to shine*
bronzer *v to get a tan*
se faire **bronzer** *v to sunbathe*
se **brosser les dents** *to brush one's teeth*
bruyant/bruyante *adj noisy*
bu *pp of* **boire**
une **bûche au chocolat** *nf a chocolate log*
une **bulle** *nf a (speech) bubble*
un **but** *nm a goal, aim*
buv- *past imperfect stem of* **boire**

C

ça m'éclate *I really get a kick out of it!*
ça me plaît *I like it – from* **plaire**
ça ne fait rien! *it doesn't matter!*
ça s'écrit comment? *how do you write it?*

ça se prononce comment? how do you pronounce it?
ça suffit! that's enough!
ça veut dire that means
cacher v to hide
un **cadeau** nm a present
un **cadre** nm a setting
car because, for
un **calcul** nm a sum
un **calendrier** nm a calendar
campagnard/campagnarde adj rural
une **canette** nf a (drink) can
la **cannelle** nf cinnamon
en **caractères gras** in bold
un **cartable** nm a schoolbag
une **case** nf box, square (on paper, chessboard)
un **casque** nm a helmet
une **casquette** nf a cap
un **casse-croûte** nm (pl. les casse-croûte) a snack
un **cauchemar** nm a nightmare
c'est-à-dire that is, that's to say
ce n'est pas la peine it's not worth it
cela m'est égal I don't mind (either way)
cent one hundred
une **centaine de** about a hundred
cesser de to stop doing something
la **chaleur** nf heat
un **chauffeur** nm a driver (male or female)
une **chorale** nf a choral society
un **coin** nm corner
du **coin** local
une **centrale nucléaire** nf a nuclear power station
un **centre commercial** nm a shopping centre or mall
un **centre de recyclage** nm a recycling centre
un **centre de remise en forme** nm a health farm
un **centre-ville** nm a town or city centre
une **chaîne** nf a (TV) channel
la **chair** nf flesh
un **chameau** nm a camel
un **championnat** nm a league
un **changement** nm a change
se **changer** v to get changed
chaque* each
un **char** nm a chariot, tank, (carnival) float
le **chauffage central** nm central heating
chauffer v to heat
une **chausette** nf a sock

les **chaussures de marche** nf pl walking boots
cher/chère expensive; dear (beloved)
chez Juliette at Juliette's (house)
un **chiffre** nm a number (digit)
un/une **chirurgien/chirurgienne** nm/nf a surgeon
un **choix** nm a choice
être au **chômage** to be unemployed
chrétien/chrétienne adj Christian
la **chute libre** nf free fall
ci-dessous below
ci-dessus above
cinquante fifty
la **circulation** traffic
circuler v to go, move (of vehicles)
un/une **citoyen/citoyenne** nm/nf a citizen
une **citrouille** nf a pumpkin
cocher v to tick
un **coffre-fort** nm safe
un **collège** nm a secondary school (11–15)
un/une **collégien/collégienne** nm/nf a (secondary) schoolboy/schoolgirl
une **colline** nf hill
commander v to order (e.g. in restaurant)
comprendre v to understand
comprimer v to compress
compris pp of **comprendre**
compter v to count
se **concentrer** v to concentrate, gather one's thoughts
condamner v to condemn
un/une **conducteur/conductrice** nm/nf a driver
conduire v to drive
conduit pp of **conduire**
faire **confiance à** to trust (someone)
confier v to entrust
un **confort** nm comfort
faire la **connaissance de** to get to know
connaître v to know (a person, place)
connu pp of **connaître**
se **consacrer à** v to devote oneself to
un **conseil** nm a piece of advice; a council
conseiller v to advise
un/une **conseiller/conseillère** nm/nf a counsellor, adviser
un/une **conseiller/conseillère**

d'orientation nm/nf a careers adviser
une **conso (= consommation)** nf drink
consommer v to consume
consacré/consacrée à adj devoted to
par **conséquent** as a consequence
construit/construite en adj built out of
le **contenu** nm the contents
convaincant/convaincante adj convincing
convaincre v to convince
un **copain** nm a (boy)friend
une **copine** nf a (girl)friend
corriger v to correct
la **côte** nf the coast
un **côté** nm a side
à **côté de** next to
être **couché/couchée** to be lying down
se **coucher** v to go to bed
un **coup de fouet** nm a lash (of the whip)
être en **couple** to be in a couple
couramment fluently
courir v to run
une **couronne** nf a crown
le **courrier** nm the (day's) post, letters
une **course à pied** nf a (running) race
faire les **courses** to do the shopping
court/courte adj short
un **coussin** nm a cushion
un **couteau** nm a knife
coûter v to cost
un/une **créateur/créatrice** nm/nf a creator
crier v to shout
croire v to believe
une **croisade** nf a crusade
cru pp of **croire**
cru/crue adj raw
une **cuiller/cuillère** nf a spoon
une **cuillerée** nf spoonful
le **cuir** nm leather
cuisiner v to cook
un/une **cuisinier/cuisinière** nm/nf a cook
un/une **cultivateur/cultivatrice** nm/nf a farmer

D

d'abord at first
de bonne heure early
la **date de naissance** nf date of birth
être **debout** to be standing up
décembre nm December
décevant/décevante adj disappointing
décevoir v to disappoint

déclarer v to declare
découvrir v to discover
décrire v to describe
défaire les valises to unpack
un **défilé** nm a procession, march
défiler v to march
déguster v to taste (for flavour)
déjeuner v to have lunch (sometimes also: to have breakfast)
démarrer v to start (a car)
déménager v to move house
un **demi-frère** nm a half-brother
une **demi-sœur** nf a half-sister
démodé/démodée adj old-fashioned
le **dentifrice** nm toothpaste
dépasser les limites to overstep the mark
dépendre de v depend on
dépenser v to spend
se **déplacer** v to move around
depuis since, for (time)
se **dérouler** v to take place
dès que as soon as
descendre v to go down
un **descriptif** nm specifications
désespérer v to despair
se **déshabiller** v to undress oneself
désolé/désolée adj sorry
dessiner v draw, design
se **détendre** v to relax
détester v to hate
détruire v to destroy
deviner v to guess
devoir v to have to, must
les **devoirs** nm pl homework
devr- future and conditional stem of **devoir**
dimanche nm Sunday
dîner v to have dinner
en **direct** live
directement directly
un/une **directeur/directrice** nm/nf a (school) head
un/une **dirigeant/dirigeante** nm/nf a (company) director, leader
discuter v to discuss
disparaître v to disappear
disparu pp of **disparaître**
dit pp of **dire**
une **dizaine** nf ten or so
(c'est) **dommage!** that's a shame!
se **doucher** v to have a shower

j'en **doute!** I doubt it!
se **douter de** v to suspect something
doux/douce adj sweet, gentle
(tout) **droit** straight on
à **droite** to the right
dû pp of devoir
la **durée** nf duration, length

E

l' **eau potable** nf drinking water
un **échange** nm an exchange
échanger v to exchange
les **échecs** nm pl chess
éclater en sanglots to burst into tears
une **école maternelle** nf an infant school
économiser v to save (money)
l' **Écosse** nf Scotland
écouter v to listen
écrire v to write
également also
une **église** nf a church
élargir ses horizons to broaden one's horizons
emballer v to wrap up
embêtant/embêtante adj annoying
une **émission** nf (television) programme
émouvant/émouvante adj moving
s' **emparer de** v to seize someone or something
empêcher v to prevent
un **emplacement** nm a site
un **emploi** nm a job
l' **empreinte** nf a (foot)print
emprunter v to borrow
s' **endormir** v to fall asleep
un **endroit** nm a place
énerver v to get on one's nerves
enregistrer v to record
enrichissant/ enrichissante adj enriching
un/une **enseignant/enseignante** nm/nf a teacher
ensuite next
entendre v to hear
s' **entendre avec** v to get on with (a person)
entouré/entourée de adj surrounded by
entre between
d' **entre** among, of
une **entreprise** nf a firm (business)
entrer v to enter, go in
un **entretien** mn an interview

enverr- future and conditional stem of **envoyer**
avoir **envie de** to want to
envoyer v to send
épais/épaisse adj thick
épaissir v to thicken
une **épingle** nf a pin
éplucher v to peel
épouvantable* adj frightful
l' **EPS (= éducation physique et sportive)** nf PE or PT
l' **équitation** nf horse riding
l' **escalade** nf (rock) climbing
l' **esclavage** nm slavery
un/une **esclave** nm/nf a slave
un **espace** nm a space
l' **espérance de vie** life expectancy
espérer v to hope
l' **espoir** nm hope
essayer v to try
l' **essence (sans plomb)** nf (unleaded) petrol
un **établissement** nm an establishment
un **étage** nm floor, level
un **étal** nm a stall
l' **été** nm summer
été pp of être
éteindre v to turn off (e.g. the TV)
étonnant/étonnante adj astonishing
étranger/étrangère adj foreign, strange
un/une **étranger/étrangère** nm/ nf a foreigner, stranger
à l' **étranger** abroad
étroit/étroite adj narrow
une **étude** nf a study
étudier v to study
eu pp of avoir
un **événement** nm an event
éventuellement possibly
éviter v to avoid
s' **excuser** v to apologise
exiger v to require, demand
expliquer v to explain
exprimer v to express
un **extrait** nm an extract

F

en **face de** opposite
faire **face à** to face, face up to
une **façon** nf way
un/une **facteur/factrice** nm/nf a postman/postwoman
faible* (en) adj weak (in) / no good (at)
avoir **faim** to be hungry
falloir v to be necessary

farci/farcie adj stuffed
fatigant/fatigante adj tiring
la **fauconnerie** nf falconry
il **faut** it is necessary to from **falloir**
un **fauteuil** nm an armchair
faux/fausse adj wrong, false
une **femme au foyer** nf a housewife
fêter celebrate
le **feu** nm fire (in cooking: heat)
une **fête** nf party
une **feuille** nf a leaf, sheet of paper
février nm February
fidèle adj loyal, faithful
fier/fière adj proud
se **figurer** v to imagine
à la **fin de** at the end of
finir v to finish
le **foot(ball)** nm football
le **footing** nm jogging
être en **forme** to be fit
foncé/foncée adj dark (of a colour)
fort/forte (en) adj strong (in), good (at)
frais/fraîche adj fresh
les **frais** nm pl fees
une **fraise** nf a strawberry
une **framboise** nf a raspberry
franc/franche adj frank, sincere
francophone* adj French-speaking
frapper v to hit
frisé/frisée adj curly, frizzy
froid/froide adj cold
avoir **froid** to be cold (of a person)
il fait **froid** it's cold (weather)

G

gagner v to win, earn
gallo-romain/gallo- romaine adj Gallo-Roman
gallois/galloise adj Welsh
garder v to look after
un/une **gardien/gardienne (de but)** nm/nf goalkeeper
une **gare** nf a train station
à **gauche** to the left
il **gèle** it's freezing
geler to freeze
génial/géniale/géniaux/ géniales adj great, brilliant
généreux/généreuse adj generous
les **gens** nm pl people
gentil/gentille adj nice
gérer v to manage

un **geste** nm a gesture
glisser v to slip, slide
un **goût** nm a taste
grand-chose much
une **grand-mère** nf a grandmother
un **grand-père** nm a grandfather
les **grandes vacances** nf pl summer holidays
le **gras** nm fat
gras/grasse adj fatty
gratuite/gratuite adj free (without cost)
grave* adj serious
grec/grecque adj Greek
grimper v to climb
un **grenier** nm a loft
une **grille** nf grid
gros/grosse adj fat
une **guerre** nf a war
un/une **gymnaste** nm/nf a gymnast

H

un/une **habitant/habitante** nm/nf an inhabitant
habiter v to live
une **habitude** nf a habit
d' **habitude** usually
s' **habituer à** v to get used to
une **haltère** nf a dumbbell
en **haut** upstairs, at the top
à **haute voix** out loud
la **hauteur** nf height
l' **hiver** nm winter
un **homme au foyer** nm a househusband
les **horaires (d'ouverture)** nm pl (opening) hours
hors-piste adj & adverb off-piste
un/une **hôtelier/hôtelière** nm/nf an hotelier
une **hôtesse (d'accueil)** nf a receptionist
l' **huile d'olive** nf olive oil

I

il y a there is/there are; ago
une **igname** nf a yam
une **île** nf an island
immanquable adj unmissable
impitoyable adj ruthless
impoli/impolie adj impolite, rude
imprévisible* adj unpredictable
imprimer v to print (out)
inconfortable* adj uncomfortable

inconnu/inconnue *adj* unknown

un/une infirmier/infirmière *nm/nf* a nurse

les informations *nf pl* news

un/une informaticien/ informaticienne *nm/nf* an IT expert

l' informatique *nf* IT

inoubliable* *adj* unforgettable

s' inquiéter de *v* to worry about

un/une instituteur/institutrice *nm/nf* a primary schoolteacher

interdit/interdite *adj* forbidden

un/une internaute *nm/nf* a net surfer

interroger *v* to question

inutile* *adj* useless

ir- *future and conditional stem of* **aller**

italien/italienne *adj* Italian

J

une jambière *nf* a leg pad

janvier *nm* January

japonais/japonaise *adj* Japanese

le jardinage *nm* gardening

un/une jardinier/jardinière *nm/nf* a gardener

jeudi *nm* Thursday

la jeunesse *nf* youth

les jeux de société *nm pl* board games

le jour des Rois *nm* Epiphany

un jour férié *nm* a holiday, day off

un journal (*pl.* **les journaux**) *nm* a newspaper

un journal intime *nm* a (private) diary

une journée *nf* a day

la journée scolaire *nf* school day

juif /juive *adj* Jewish

juillet *nm* July

juin *nm* June

jumeau/jumelle/ jumeaux/jumelles *adj* twin

un jumelage *nm* town twinning

les jumelles *nf pl* binoculars

jusqu'à until

juste* *adj* fair

L

là(-bas) (over) there

un lacet *nm* a (shoe) lace

laid/laide *adj* ugly

laisser *v* to leave (behind)

lancer *v* to launch

le lancer du disque *nm* discus (sport)

le lancer du javelot *nm* javelin (sport)

une langue *nf* a language

un lapin *nm* a rabbit

un lave-linge (pl. **les lave-linge**) *nm* a washing machine

un lave-vaisselle (pl. **les lave-vaiselle**) *nm* a dishwasher

se laver *v* to get washed

un lecteur MP3 *nm* an MP3 player

la lecture *nf* reading

léger/légère *adj* light (weight)

les légumes *nm pl* vegetables

le lendemain *nm* the day after

lent/lente *adj* quick

la lessive *nf* washing (clothes)

se lever *v* to get up

le lieu de naissance *nm* place of birth

avoir lieu to take place

lire *v* to read

une liste d'achats *nf* a shopping list

les lits jumeaux *nm pl* twin beds

local/locale/locaux/ locales *adj* local

un logement *nm* accommodation

loger *v* to accommodate

les loisirs *nm pl* leisure activities

long/longue *adj* long

la longueur *nf* length

lors de at the time of

louer *v* to rent

lourd/lourde *adj* heavy

lu *pp* of **lire**

lundi *nm* Monday

les lunettes *nf pl* glasses, spectacles

les lunettes de natation *nf pl* swimming goggles

un lycée a sixth-form college (16–18 years); grammar school

un/une lycéen/lycéenne *nm/nf* student at a lycée

M

un magnétoscope *nm* a video recorder

mai *nm* May

maigre* *adj* thin, skinny

à la main by hand

mal* *adj & adverb* bad(ly)

un mal à la tête, à la gorge etc. *nm* a headache, sore throat, etc.

faire mal to hurt

malade* *adj* sick, ill

malgré despite, in spite of

un manège *nm* a fairground attraction

une manière *nf* a way (e.g. of doing something)

tu me manques I miss you

manquer *v* to be missing; to lack; to miss (a train)

le maquillage *nm* make-up

un/une marchand/marchande *nm/nf* a dealer, merchant

mardi *nm* Tuesday

le Maroc *nm* Morocco

marocain/marocaine *adj* Moroccan

marquer un but, un essai *v* score a goal, a try

marrant/marrante *adj* fun

marron* *adj* brown (of eyes)

mars *nm* March

le matériel *nm* equipment

une matière *nf* a (school) subject

mauvais/mauvaise *adj* bad

un médecin *nm* a doctor

une médiathèque *nf* a multimedia library

meilleur/meilleure *adj* better

un mélange *nm* mix

même even

la mémoire *nf* memory (faculty)

un/une mendiant/mendiante *nm/nf* a beggar

mentionner *v* to mention

mercredi *nm* Wednesday

merveilleux/merveilleuse *adj* wonderful

la messagerie instantanée *nf* instant messaging

mettre *v* to put

se mettre d'accord *v* to agree

mi-long/mi-longue *adj* shoulder-length (hair)

la mi-temps *nf* half-time

à midi at midday

mignon/mignonne *adj* sweet, cute

au milieu de in the middle of

mille thousand

des milliers de thousands of

mince* *adj* thin, slender

une mine de charbon *nf* a coal mine

à minuit at midnight

mis *pp* of **mettre**

moche* *adj* ugly

la mode *nf* fashion

à la mode fashionable

au moins at least (with numbers)

du moins at least

le monde *nm* world

mondial/mondiale/ mondiaux/mondiales *adj* world

la montée des océans *nf* rising oceans

monter *v* to go up

montrer *v* to show

un morceau *nm* a bit

mordre *v* to bite

mort/morte *adj* dead; *pp* of **mourir**

une mosquée *nf* a mosque

une moto(cyclette) *nf* a motorbike

un moule *nm* a mould

une moule *nf* a mussel

mourir *v* to die

moyen/moyenne *adj* average

en moyenne on average

la musculation *nf* weight training

un musée *nm* a museum

musulman/musulmane *adj* Muslim

un/une musicien/musicienne *nm/nf* a musician

N

nager *v* to swim

la naissance *nf* birth

naître *v* to be born

la natation *nf* swimming

naufragé/naufragée *adj* shipwrecked

né/née *pp* of **naître**

ne ... jamais never

ne ... personne no one

ne ... plus no longer

néanmoins nevertheless

la neige *nf* snow

il neige it's snowing

n'importe quel whatever

ni ... ni neither ... nor

le nom de famille *nm* surname, family name

un nombre *nm* a number

la nourriture *nf* food

nouveau/nouvel/ nouvelle/nouveaux/ nouvelles *adj* new

novembre *nm* November

un nuage *nm* a cloud

à la nuit tombante at nightfall

nul/nulle *adj* rubbish, terrible

un numéro *nm* a (telephone, bank etc.) number

O

obéir v to obey
occupé/occupée adj busy
s' **occuper de** v to see to
octobre nm October
une **odeur** nf a smell
les **œufs brouillés** nm pl scrambled eggs
offrir v to give (as a present); to offer
s' **offrir** v to treat oneself to
un **olivier** nm an olive tree
une **opération de collecte et de tri** nf collect and sort exercise
un **ordinateur** nm a computer
un **ordinateur portable** nm laptop
une **oreille** nf an ear
un/une **orphelin/orpheline** nm/nf an orphan
l' **orthographe** nf spelling
oublier v to forget
l' **ouest** nm the west
ouvert/ouverte adj open
ouvert pp of **ouvrir**
ouvrir v to open

P

une **page de publicité** nf a commercial break
Pâques nm pl Easter
par contre on the other hand
il **paraît que** it seems that
paresseux/paresseuse adj lazy
un **parc de loisirs** nm a leisure park
parfait/parfaite adj perfect
partager v to share
un/une **partenaire** nm/nf a partner
participer à v to take part in
partir v to leave
à **partir de** from (time)
passer v to spend (time); to take (an exam)
se **passer** to happen, occur
passer une visite médicale to have a (medical) check-up
une **patate douce** nf a sweet potato
patiner v to skate
un/une **patron/patronne** nm/nf a boss
faire une **pause** to take a break
payer v to pay for
le **Pays de Galles** nm Wales
la **pêche** nf fishing
une **pêche** nf a peach

une **peinture** nf a painting, paint
pendant for (time)
se **perdre** v to get lost
perdre du poids to lose weight
perfectionner v to improve
la **période estivale** nf the summer season
la **permanence** nf study period
permettre v to allow
persuader quelqu'un de v to persuade someone to
peser v to weigh
un/une **petit ami/petite amie** nm/nf a boyfriend/girlfriend
avoir **peur** to be afraid
une **phrase** nf a sentence
une **pièce** nf a room
une **pierre** nf a stone
une **pincée** nf a pinch
une **piqûre** nf a sting
pire* adj worse
une **piscine** nf a swimming pool
une **place** nf a (town) square
faire **place à** to give way to
sur **place** on the spot
une **plage** nf a beach
se **plaindre (de)** v to complain (about)
plaire v to please
avec **plaisir!** gladly! with pleasure!
la **planche à voile** nf wind surfing
planifier v to plan
un **plat** nm a dish (of food)
plein/pleine de full of
en **plein air** in the open air
il **pleut** it's raining from **pleuvoir**
pleuvoir v to rain
la **plongée sous-marine** nf (deep-sea) diving
plu pp of **plaire**
la **plupart** the majority, most
de **plus** more
en **plus** in addition
plusieurs* adj several
plutôt rather
la **pointure** nf shoe size
poli/polie adj polite
un **portable** nm a mobile (telephone)
portugais/portugaise adj Portuguese
poser v to put
poser une question to ask a question

posséder v to own, to possess
la **Poste** nf the post office
un **poste** nm a job, position
un **poste de police** nm a police station
un **poste de télévision** nm a television set
une **poudre** nf a powder
pourr- future and conditional stem of **pouvoir**
pousser v push, grow
pouvoir v to be able to, can
préféré/préférée adj favourite
un **premix** nm an alcopop
prendre v to take
le **prénom** nm first name
près de close to
un/une **présentateur/présentatrice** nm/nf a (TV) presenter, newsreader
se **présenter** v to introduce oneself
presque almost
pressé/pressée adj in a hurry
prêter v to lend
pris pp of **prendre**
privé/privée adj private
prochain/prochaine adj next
produire v to produce
un **produit** nm product
promouvoir v to promote
le **printemps** nm spring (season)
un **professeur** nm a teacher, lecturer
profond/profonde adj deep
la **profondeur** nf depth
une **promenade** nf a walk
une **promenade en bateau** nf a boat trip
promener v to walk (e.g. a dog)
se **promener** v to go for a walk
promettre v to promise
propre* adj clean
un/une **propriétaire** nm/nf an owner
les **protège-genoux** nm pl knee pads
provenir (de) v to come (from)
pu pp of **pouvoir**
la **publicité** nf advert(ising)
puisque since
la **puissance** nf strength
un **pull** nm a pullover, jumper

Q

quand même even so
quant à as for
une **quarantaine de** forty or so
quarante forty
un **quart d'heure** nm a quarter of an hour
qu'est-ce qu'il y a? what's the matter?
québécois/québécoise adj Quebecois
quelle blague! what rubbish!
une **quinzaine** nf a fortnight
quitter v to leave (place)
quotidien/quotidienne adj daily

R

raconter v tell (a story), recount
raide* adj straight (of hair)
avoir **raison** to be right
une **randonnée** nf a walk, hike
une **randonnée à cheval** nf a (horse or pony) trek
se **rappeler** v to remember
rater v to miss, fail
ravi/ravie adj delighted
récemment recently
une **recette** nf a recipe
recevoir v to receive, get
rechercher v to search for
faire des **recherches (sur)** to do research (on)
recommander v to recommend
une **reconstruction à l'identique** nf an exact reconstruction
une **récréation** nf a (school) break
un **reçu** nm a receipt
reçu pp of **recevoir**
la **récupération** nf recovery; recycling
se **référer à** v to refer to
regarder v to look at, watch
régler v to settle (a bill)
les **règles d'or** nf pl golden rules
je **regrette** I'm sorry
rejoindre v to join up with
relever un défi to take up a challenge
remarquer v to notice
rembourser v to reimburse
remercier v to thank
remettre v to put back
remonter dans le temps to go back in time
remplacer v replace
remplir v to fill (in)

remporter *v* to carry back; to win
une **rencontre** *nf* meeting
rendre *v* to give back
les **renseignements** *nm pl* information
la **rentrée** *nf* the return to school (or work) after the August summer holidays
un **repas** *nm* a meal
répondre *v* to reply
un **reportage** *nm* a report
reposant/reposante *adj* restful
se **reposer** *v* to rest
un **requin** *nm* a shark
un **réseau social** (*pl.* **réseaux sociaux**) *nm* a social network
un **résultat** *nm* a result
en **retard** late
se **retrouver** *v* to meet (by arrangement)
réussir à *v* to succeed at, in, to pass (exam)
un **rêve** *nm* a dream
se **réveiller** *v* to wake up
revenir *v* to come back
révolutionnaire* *adj* revolutionary
rire *v* to laugh
risquer de *v* to risk (doing something)
une **rivière** *nf* a river
le **riz** *nm* rice
un **robinet** *nm* a tap
un **roi** *nm* a king
rôti/rôtie *adj* roasted
roux/rousse *adj* auburn, ginger (hair)

S

un **sac à dos** *nm* a rucksack
un **sac à main** *nm* a handbag
sain/saine *adj* healthy
saisir *v* to seize
un/une **saisonnier/saisonnière** *nm/nf* a seasonal worker
une **salle d'animation** *nf* an activity room
samedi *nm* Saturday
sans without
un **sapeur-pompier** (*pl.* **les sapeurs-pompiers**) *nm* a firefighter
un **sapin** *nm* a fir tree
une **saucisse** nf a sausage
saur- *future and conditional stem of* **savoir**
sauf except
le **saut à la corde** *nm* skipping
le **saut en longueur** *nm* long jump

sauter un repas to skip a meal
savoir *v* to know (a fact)
le **savon** *nm* soap
la **scolarisation** *nf* schooling
sec/sèche *adj* dry
un **séjour** *nm* a stay; living room
le **sel** *nm* salt
une **semaine** *nf* week
un **sens de l'humour** *nm* a sense of humour
septembre *nm* September
ser- *future and conditional stem of* **être**
un/une **serveur/serveuse** *nm/nf* a waiter/waitress
se **servir de** *v* to use
seul/seule *adj* alone
si besoin est if necessary
un **siècle** *nm* a century
un **signe astrologique** *nm* a star sign
situé/située located
soi(-même) oneself
avoir **soif** to be thirsty
les **soins** *nm pl* care, treatment
il/elle/on **soit** *present subjunctive from* **être**
soixante sixty
un **sondage** *nm* a poll, survey
une **sortie** *nf* an exit; trip out
souligné/soulignée *adj* underlined
soupçonner *v* to suspect
sourire *v* to smile
un **souvenir** *nm* a memory
se **souvenir de** *v* to remember
sportif/sportive *adj* sports, sporty
un/une **sportif/sportive** *nm/nf* a sportsman/sportswoman
un **stade** *nm* a stadium
un **stage** *nm* an internship
un/une **stagiare** *nm/nf* an intern
une **station balnéaire** *nf* a seaside resort
su *pp* of **savoir**
le **sucre en poudre** *nm* caster sugar
les **sucreries** *nf pl* sweet things
je **suis** I am *from* **être**
suivant/suivante *adj* following
suivre *v* to follow
la **superficie terrestre** *nf* the Earth's surface
être **sur le point de** to be about to
sûr/sûre (de) *adj* sure (about, of)

surnommer *v* to nickname
la **surpêche** *nf* over-fishing
en **surpoids** overweight
surprendre *v* to surprise
survivre *v* to survive
survoler *v* to skim over

T

un **tablier** *nm* an apron
les **tâches ménagères** nf pl housework
la **taille** *nf* size
un **talonneur** *nm* a hooker (rugby)
tant de so many
tant mieux! so much the better!
en **tant que** as, in the role of
taper *v* to slap; to type
un **tas** *nm* a pile
un **téléchargement** *nm* a download(ing)
un/une **téléspectateur/ téléspectatrice** *nm/nf* a (TV) viewer
tellement so
le **témoignage** *nm* an account, testimony
de **temps en temps** from time to time
avoir **tendance à** to tend to
la **tenue** *nf* dress; upkeep
terminer *v* to finish
tiède* *adj* tepid, lukewarm
tirer *v* to pull, draw
tirer un bénéfice to make a profit
un **titre** *nm* a title
avoir **tort** to be wrong
tourner un film *v* to make a film
tout à coup suddenly
tout de suite immediately
tout le monde everyone
toutefois nevertheless, however
traduire *v* translate
être en **train de** to be in the process of
un **trajet** *nm* a (short) journey
travailler *v* to work
à **travers** across, through
traverser *v* to cross
trente thirty
se **trouver** *v* to be situated
un **truc** *nm* a thing, 'thingummy'
tunisien/tunisienne *adj* Tunisian

U

unique* *adj* only
usé/usée *adj* worn (out)
une **usine** *nf* factory
utile *adj* useful

un/une **utilisateur/utilisatrice** *nm/nf* a user
utiliser *v* to use

V

un **vainqueur** *nm* a conqueror, victor
une **valise** *nf* suitcase
il **vaut** *v* it is worth *from* **valoir**
vécu *pp* of **vivre**
une **vedette de cinéma** *nf* a film star (male or female)
la **veille** *nf* the day before
un **vélo** *nm* bike
un/une **vendeur/vendeuse** *nm/nf* salesman/saleswoman
vendredi *nm* Friday
venir *v* to come
venu/venue *pp* of venir
vérifier *v* to check
verr- *future and conditional stem of* **voir**
vers towards; around (time)
les **vêtements** *nm pl* clothes
la **viande** *nf* meat
la **vie** *nf* life
vieux/vieil/vieille/vieux/ vieilles *adj* old
vif/vive *adj* bright (of a colour)
vilain/vilaine *adj* ugly, nasty
une **ville jumelle** *nf* a twin town
rendre **visite à** to visit (a person)
vingt twenty
une **vitrine** *nf* a shop window
vivre *v* to live
un/une **voisin/voisine** *nm/nf* a neighbour
le **vol** *nm* flight; theft
voler *v* to fly; to steal
voudr- *future and conditional stem of* **vouloir**
vouloir *v* to want
en **vrac** loose
vrai/vraie true
vu *pp* of **voir**

Y

y there
y compris *including*

Vocabulary

A

to be **able to** pouvoir *v*
about environ
to be **about to ...** être sur le point de ...
about (approximately) à peu près; (with times) vers
it is **about ...** il s'agit de ...
abroad à l'étranger
accommodation le logement *nm*
according to selon
across à travers
actually en fait
in **addition** en plus
in **advance** à l'avance
advantage l'avantage *nm*
advertising la publicité *nf*
(piece of) **advice** le conseil *nm*
to **advise** conseiller *v*
an **aeroplane** un avion *nm*
to be **afraid of ...** avoir peur de ...
after après (que)
in the **afternoon** l'après-midi *nm*
ago il y a
to **agree** être d'accord;
alcohol l'alcool *nm*
almost presque
alone seul/seule *adj*
also aussi, également
always toujours
among parmi
angry fâché, fâchée *adj*
to get **angry** (with someone) se fâcher (contre quelqu'un) *v*
an **animal** un animal *nm* (*pl.* les animaux)
annoying embêtant(e) *adj*
that **annoys me** ça m'embête
anxious anxieux/ anxieuse *adj*
an **apartment** un appartement *nm*
to **apologise** s'excuser *v*
appetite l'appétit *nm*
an **apprentice** un apprenti *nm*/une apprentie *nf*
an **apprenticeship** un apprentissage *nm*
appropriate approprié(e) *adj*
April avril *nm*
arm le bras *nm*
around autour de; (approximately) environ; (time) vers

as comme; (while) alors que; (being) en tant que
as for quant à
as soon as aussitôt que, dès que
to **ask** demander *v*
to **ask a question** poser une question
to be **asleep** dormir *v*
astonishing étonnant/ étonnante *adj*
at à
at Juliette's (house) chez Juliette
an **athlete** un/une athlète *nm/nf*
athletics l'athlétisme *nm*
to **attach** attacher *v*
to **attend** assister à *v*
August août *nm*
autumn l'automne *nm*
average moyen/ moyenne *adj*
on **average** en moyenne
of **average height** de taille moyenne
to **avoid** éviter *v*

B

at the **back** à l'arrière
bad mauvais(e) *adj*; (serious) grave* *adj*
badly mal
a **bag** un sac *nm*
bald chauve* *adj*
a **bank** une banque *nf*
a **basement** un sous-sol *nm*
to have a **bath** prendre un bain *v*
a **bathroom** une salle de bain *nf*
a **beach** une plage *nf*
beard la barbe *nf*
to **beat** battre *v*
beautiful beau/bel/belle/ beaux/belles *adj*
because parce que, car
because of à cause de
to go to **bed** se coucher *v*
before avant, avant de, avant que
beforehand à l'avance
behind derrière
to **believe** croire *v*
a **bench** un banc *nm*
the **best** le meilleur *nm*/la meilleure *nf*
better (*comparative of* **good**) meilleur/ meilleure *adj*; (*comparative of* **well**) mieux
between entre
big grand/grande *adj*

a **bike** un vélo *nm*
biology la biologie *nf*
birth la naissance *nf*
a **birthday** un anniversaire *nm*
a **bit (piece)** un morceau *nm*
bitter amer/amère *adj*
black noir/noire *adj*
a **block of flats** un immeuble *nm*
a **blouse** un chemisier *nm*
blue bleu/bleue *adj*
a **boat** un bateau (les bateaux) *nm*
body le corps *nm*
to **book** (e.g. a room) réserver *v*
a **bookshelf** une étagère *nf*
a **bookshop** une librairie *nf*
boring ennuyeux/ ennuyeuse *adj*
to be **born** naître *v* (takes **être**)
to **borrow** emprunter *v*
a **boss** un patron *nm*/une patronne *nf*
a **bowl** un bol *nm*
a **box** une boîte *nf*
a **boyfriend** un petit ami *nm*
bread le pain *nm*
to **break** casser *v*
to **break down** tomber en panne
breakfast le petit déjeuner *nm*
to **bring** (a person, animal, vehicle) amener *v*; (an object) apporter *v*
to **broaden one's horizons** élargir ses horizons
brother le frère *nm*
brown brun/brune *adj*; (of eyes) marron* *adj*
to **brush one's teeth** se brosser les dents
to **build** construire *v*
a **building** un bâtiment *nm*
a **bus** un (auto)bus *nm*
a **bus station** une gare routière *nf*
business les affaires *nf pl*
a **businessman** un homme d'affaires *nm*
a **businesswoman** une femme d'affaires *nf*
busy occupé/occupée *adj*
butter le beurre *nm*
to **buy** acheter *v*

C

a **cake** un gâteau *nm*
a **calculator** une calculatrice *nf*
a **camera** un appareil photo *nm*
a **car park** un parking *nm*
a **career** une carrière *nf*
a **careers adviser** un conseiller d'orientation *nm*/une conseillère d'orientation *nf*
a **cartoon** un dessin animé *nm*
to **celebrate** fêter *v*
a **century** un siècle *nm*
to get **changed** se changer *v*
(small) **change** la monnaie *nf*
a (TV) **channel** une chaîne *nf*
cheap bon marché* *adj*
to **check** vérifier *v*; (a ticket) contrôler *v*
chemical chimique* *adj*
chest (body) la poitrine *nf*
chips les frites *nf pl*
a **choice** un choix *nm*
Christmas Noël *nm*
happy **Christmas!** joyeux Noël!
a **church** une église *nf*
a **citizen** un citoyen *nm*/ une citoyenne *nf*
a **city** une grande ville *nf*
a **city centre** un centre-ville *nm*
clean propre* *adj*
to **clear the table** débarasser la table
close to près de
clothes les vêtements *nm pl*
it's **cloudy** il fait gris, il y a des nuages
a **coach** (sports) un entraîneur *nm*/ une entraîneuse *nf*; (transport) un car *nm*
the **coast** la côte *nf*
a **coat** un manteau (*pl* les manteaux) *nm*
cold froid/froide *adj*
to be **cold** (of a person) avoir froid
it's **cold** (weather) il fait froid
a **colleague** un/une collègue *nm/f*
to **come** venir *v* (takes **être**)
to **come back** revenir *v* (takes **être**)
comfortable confortable* *adj*
to **complain** (about) se plaindre (de) *v*
a **computer** un ordinateur *nm*

as a consequence par conséquent
the contents le contenu *nm*
to convince convaincre *v*
convincing convaincant(e) *adj*
to cook faire la cuisine, cuisiner *v*
a cook un cuisinier *nm* / une cuisinière *nf*
to cost coûter *v*
a counter (in bar) un comptoir *nm*
a country un pays *nm*
the country(side) la campagne *nf*
in the country(side) à la campagne
crisps les chips *nf pl*
to cross traverser *v*
to cry pleurer *v*
a cup une tasse *nf*
a cupboard un placard *nm*
curly (hair) bouclé(e) *adj*
to cut couper *v*
cute mignon/mignonne *adj*

D

daily quotidien/quotidienne *adj*
dancing la danse *nf*
date of birth la date de naissance *nf*
daughter la fille *nf*
a day un jour *nm*, une journée *nf*
the day after le lendemain *nm*
the day after tomorrow après-demain
the day before la veille *nf*
the day before yesterday avant-hier
dead mort(e) *adj*
December décembre *nm*
deep profond/profonde *adj*
delighted ravi(e) *adj*
that depends ça dépend
to describe décrire *v*
a desk (in office) un bureau *nm*; (for pupil) un pupitre *nm*
despite malgré
to destroy détruire *v*
to devote onself to s'adonner à *v*, se consacrer à *v*
a diary (for business etc.) un agenda *nm*; (private) un journal intime *nm*
to die mourir *v* (takes **être**)
a digital camera un appareil photo numérique *nm*

a dining room une salle à manger *nf*
dinner le dîner *nm*
to have dinner dîner *v*
a director (e.g. of a company) un dirigeant *nm*/ une dirigeante *nf*
dirty sale* *adj*
to disappear disparaître *v*
to disappoint décevoir *v*
disappointing décevant(e) *adj*
to discover découvrir *v*
a district un quartier *nm*
diving la plongée *nf*
a doctor un médecin *nm* / une femme médecin *nf*
a double bed un grand lit *nm*
to download télécharger *v*
downstairs en bas
drama (subject) l'art dramatique *nm*
a dream un rêve *nm*
a drink une boisson *nf*, une conso(mmation) *nf*
to drink boire
drinking water l'eau potable *nf*
to drive conduire *v*
a driver (of a taxi, lorry, bus) un chauffeur; (of a car) un conducteur *nm*/une conductrice *nf*
a driving licence un permis de conduire *nm*

E

e-mail le courrier électronique *nm*
each chaque*
early de bonne heure
to earn gagner *v*
east l'est *nm*
Easter Pâques *nf pl*
Happy Easter! Joyeuses Pâques!
education l'éducation *nf*
educational éducatif/éducative *adj*
an egg un œuf *nm*
eighty quatre-vingts
elsewhere ailleurs
at the end of à la fin de
elder aîné/aînée
to enjoy oneself s'amuser *v*
enrichening enrichissant(e) *adj*
to enter entrer *v* (takes **être**)
equipment le matériel *nm*
even même
even so quand même

evening le soir *nm*; la soirée *nf*
an event un événement *nm*
everybody/everyone tout le monde
an exam(ination) un examen *nm*
except sauf
an exchange un échange *nm*
to exchange échanger *v*
excuse me! excusez-moi!
an exercise book un cahier *nm*
an exit une sortie *nf*
to explain expliquer *v*
to express exprimer *v*
an eye un œil (pl les yeux) *nm*

F

face le visage *nm*, la figure *nf*
to face, face up to faire face à *v*
a factory une usine *nf*
to fail échouer *v*, rater *v*
fair juste* *adj*
to fall asleep s'endormir *v*
to fall (to the floor) tomber *v* (par terre)
a fan un(e) fan
a farm une ferme *nf*
fashion la mode *nf*
fashionable à la mode
a fast-food restaurant un fast-food *nm*
fat gros/grosse *adj*
fatty gras/grasse *adj*
favourite préféré(e) *adj*
February février *nm*
I'm fed up with ... j'en ai marre de ...
to fetch aller chercher
fifty cinquante
a file un dossier *nm*
to do the filing s'occuper du classement
finger le doigt *nm*
to finish finir *v*, terminer *v*
a firefighter un sapeur-pompier (pl. les sapeurs-pompiers) *nm*
a firm (business) une entreprise *nf*
first premier/première *adj*
at first d'abord
(to go) fishing aller à la pêche
floor (e.g. of a room) le plancher *nm*; (level) un étage *nm*
on the first floor au premier étage
fluently couramment
to fly voler *v*

it's foggy il y a du brouillard
to follow suivre *v*
food la nourriture *nf*
on foot à pied
football le foot(ball) *nm*
for pour; (time past) pendant; (future time) pour; (ongoing) depuis
to forbid défendre *v*
forbidden interdit(e) *adj*
foreign étranger/étrangère *adj*
a foreigner un étranger *nm* / une étrangère *nf*
to forget oublier *v*
a fork une fourchette *nf*
former ancien/ancienne *adj* (placed before the noun)
formerly autrefois
a fortnight une quinzaine *nf*
free (without cost) gratuite/gratuite *adj*; (not busy) libre* *adj*
it's freezing il gèle
French français(e) *adj*
a Frenchman un Français *nm*
a Frenchwoman une Française *nf*
fresh frais/fraîche *adj*
a friend (male) un ami *nm*, un copain *nm*
a friend (female) une amie *nf*, une copine *nf*
friendly amical(e) *adj*
friendship l'amitié *nf*
frizzy frisé/frisée *adj*
from de; (time) à partir de
at the front à l'avant
full (of) plein/pleine *adj* (de)
full-time à plein temps
fun(ny) marrant(e) *adj*, amusant(e) *adj*
to have fun s'amuser *v*
future l'avenir *nm*
in future à l'avenir

G

a gardener un jardinier *nm*/une jardinière *nf*
gardening le jardinage *nm*
a gate une barrière *nf*
generally en général
generous généreux/généreuse *adj*
gentle doux/douce *adj*
German allemand/allemande *adj*
Germany l'Allemagne *nf*
to get (receive) recevoir *v*
to get dressed s'habiller *v*
to get off descendre *v*
to get on to monter *v*

(takes **être**)

to **get on with ...** (a person) s'entendre avec *v*

to **get to know** faire la connaissance de

ginger (-haired) roux/ rousse *adj*

a **girlfriend** une petite amie *nf*

to **give** donner *v*; (as a present) offrir *v*

to **give back** rendre *v*

a **glass** un verre *nm*

glasses les lunettes *nf pl*

global mondial/ mondiale/mondiaux/ mondiales *adj*

to **go** aller *v*

to **go away** s'en aller *v*

to **go down** descendre *v* (takes **être**)

to **go for a walk** se promener *v*

to **go to bed** se coucher *v*

to **go to sleep** s'endormir *v*

to **go in** entrer *v* (takes **être**)

to **go out** sortir *v* (takes **être**)

to **go up** monter *v* (takes **être**)

a **goal** un but *nm*

a **goalkeeper** un gardien (de but) *nm*/une gardienne (de but) *nf*

good bon/bonne *adj*

good at fort/forte en *adj*

no **good at** faible* en *adj*

grandchildren les petits-enfants *nm pl*

grandfather le grand-père *nm*

grandmother la grand-mère *nf*

grandparents les grands-parents *nm pl*

grateful reconnaissant(e) *adj*

great génial/géniale/ géniaux/géniales *adj*; super!*

green vert(e) *adj*

grey gris(e) *adj*

on the **ground floor** au rez-de-chaussée

to **guess** deviner *v*

H

a **habit** une habitude *nf*

hair cheveux *nm pl*

a **hairdresser** un coiffeur *nm*/une coiffeuse *nf*

a **half** une moitié *nf*

a **half-hour** une demi-heure *nf*

half-brother le demi-frère *nm*

half-sister la demi-sœur *nf*

half-time la mi-temps *nf*

it's **half past five** il est cinq heures et demie

by **hand** à la main

on **the other hand** par contre

a **handbag** un sac à main *nm*

handsome beau/bel/ belle/beaux/belles *adj*

to **happen** se passer

happiness le bonheur *nm*

happy heureux/ heureuse *adj*, content/ contente *adj*

happy birthday! bon anniversaire!

hard dur(e) *adj*; difficile* *adj*

hard-working travailleur/travailleuse *adj*

a **hat** un chapeau (pl les chapeaux) *nm*

to **have to** devoir *v*

a **head** (e.g. of a school) un directeur *nm*/une directrice *nf*

a **headache** un mal à la tête *nm*

healthy sain(e) *adj*

heat la chaleur *nf*

to **heat** chauffer *v*

heavy lourd/lourde *adj*

a **helmet** un casque *nm*

here is/here are voici

here it is! voilà!

to **hide** cacher *v*

a **hike** une randonnée *nf*

to **hit** frapper *v*

a **hobby** un passe-temps *nm*

a **holiday** les vacances *nf pl*

go on **holiday** partir en vacances

a **holiday camp** une colonie de vacances *nf*

at **home** à la maison

a **home help** une aide-ménagère *nf*

homework les devoirs *nm pl*

to **hope** espérer *v*

hope l'espoir *nm*

a **horse** cheval (pl les chevaux) *nm*

horse riding l'équitation *nf*

a **hospital** l'hôpital *nm*

it's **hot** il fait chaud

a **househusband** un homme au foyer *nm*

a **housewife** une femme au foyer *nf*

housework les tâches ménagères *nf pl*

to do the **housework** faire le ménage

a **hundred** cent

to be **hungry** avoir faim

in a **hurry** pressé(e) *adj*

I

an **idea** une idée *nf*

an **identity card** une carte d'identité *nf*

illiteracy l'analphabétisme *nm*

impolite impoli(e) *adj*

to **improve** améliorer *v*, perfectionner *v*

including y compris

information les renseignements *nm pl*

an **inhabitant** un/une habitant/habitante *nm/nf*

inside à l'intérieur, dedans

instead of au lieu de

to be **interested in** s'intéresser à *v*

interesting intéressant(e) *adj*

an **intern** un/une stagiare *nm/nf*

the **Internet** l'Internet *nm*

an **internship** un stage *nm*

an **interview** un entretien *mn*, un interview *nm*

to **introduce oneself** se présenter *v*

Ireland l'Irlande *nf*

Irish irlandais/irlandaise *adj*

is there ...? il y a ...?

it doesn't matter! ça ne fait rien!

IT (= information technology) l'informatique *nf*

an **IT expert** un informaticien *nm* / une informaticienne *nf*

an **island** une île *nf*

J

jam la confiture *nf*

January janvier *nm*

(a pair of) **jeans** un jean *nm*

a **jewel** un bijou (pl. les bijoux) *nm*

Jewish juif/juive *adj*

a **job** un emploi *nm*, un poste *nm*; (less formal) un boulot *nm*

a **journey** un voyage *nm*; (short) un trajet *nm*

K

to **keep an eye on**

surveiller *v*

to **kiss** embrasser *v*

kitchen la cuisine *nf*

a **knee** un genou (pl les genoux) *nm*

a **knife** un couteau (pl les couteaux) *nm*

to **know** (a person, place) connaître *v*; (a fact) savoir *v*

to get to **know** faire la connaissance de

L

a **lady** une dame *nf*

a **laptop** un ordinateur portable *nm*

last dernier/dernière *adj*

last week la semaine dernière

last week-end le week-end dernier

late tard *adv*

to be **late** être en retard

a **leaf** une feuille *nf*

a **league** un championnat *nm*

to **learn** apprendre *v*

at **least** du moins; (with numbers) au moins

to **leave** partir *v* (takes **être**); to leave (e.g. a place, person, job) quitter *v*

to **leave** (behind) laisser *v*

to/on the **left** à gauche

leisure activities les loisirs *nm pl*

a **leisure park** un parc de loisirs *nm*

a **lemon** un citron *nm*

to **lend** prêter *v*

a **lesson** un cours *nm*, une leçon *nf*

less than moins que

a **library** une bibliothèque *nf*

to **lie down** s'allonger *v*

life la vie *nf*

life expectancy l'espérance de vie

a **lift** (elevator) un ascenseur *nm*

light la lumière *nf*

light (in weight) léger/ légère *adj*

to **listen** écouter *v*

to **live** vivre *v*; (reside) habiter *v*

live en direct

a **living room** un salon *nm*; une salle de séjour *nf*

local du coin; local/ locale/locaux/locales *adj*

long long/longue *adj*

to **look** regarder *v*

to look ... (e.g. tired) avoir l'air ...
to look after garder *v*
to look forward to attendre avec impatience
to lose perdre *v*
to lose weight perdre du poids
to get lost se perdre *v*
lots of beaucoup de
love l'amour *nm*
to love aimer *v*
in love with amoureux/ amoureuse de
loyal fidèle* *adj*
luggage les bagages *nm pl*
to have lunch déjeuner *v*
to be lying down être couché(e)

M

main principal/principale/ principaux/principales *adj*
the majority of la plupart de
to make faire *v*
make-up le maquillage *nm*
to manage (e.g. a company) gérer *v*
to manage to (do something) arriver à ... *v*, réussir à ... *v*
March mars *nm*
maths les maths *nf pl*
it doesn't matter cela ne fait rien
May mai *nm*
I don't mind (either way) cela m'est égal
that means ça veut dire
to meet rencontrer *v*; (by apointment) se retrouver *v*
memory (faculty) la mémoire *nf*
a memory (e.g. of an event) un souvenir *nm*
to mend réparer *v*
to mention mentionner *v*
at midday à midi
in the middle of au milieu de
at midnight à minuit
to miss (e.g. a train) manquer *v*
I miss you tu me manques
to mix mélanger *v*
a mobile (telephone) un portable *nm*
Monday lundi *nm*
money l'argent *nm*
a month un mois *nm*
for months pendant quelques mois

more (than) plus que
in the morning le matin *nm*
a mosque une mosquée *nf*
mother la mère *nf*
a motorbike une moto(cyclette) *nf*
a motorway une autoroute *nf*
to move house déménager *v*
moving émouvant(e) *adj*
MP3 player un baladeur MP3 *nm*
as much (as many) autant de
a musician un musicien *nm*/une musicienne *nf*
Muslim musulman(e) *adj*
I must je dois
at my house chez moi

N

narrow étroit(e) *adj*
it is necessary to ... il faut ...
to need avoir besoin de *v*
a neighbour un voisin *nm*/ une voisine *nf*
nephew le neveu *nm*
a net surfer un(e) internaute *nm*/*nf*
next ensuite
nevertheless pourtant, néanmoins
new nouveau/nouvel/ nouvelle/nouveaux/ nouvelles *adj*
news les informations *nf pl*; les nouvelles *nf pl*
a newspaper un journal (*pl* les journaux) *nm*
next prochain(e) *adj*
nice sympa* *adj*
niece la nièce *nf*
at night la nuit *nf*
a night club une boîte de nuit *nf*
a nightmare un cauchemar *nm*
neighbourhood les alentours *nm pl*
me neither! moi non plus!
neither ... nor ni ... ni
never ne ... jamais
news les informations *nf pl*; les nouvelles *nf pl*
next ensuite
next to à côté de
nice gentil/gentille *adj*
no (not any) aucun/ aucune *adj*
no longer ne ... plus
no one personne, ne ... personne
noisy bruyant(e) *adj*
a note (bank) un billet *nm*
to notice remarquer *v*

a nuclear power station une centrale nucléaire *nf*
a number (quantity) un nombre *nm*; (digit) un chiffre *nm*; (e.g. telephone, account) un numéro *nm*
a nurse un infirmier *nm*/ une infirmière *nf*

O

October octobre *nm*
of de
of course bien sûr, bien entendu
an office un bureau *nm*
often souvent
OK d'accord
old (after noun) ancien/ ancienne *adj*; vieux/ vieil/vieille/vieux/vieilles *adj*
on sur
only seul/seule *adj*, unique* *adj*
once (more) une fois (de plus)
to open (up) s'ouvrir *v*
open ouvert(e) *adj*
in the open air en plein air
an opinion un avis *nm*; une opinion *nf*
in your opinion à votre (ton) avis
opening hours les horaires (d'ouverture) *nm pl*
opposite en face (de)
or ou
an orange une orange *nf*
orange orange* *adj*
to order (e.g. in restaurant) commander *v*
in order to pour, afin de
out loud à haute voix
(over) there là(-bas)
overseas voluntary work le bénévolat à l'étranger *nm*
overweight en surpoids
to own posséder *v*

P

a painting une peinture *nf*
a paperback un livre de poche *nm*
a parcel un colis *nm*
parents les parents *nm pl*
a park un parc *nm*, un jardin public *nm*
part-time à temps partiel
party une fête *nf*, une boum *nf*
a path un chemin *nm*

patient patient(e) *adj*
to pay for payer *v*
PE (= physical education) l'EPS (= éducation physique et sportive) *nf*
peace la paix *nf*
a pen un stylo *nm*
a pencil un crayon *nm*
a pencil case une trousse *nf*
perfect parfait(e) *adj*
a person une personne *nf*
a pet un amimal (les animaux) domestique(s) *nm*; un animal (les animaux) de compagnie *nm pl*
petrol l'essence *nf*
a photo(graph) une photo(graphie) *nf*
a photographer un photographe *nm*/ une photographe *nf*
physics la physique *nf*
the post (letters) le courrier *nm*
a pinch une pincée *nf*
pink rose*
a place un endroit *nm*, un lieu *nm*
to plan planifier *v*
platform le quai *nm*
to play jouer *v*
a play une pièce de théâtre *nf*
pleasant agréable*
to please plaire *v*
please (to a friend or relative) s'il te plaît; (to more than one person, to someone you don't know well) s'il vous plaît
a police station un commissariat de police *nm*; un poste de police *nm*
polite poli(e) *adj*
posh snob* *adj*
possibly éventuellement
the post office la Poste *nf*
a poster une affiche *nf*
a present un cadeau (*pl* les cadeaux) *nm*
at present actuellement
to prevent empêcher *v*
a primary school une école primaire *nf*
a primary schoolteacher un instituteur *nm*/ une institutrice *nf*
private privé(e) *adj*
to be in the process of être en train de
a product un produit *nm*

a (TV) programme une émission *nf*
to promise someone to ... promettre à quelqu'un de ... *v*
proud fier/fière *adj*
to pull tirer *v*
a pupil un élève *nm*/une élève *nf*
to push pousser *v*

Q

a quarter of an hour un quart d'heure *nm*
it's a quarter past (three) il est (trois) heures et quart
it's a quarter to (three) il est (trois) heures moins le quart
quick vite *adv*; rapide* *adj*
quiet calme* *adj*; tranquille* *adj*
quite assez

R

a radio (set) un poste de radio *nm*
railway le chemin de fer *nm*
it's raining il pleut
rainy pluvieux/pluvieuse *adj*
a raspberry une framboise *nf*
rather plutôt
raw cru(e) *adj*
really vraiment
to receive recevoir *v*
a recipe une recette *nf*
a record une fiche *nf*
to read lire *v*
recently récemment
to record enregistrer *v*
a recycling centre un centre de recyclage *nm*
red rouge* *adj*
to refuse refuser *v*
relatives les parents *nm pl*
to relax se détendre *v*
religion la religion *nf*
to remember se rappeler *v*; se souvenir de *v*
to rent louer *v*
a return ticket un billet aller-retour *nm*
to reply répondre *v*
a report un reportage *nm*
to do research (on) faire des recherches (sur)

responsible responsable* *adj*
to rest se reposer *v*

restful reposant(e) *adj*
to be right avoir raison
to/on the right à droite
a river une rivière *nf*; (large, tidal) un fleuve *nm*
to go rock climbing faire de l'escalade *nf*
a room une pièce *nf*
rubbish (household) les ordures *nf pl*; (of a factory) les déchets *nm pl*
it's rubbish! c'est nul!
to run courir *v*
rural campagnard(e) *adj*

S

sad triste* *adj*
to go sailing faire de la voile
salesman un vendeur *nm*
saleswoman une vendeuse *nf*
salt le sel *nm*
a sandwich un sandwich *nm*
to save (money) économiser *v*
school day la journée scolaire *nf*
scissors les ciseaux *nm pl*
a scooter un scooter *nm*
to score a goal marquer un but
Scotland l'Écosse *nf*
to search for chercher *v*
at the seaside au bord de la mer
a seaside resort une station balnéaire *nf*
a secondary school (11–15) un collège *nm*
a secondary schoolboy un collégien *nm*
a secondary schoolgirl une collégienne *nf*
to see to s'occuper de *v*
see you later! à tout à l'heure
see you soon! à bientôt!
to seem sembler *v*
it seems that il semble que, il paraît que
selfish égoïste* *adj*
to sell vendre *v*
a sense of humour un sens de l'humour *nm*
sensible sérieux/sérieuse *adj*
September septembre *nm*

to set the table mettre le couvert
to settle (a bill) régler *v*

several plusieurs* *adj*
that's a shame! (c'est) dommage!
to share partager *v*
a sheet of paper une feuille de papier *nf*
to shine briller *v*
a shirt une chemise *nf*
to do the shopping faire les courses
a shopping centre un centre commercial *nm*
a shopping list une liste d'achats *nf*
short court(e) *adj*
shorts un short *nm*
a shop un magasin *nm*, une boutique *nf*
shoulder-length (hair) mi-long/mi-longue *adj*
to shout crier *v*
to show montrer *v*
to have a shower se doucher *v*
shy timide* *adj*
sick malade* *adj*
side le côté *nm*
since depuis; (because) puisque
a single bed un lit d'une personne *nm*
sister une sœur *nf*
to sit down s'asseoir *v*
to be sitting down être assis(e)
sitting room le salon *nm*; la salle de séjour *nf*
to be situated se trouver *v*
a sixth-form college un lycée *nm*
size la taille *nf*; (shoe) la pointure *nf*
to skate patiner *v*
to go skateboarding faire du skate
a slave un(e) esclave *nm/nf*
slavery l'esclavage *nm*
a slice une tranche *nf*
slim mince* *adj*
to slip glisser *v*
slow lent(e) *adj*
small petit(e) *adj*
a smell une odeur *nf*
a snack un casse-croûte (*pl*. les casse-croûte) *nm*
snow la neige *nf*
it's snowing il neige
so si, tellement
a soap opera un feuilleton *nm*
a soldier un soldat *nm*, une soldate *nf*, un militaire *nm*
a song une chanson *nf*
so many tant de

so much the better! tant mieux!
someone quelqu'un
something quelque chose
sometime or other tôt ou tard
sometimes quelquefois
somewhere quelque part
soon bientôt
as soon as aussitôt que, dès que
sorry désolé(e) *adj*
soup la soupe *nf*
south le sud *nm*
a space un espace *nf/m*
a spectator un spectateur *nm*/une spectatrice *nf*
speed la vitesse *nf*
to spend (money) dépenser *v*; (time) passer *v*
spoonful une cuillerée *nf*
a sports centre un centre sportif *nm*
a sportsman un sportif *nm*
a sportswoman une sportive *nf*
on the spot sur place
spring (season) le printemps *nm*
a square (plaza) une place *nf*
a stair une marche *nf*
a stall un étal *nm*
to be standing up être debout
a star sign un signe astrologique *nm*
to start (a car) démarrer *v*
a stay un séjour *nm*
a (beef) steak un bifteck *nm*
a stepfather un beau-père *nm*
a stepmother une belle-mère *nf*
a stone une pierre *nf*
to stop (doing something) arrêter de *v*
straight (of hair) raide* *adj*
straight on (tout) droit
strange étranger/étrangère *adj*
stranger un étranger *nm*/une étrangère *nf*
a strawberry une fraise *nf*
strength la puissance *nf*
stubborn têtu(e)
a student un étudiant *nm*/une étudiante *nf*; (sixth-form) un lycéen *nm*/une lycéenne *nf*
to study étudier *v*
a study une étude *nf*

stuff (things) les affaires *nf pl*

a **subject** (e.g. at school) une matière *nf*

suburbs la banlieue *nf*

to **succeed** réussir à *v*

suddenly tout à coup

a **suitcase** une valise *nf*

summer l'été *nm*

summer holidays les grandes vacances *nf pl*

the **sun** le soleil *nm*

to **sunbathe** se faire bronzer *v*

super super* *adj*

sure (about/of) sûr/sûre (de) *adj*

to go **surfing** faire du surf

a **surgeon** un chirurgien *nm*/une chirurgienne *nf*

the **surname** le nom de famille *nm*

to **surprise** surprendre *v*

surroundings les alentours *nm pl*

a **survey** un sondage *nm*

to **survive** survivre *v*

sweet doux/douce *adj*

to **swim** nager *v*

swimming la natation *nf*

a **swimming pool** une piscine *nf*

T

to **take** prendre *v*

to **take a break** faire une pause

to **take an exam** passer un examen *v*

take heart! bon courage!

to **take part in** participer à *v*

to **take place** avoir lieu

tall grand(e) *adj*

a **taste** un goût *nm*

to **taste** goûter *v*

to **taste good/bad** avoir bon/mauvais goût

a **teenager** un(e) ado (un adolescent/une adolescente) *nm/f*

teeth les dents *nf pl*

to **telephone** téléphoner à *v*; appeler *v*

a **telephone call** un coup de téléphone *nm*; un appel de téléphone *nm*

a **television (set)** un poste de télévision *nm*

a **television programme** une émission *nf*

to **tell** dire *v*; (a story) raconter *v*

to **tend to** avoir tendance à

to **thank** remercier *v*

that means ... ça veut dire ...

that's enough! ça suffit!

that's to say c'est-à-dire

there y, là

there aren't/isn't any ... il n'y a pas de...

there is/there are ... il y a ...

there would be... il y aurait ...

therefore donc

thick épais/épaisse *adj*

thin (skinny) maigre* *adj*; (slender) mince* *adj*

a **thing** une chose *nf*

a **thingummy** un truc *nm*

to be **thirsty** avoir soif

thirty trente

a **throat** une gorge *nf*

thousand mille

thousands of des milliers de

through à travers

to **throw** jeter *v*

thunder le tonnerre *nm*

Thursday jeudi *nm*

to **tidy** ranger *v*

a **till** une caisse *nf*

time le temps *nm*; (clock) **time** l'heure *nf*

on **time** à l'heure

at the **time of** lors de

from **time to time** de temps en temps

timetable (school) l'emploi du temps *nm*; (transport) un horaire *nm*

tiring fatigant(e) *adj*

a **title** un titre *nm*

tomorrow demain

too (much) trop

tools les outils *nm pl*

tourist office l'office du tourisme *nm*

a **town centre** un centre-ville *nm*

traffic la circulation *nf*

to **train** s'entraîner *v*

a **train station** une gare *nf*

trainers les baskets *nf pl*

to **translate** traduire *v*

to **travel** voyager *v*

a **travel agency** une agence de voyages *nf*

trendy branché(e) *adj*

true vrai(e)

to **trust** (someone) faire confiance à

to **try** essayer *v*

to **turn** tourner *v*

to **turn off** (e.g. a light) éteindre *v*

to **turn on** (e.g. a light) allumer *v*

twenty vingt

twin jumeau/jumelle/ jumeaux/jumelles *adj*

twin beds les lits jumeaux *nm pl*

a **twin town** une ville jumelle *nf*

to **type** taper *v*

U

ugly laid/laide *adj*, moche* *adj*; (nasty) vilain(e) *adj*

an **umbrella** un parapluie *nm*

uncomfortable inconfortable* *adj*

to be **unemployed** être au chômage

to **understand** comprendre *v*

underwater diving la plongée sous-marine *nf*

to **undress onself** se déshabiller *v*

unforgettable inoubliable* *adj*

unfortunately malheureusement

unknown inconnu(e) *adj*

unleaded petrol l'essence sans plomb *nf*

to **unpack** défaire les valises

unmissable immanquable* *adj*

untidy désordonné(e) *adj*

until jusqu'à

upstairs en haut

to **use** utiliser *v*, se servir de *v*

to get **used to** s'habituer à *v*

useless inutile* *adj*

usually d'habitude

V

to do the **vacuuming** passer l'aspirateur

a **van** une camionnette *nf*

vegetables les légumes *nm pl*

a **video game** un jeu d'ordinateur *nm*

a **village** un village *nm*

to **visit** visiter *v*; (a person) rendre visite à

voice la voix *nf*

a **voluntary worker** un(e) bénévole *nm/f*

W

to **wake up** se réveiller *v*

Wales le pays de Galles *nm*

to **want** vouloir *v*; avoir envie de

to go for a **walk** se promener *v*, marcher *v*

a **wardrobe** une armoire *nf*

to get **washed** se laver *v*

to do the **washing-up** faire la vaisselle

to **watch** regarder *v*

water l'eau *nf*

water-skiing le ski nautique *nm*

a **way** une façon *nf*; une manière *nf*

weak in faible* en *adj*

weather forecast les prévisions météo

week une semaine *nf*

at the **weekend** ce week-end *nm*

at **weekends** le week-end

weight training la musculation *nf*

well off aisé(e) *adj*

Welsh gallois(e) *adj*

the **west** l'ouest *nm*

what's the matter? qu'est-ce qu'il y a?

what rubbish! quelle blague!

when quand

whereas alors que

which? quel/quelle?

wholefoods les aliments complets *nm pl*

windsurfing la planche à voile *nf*

windy venteux/venteuse *adj*

to **win** gagner *v*

a **window** une fenêtre *nf*, (shop) vitrine *nf*

to **wish** souhaiter *v*

with avec

without sans

a **worker** (labourer) un ouvrier *nm*/une ouvrière *nf*

to be **worried about** s'inquiéter de *v*

worse pire* *adj*

it is **worth ...** il vaut ... *v*

wrong faux/fausse *adj*

to be **wrong** avoir tort

Y

yellow jaune*

young jeune* *adj*

younger cadet/cadette *adj*

youth la jeunesse *nf*